HARDE REVOLUTIE

George Pelecanos

HARDE
REVOLUTIE

NIEUWENDAM

the house of books

Oorspronkelijke titel
Hard Revolution
Uitgave
Little, Brown and Company, Boston
Copyright © 2004 by George Pelecanos
Copyright voor het Nederlandse taalgebied © 2004 by The House of Books,
Vianen/Antwerpen

Vertaling
Piet Kruik
Omslagontwerp
Studio Jan de Boer BNO, Amsterdam
Omslagdia's
Getty Images
Foto auteur
Jerry Bauer

ISBN 90 443 1056 9
D/2004/8899/124
NUR 332

Opgedragen aan Sloan

'You inherit the sins, you inherit the flames.'

Bruce Springsteen, *'Adam Raised a Cain'*

Deel een

Lente 1959

1

Derek Strange leunde met één vuist op de grond en nam de aanvalshouding van een footballspeler aan. Hij haalde rustig adem, zoals zijn vader hem had geleerd, en rook de heerlijke geur van de lente. Magnolia's, kornoelje en kersenbomen stonden overal in de stad in bloei. De geur van hun bloesem en het zware aroma van de seringenstruiken tegen het hek van een van de buren waren duidelijk merkbaar.

'Je moet je rug rechthouden,' zei Derek, 'zodat je er een bord met eten op kunt zetten. En je mag ook je kont niet omhoogsteken. Op die manier heb je de juiste houding. En dan storm je naar voren en duik je de gaten in. Je rent in één ruk rechtdoor.'

Derek en zijn vriendje Billy Georgelakos zagen elkaar elke zaterdag. Ze bevonden zich in een steeg achter de Three Star Diner in een blok met lage nummers in Kennedy Street, aan de oostelijke rand van het noordwestelijk deel van D.C. Ze waren allebei dertien jaar.

'Zoals jouw favoriet,' zei Billy, die met een opgerold exemplaar van *Sgt. Rock* in zijn vlezige hand op een melkkratje zat.

'Ja,' zei Derek. 'En hier komt Jim Brown.'

Derek veerde omhoog en stormde naar voren, de ene hand zwevend boven de andere, dicht tegen zijn borst gedrukt. Hij deed net alsof hij de bal overnam, deed snel een paar stappen naar voren, sprong opzij, verminderde snelheid, draaide zich om en liep weer naar Billy terug.

Derek had zijn eigen manier van voortbewegen. Die was zelfverzekerd, maar niet brutaal. Rechte schouders, en een beetje los in de heupen. Hij had die manier van lopen van zijn oudere broer Dennis overgenomen. Derek had de juiste lengte voor zijn leeftijd, maar zoals alle jongens en de meeste mannen wilde hij dat hij langer was. Toen hij laatst in bed lag, dacht hij dat hij kon voelen dat hij groeide. De spiegel boven de kaptafel van zijn moeder vertelde hem dat zijn bovenlichaam ook steviger werd.

Ondanks zijn brede schouders en ongewoon brede borstkas was Billy geen atleet. Hij was wel in de plaatselijke teams geïnteresseerd, maar had andere liefhebberijen. Billy hield van flipperkasten, klappertjespistolen en stripverhalen.

'Heeft Brown op die manier tegen de Skins twaalf yards in elf pogingen gelopen?' vroeg Billy.

'Kom nou, Billy, begin daar nu niet over.'

'Don Bosseler liep in die wedstrijd meer dan Brown.'

'*In die wedstrijd*. Meestal is Bosseler niet in staat om in de schoenen van mijn man te staan. Weet je nog? Twee weken daarvoor, op Griffith? Toen liep Jim Brown honderdtweeënvijftig yards. In die wedstrijd vestigde hij een nieuw record, Billy. Don Bosseler? Kom nou toch.'

'Nou, goed dan,' zei Billy met een brede grijns op zijn gezicht. 'Jouw man kan er wat van.'

Derek wist dat Billy hem voor de gek hield, maar ondanks dat raakte hij toch een beetje gepikeerd. Niet dat Derek een fan van de Redskins was. Hij luisterde naar iedere wedstrijd die op de radio werd uitgezonden. Hij verslond iedere kolom van Shirley Povich en Bob Addie in de *Post*. Hij hield de statistieken bij van quarterback Eddie LeBaron, middle linebacker Chuck Drazenovitch, halfback Eddie Sutton en vele anderen. Hij hield zelfs van Bosseler het aantal yards per poging bij. Eigenlijk was hij slechts tweemaal per seizoen tegen de Skins. Dat was als ze tegen Cleveland speelden. Maar dan voelde hij zich altijd een beetje schuldig.

Derek had een krantenfoto van Brown op de muur geplakt van de slaapkamer die hij deelde met zijn broer. Op zijn vader na was er geen grotere held in zijn leven dan Brown. Dat was een sterke persoonlijkheid die respect afdwong, niet alleen voor zichzelf, maar voor alle mensen, wat voor huidskleur ze ook hadden. Die kerel kon pas spelen.

'Don Bosseler,' grinnikte Derek. Hij legde een van zijn grote handen met de lange vingers boven op zijn hoofd en wreef over zijn hoofdhuid. Dat deed zijn broer Dennis ook als hij met zijn vrienden een geintje uithaalde. Derek had die gewoonte van hem overgenomen, net als zijn manier van lopen.

'Ik plaag je alleen maar, Derek.' Billy stond op van het melkkratje en legde zijn stripboek op de stoep van het restaurant. 'Kom op, dan gaan we.'

'Waarheen?'

'Naar mijn wijk. Misschien zijn ze bij Fort Stevens wel aan het spelen.'

'Oké,' zei Derek. Billy's wijk lag net als die van Derek een paar kilometer bij het restaurant vandaan. De meeste kinderen daar waren blank. Maar Derek had daar geen bezwaar tegen. De waarheid was dat hij het wel opwindend vond om ergens anders heen te gaan.

De meeste zaterdagen brachten Derek en Billy hun tijd door in de stad, terwijl hun vaders in het restaurant werkten. Het waren jongens en men verwachtte van hen dat ze eropuit trokken, avonturen beleefden en misschien tegen kleine problemen opliepen. In bepaalde wijken van het District kwam geweld voor, maar daar waren volwassenen bij betrokken. Meestal waren het criminelen en gebeurde het 's nachts. Normaal gesproken bleven de jongeren buiten schot.

Toen ze door de hoofdstraat liepen, zag Derek dat in de plaatselijke bioscoop, de Kennedy, nog steeds *Buchanan Rides Alone* met Randolph Scott draaide. Derek had de film al met zijn vader gezien. Zijn vader had beloofd hem mee naar U Street te nemen voor de nieuwste film van John Wayne, *Rio Bravo,* waar iedereen in de stad over sprak. Die film draaide in de Republic. Evenals de andere bioscopen in het District in U, de Lincoln en de Booker T, gingen de gekleurde mensen meestal naar de Republic. Daar voelde Derek zich op zijn gemak. Zijn vader, Darius Strange, was gek op westerns en Derek Strange was er ook van gaan houden.

Derek en Billy liepen in oostelijke richting door de winkelstraat. Ze passeerden twee jongens, die Derek van de kerk kende. Een van hen vroeg: 'Waarom ga je met die blanke jongen om?' en Derek antwoordde: 'Wat heb jij daar mee te maken?' Hij keek hem lang genoeg aan om de jongen duidelijk te maken dat hij het serieus meende, waarna iedereen weer doorliep.

Billy was Dereks eerste en enige blanke vriendje. De reden dat ze met elkaar optrokken lag in het feit dat hun vaders met elkaar werkten. Anders hadden ze elkaars gezelschap nooit gezocht, want meestal, op sportevenementen en eerste baantjes na, zag men nooit blanke en gekleurde jongeren bij elkaar. Op zich was dat niet verkeerd, maar het was natuurlijker om met je eigen soort om te gaan. Door zijn vriendschap met Billy verkeerde Derek af en toe in een moeilijke positie. In deze wijk werd je uitgedaagd, als je eigen mensen je met een blanke zagen lopen. Maar Derek vond dat je iemand niet in de steek mocht laten, tenzij hij daar aanleiding toe gaf. Als zo'n conflict zich voordeed, voelde hij zich gedwongen zijn mond open te doen. Het zou niet goed zijn om het zomaar te accepteren. Het was een feit dat Billy dikwijls de verkeerde dingen zei, en soms deden die dingen pijn, maar dat kwam omdat hij niet beter wist. Hij was lomp, maar zijn lompheid was nooit opzettelijk.

Ze liepen in noordwestelijke richting door Manor Park, over het grasveld van Fort Slocum. Even later bereikten ze Georgia Avenue, die door de meeste inwoners als dé hoofdstraat van D.C. werd beschouwd. Het was de langste straat van het District, en het was voor Washington altijd de voornaamste doorgaande route in noordelijke richting geweest. Dat ging helemaal terug tot de tijd toen het daar nog 7th Street Pike heette. Allerlei zaken stonden langs de weg,

11

en dag en nacht zag je mensen over het trottoir lopen. Altijd maakte de Avenue een levendige indruk.

De weg bestond uit wit beton met tramrails. Hier en daar zag men nog houten perrons waar passagiers op de trams stonden te wachten. Maar nu vormden de bussen van D.C. Transit de voornaamste vorm van openbaar vervoer. Verder stonden er nog stalen drinkbakken langs de Avenue. Die werden gebruikt door de paarden van de vuilophalers en de groente- en fruithandelaren, maar binnen afzienbare tijd zouden die dezelfde weg gaan als de straatverkopers. Men beweerde dat de straat geasfalteerd zou worden en dat de rails, perrons en drinkbakken zouden verdwijnen.

Billy's wijk, Brightwood, werd voor het merendeel bewoond door blanke arbeiders uit de middenklasse uit alle windstreken: Grieken, Italianen, Ierse katholieken en joden. De gezinnen kwamen uit Petworth, 7th Street, Columbia Heights, de H Streetcorridor in het noordoostelijk deel, en Chinatown. Toen ze in de welvarende jaren na de Tweede Wereldoorlog meer geld gingen verdienen, trokken ze verder naar het noorden. Ze zochten mooiere huizen, met tuinen waar hun kinderen in konden spelen en opritten voor hun auto's. Bovendien vertrokken ze uit de buurt van de kleurlingen, van wie het aantal na de trek naar de stad en de gedwongen opheffing van de rassenscheiding in rap tempo groeide.

Maar zelfs dit zou een tijdelijke verhuizing betekenen. Speculanten waren begonnen met het verhuizen van kleurlingengezinnen naar blanke straten, met de bedoeling de bewoners zo bang te maken dat ze gedwongen werden hun huizen goedkoop te verkopen. De volgende halte voor de blanken uit het uiterst noordwestelijk deel en de wijk ten oosten van het Park zouden de voorsteden van Maryland worden. Niemand wist dat de gebeurtenissen die over negen jaar zouden plaatsvinden, deze laatste verhuizing zouden bespoedigen, hoewel men van mening was dat er veranderingen stonden te gebeuren die niet te stoppen waren, een onuitgesproken gevoel van het onvermijdelijke. Maar sommigen ontkenden dit met evenveel vuur als het bestaan van de dood.

Derek woonde in Park View ten zuiden van Petworth, een wijk die voornamelijk door kleurlingen werd bewoond en een klein aantal blanke arbeiders. Hij zat op Backus Junior High en zou later naar Roosevelt High School gaan. Billy ging naar Paul Junior High en zou later naar Coolidge High gaan. Daar zaten ook kleurlingen op, van wie de meesten atleet waren. Veel leerlingen van Coolidge gingen later naar de universiteit. Van Roosevelt waren dat er veel minder. Op Roosevelt had je benden; op Coolidge studentenverenigingen. Derek en Billy woonden slechts een paar kilometer bij elkaar vandaan, maar het verschil in hun leven en de vooruitzichten waren zeer opvallend.

Ze liepen aan de oostkant van Georgia langs het 6200-blok, voorbij de open deur van Arrow Cleaners, een zaak die daar in 1929 was gevestigd. Bill Caludis was er de eigenaar van. Ze liepen naar binnen om Caludis' zoon, Billy, even te begroeten. Billy Georgelakos kende hem van de kerk. Op de hoek bevond zich Clark's Men Shop, naast Marinoff-Pritt en Katz, de joodse supermarkt. Verschillende slagers daar droegen getatoeëerde kampnummers op hun onderarmen. Niet ver daarvandaan stond het Sheridan Theater, waar *Decision at Sundown* draaide, nog een film met Randolph Scott. Derek had hem samen met zijn vader gezien.

Ze staken Georgia over. Ze passeerden Vince's Agnes Flower Shop. Daar liep Billy even naar binnen om een paar woorden met de leuke jonge verkoopster, Margie, te wisselen. Daarnaast bevond zich de Sheridan Waffle Shop, ook bekend als John's Lunch, een restaurant waarvan John Deoudes de eigenaar was. Vervolgens een kroeg, Sue's 6210, een Chinese wasserij, een kapper en op de hoek nog een café, de 6200. Door de open deur klonk het ritme van 'Stagger Lee' uit de jukebox.

Op het trottoir voor het café stonden drie blanke jongens te praten, te roken en af en toe hun haren te kammen. Een van hen plaagde een andere knul en vroeg of zijn meisje hem een blauw oog en een dikke lip had bezorgd. 'Nee,' zei de jongen met het blauwe oog. 'Ik werd in de buurt van Griffith Stadium door een groep nikkers te grazen genomen.' Hij voegde eraantoe dat hij naar hen op zoek was om 'de rekening te vereffenen'. Het groepje zweeg toen Derek en Billy voorbijliepen. Er werd niets gezegd, geen dreigende blikken gewisseld en er ontstonden geen moeilijkheden. Derek keek naar de slappe jongen met de grote mond en dacht: waarschijnlijk was het 'geen groep nikkers', maar slechts eentje.

Op de hoek van Georgia en Rittenhouse wees Billy opgewonden naar een man met een breedgerande hoed die de straat overstak en in oostelijke richting zijn weg vervolgde. Naast hem liep een jonge vrouw. Ze konden haar gezicht niet zien, maar zagen wel de plezierige bewegingen van haar achterwerk.

'Dat is Bo Diddley,' zei Billy.

'Ik dacht dat hij op Rhode Island Avenue woonde.'

'Dat zegt iedereen. Maar de laatste tijd zien we hem steeds in deze buurt lopen. Ze zeggen dat hij ergens aan Rittenhouse een huis heeft.'

'Bo Diddley is een revolverheld,' zei Derek. Hij kreeg een warm gevoel in zijn onderbuik toen hij naar het figuur van de jonge vrouw keek.

Ze liepen in zuidelijke richting verder naar Quackenbos en staken het terrein van de Nativity School over, een katholiek klooster met een goed uitgeruste sportzaal. Billy en zijn vrienden werden elke keer weer door de nonnen de sportzaal uitgejaagd. Achter het terrein lag Fort Stevens, waar de troepen van de Confederatie in juli 1864 door de kanonnen en musketten van de Unie werden verjaagd. Het fort werd herbouwd en in goede staat gehouden, maar nu nog door weinig toeristen bezocht. Het terrein eromheen werd meestal door de jongens uit de buurt als speelveld gebruikt.

'Er is niemand,' zei Derek. Hij keek over het slecht onderhouden terrein en zag dat de Amerikaanse vlag aan een witte mast een golvende schaduw over het grasveld wierp.

'Ik ga *porichia* voor mijn moeder plukken,' zei Billy.

'Wat zeg je?'

Derek en Billy liepen de steile helling op tot de muur, waarop de kanonnen in een rij stonden opgesteld. Aan de andere zijde liep het steil omlaag naar een diepe gracht, die langs de noordelijke rand van het fort liep. Naast een van de kanonnen groeiden plukjes stakerige planten met stevige stengels. Billy trok een paar planten uit de grond en schudde de aarde uit de wortels.

'Ik dacht dat je moeder gek op paardebloemen was.'

'Dat is *rodichia*. Maar deze zijn ook goed. Maar die moet je wel plukken voor ze in bloei staan, want dan zijn ze te bitter. Kom, we gaan ze even brengen en wat te drinken halen.'

Billy woonde in een stenen huis in koloniale stijl, met een leistenen dak en koperen dakgoot. Het stond in het 1300-blok van Somerset, een paar blokken ten westen van het park. In tegenstelling tot de rijtjeshuizen in Park View en Petworth stonden de huizen met de gladde, goed onderhouden grasvelden hier apart. De familie Deoudes woonde in Somerset, evenals de familie Vondas. In Underwood woonde een magere jongen, Bobby Boukas, wiens ouders een bloemenwinkel bezaten. Allen waren lid van dezelfde kerk als Billy, St. Sophia. In Tuckerman stond het huis waar de dwergacteur Johnny Puleo het grootste gedeelte van het jaar woonde. Hij speelde in de circusfilm *Trapeze* met Burt Lancaster en Tony Curtis. Puleo reed in een aangepaste Dodge met houten blokken op het gas- en het rempedaal. In deze straten woonden veel Italianen en Grieken.

Op weg naar het huis van de familie Georgelakos bleef Derek even staan om een gespierde, bruine boxer te aaien, die meestal aan de ketting voor het huis van de familie Deoudes lag. De naam van de hond was Greco. Soms ging Greco met agenten mee als ze 's nachts hun ronde liepen. Het was bekend dat de hond snel, loyaal en sterk was.

Derek hurkte en liet Greco aan zijn hand ruiken. De hond duwde zijn snuit in Dereks vingers, waarna Derek hem op zijn buik klopte en achter zijn oren krabde.

'Dat is gek,' zei Billy.

'Wat bedoel je?'

'Meestal springt hij op en laat hij zijn tanden zien.'
'Alleen bij kleurlingen, hè?'
'Ja, eigenlijk wel.'
'Hij vindt *mij* aardig.' De uitdrukking in Dereks ogen werd zachter toen hij naar de hond keek. 'Later neem ik ook zo'n hond.'

2

Nadat ze de *porichia* aan Billy's moeder hadden gegeven, liepen de jongens terug naar Fort Stevens. Daar zagen ze twee broers, Dominic en Angelo Martini, midden op het veld staan.

'Wil je liever doorlopen?' vroeg Billy. Tijdens hun laatste ontmoeting had Dominic Martini Derek erg gepest.

'Nee,' zei Derek. 'Het is wel goed.'

Ze liepen naar de jongens toe. De zestienjarige Dominic was net geen een meter tachtig en had het figuur van een volwassen kerel. Zijn huid was net zo donker als zijn perfecte pommadekapsel. Zijn zwarte ogen hadden geen enkele uitdrukking. Na zijn laatste verjaardag was hij van Coolidge gegaan, en werkte nu als pompbediende bij het benzinestation van Esso op de hoek van Georgia en Piney Branch. Zijn broer, Angelo, was veertien. Hij had hetzelfde uiterlijk als Dominic, maar was minder fors gebouwd, minder knap en miste het vertrouwen dat Dominic uitstraalde. Zijn slappe figuur liet zien dat hij zich van het verschil bewust was.

'Billy,' zei Dominic. 'Ik zie dat je vandaag in het gezelschap van je schaduw bent.'

'Hij heet Derek,' zei Billy nadrukkelijk geforceerd.

'Relax, Billy boy.' Dominic glimlachte, nam een trekje van zijn sigaret en keek geringschattend naar Derek. 'Wil je soms vechten?'

Derek had de uitdaging verwacht. Tijdens hun eerste ontmoeting had hij gezien dat Martini hetzelfde flikte met een jongen die zich nergens mee bemoeide en gewoon door het park liep. Hij veronderstelde dat Dominic graag met deze opmerking begon om iedereen van begin af aan te laten weten dat hij de baas was. De andere jongen was totaal verrast, en voor Dominic was het toen een koud kunstje om van begin af aan de baas te spelen.

'Vandaag niet,' zei Derek.

'Misschien ren je liever naar je mammie.'

Dat Dominic zijn moeder erbij haalde en de manier waarop hij het accent van kleurlingen nabootste, was voor Derek genoeg om onwillekeurig zijn vuisten te ballen. Hij haalde diep adem en ontspande zich.

'Nou, luister eens even, ik bedoel niet dat je met míj moet vechten,' zei Dominic. 'Dat zou niet eerlijk zijn. Ik pak geen kleintjes, hè?'

Jij bent niet zo heel veel groter, dacht Derek.

'Ik dacht aan jou en Angie,' zei Dominic. Toen hij deze woorden zei, sloeg Angelo zijn ogen neer.

'Ik heb geen ruzie met je broer,' zei Derek.

'Hou daarmee op, Dom,' zei Angelo.

'Ik heb het tegen *Derek,'* zei Dominic.

Derek wist dat hij Angelo kon hebben. Verrek, de kin van die knul hing op zijn borst, hij wás al verslagen. Derek vermoedde dat Angelo, zoals de meeste blanke jongens, doodsbang was van gekleurde jongens. En die angst bepaalde het verschil. Maar Derek had geen enkele zin om Angelo een pak slaag te geven. Want op zo'n manier kon hij zich geen winnaar voelen.

'Hebben jullie honkbalhandschoenen bij je?' vroeg Derek.

'Ja, die hebben we bij ons,' zei Dominic. 'Hoezo?'

'In plaats daarvan spelen Billy en ik een wedstrijd tegen jullie,' zei Derek. 'Wat denk je?'

'Prima,' zei Dominic. 'Maar eerst moet je zeggen dat je niet wilt vechten.'

'Dominic,' zei Angelo bijna smekend.

'Ik heb geen zin om te vechten,' zei Derek.

'Dat is niet hetzelfde. Je moet hetzelfde zeggen wat ik zei, anders ga je het met mijn broer uitvechten.'

'Oké dan,' zei Derek. 'Ik wil niet vechten.' Hij vond het niet erg om te zeggen. Hij had geen stap terug gedaan, zijn armen gevouwen of zijn blik afgewend. Zijn lichaamstaal maakte duidelijk dat hij niet bang was. Dominic kon dat zien. Hij *wist* het.

'Prima,' zei Dominic. Heel even zag Derek iets menselijks in Martini's ogen. 'Laten we gaan spelen.'

In de munitiebunker onder in de heuvel van het fort hadden de broers Martini een honkbalknuppel, een keiharde bal en twee handschoenen verstopt. Het spel leek op stickball, maar dan zonder de muur. Honkslagen werden hier door opvallende bakens bepaald – de vlaggenmast, de herdenkingsplaat van het fort, enzovoort – terwijl de top van de heuvel het ultieme doelwit vormde. Een bal over de muur van het fort was een homerun.

Derek was een uitstekende slagman. Zelfs Billy was een betere atleet dan de beide Martini's. Algauw werd duidelijk dat het een eenzijdige wedstrijd was. Toen Derek zijn derde homerun sloeg, zei Dominic dat hij zich verveelde en geen zin meer had. Nadat ze de attributen in de bunker hadden teruggelegd, zei Dominic tegen Derek: 'Zeg, heb jij het wel eens met een grietje gedaan?'

'Natuurlijk,' zei Derek. Maar het was een leugen. Hij had wel eens een beetje over de tietjes van een ouder meisje uit zijn wijk gewreven. Die bezat de reputatie dat ze jonge jongens het hoofd op hol bracht, en dat was alles. Bovendien had ze haar bloesje nog aan.

'Ja, dat zal wel,' zei Dominic. Hij lachte even en stak een sigaret aan. 'Ik doe het zowat elke dag.'

Hij vertelde Derek over de Fort Club die hij en zijn vrienden onlangs hadden opgericht. Dat ze bier dronken en op vrijdagavond wagonladingen meisjes de bunker introkken. Derek haalde even zijn schouders op, genoeg om weer ruzie te krijgen, maar niet genoeg om Dominic te laten voelen dat hij daar bang voor was. Het was niet de reactie die Dominic verwachtte. Hij haalde iets uit zijn zak en liet het aan Derek zien.

'Weet jij wat dit is?'

'Dat is een donderslag.'

'Zal ik hem eens aansteken?'

'Ga je gang.'

Martini stak de lont aan met zijn sigaret en liet de donderslag rustig in de loop van een kanon zakken. De donderslag explodeerde en de knal klonk verrassend luid. Een schoonmaker kwam de kerk uitlopen, schreeuwde iets naar de jongens en liep hun kant uit. Angelo en Billy renden in de richting van 13th Street. Derek en Dominic wandelden rustig achter hen aan het park uit.

'Jij en ik,' zei Dominic, 'wij gaan nergens voor op de loop, hè?'

Derek voelde dat deze middag verkeerd zou aflopen, zoals een jongen altijd wist op wat voor manier de dag zou verlopen. Het was of hij willens en wetens de zonnige straat overstak om in de schaduw te gaan lopen. Zijn opvoeding had hem het verschil tussen goed en kwaad geleerd. Hij wist dat hij nu meteen met Billy naar het restaurant terug zou moeten gaan. Maar desondanks werd hij naar de donkere schaduwen getrokken. Dus toen Dominic voorstelde om naar de 'Sixth' te gaan om 'rotzooi te trappen', maakte Derek geen bezwaar.

Het politiebureau van het Zesde District stond in Nicholson, links van Brightwood Elementary. Het stenen gebouw met de pilaren leek zelf ook wel een schoolgebouw. Een vijvertje met goudvissen bevond zich naast de hoefijzervormige oprit achter het gebouw. De jongens naderden het gebouw van rechts. Ze bleven naast een grote eik staan en bestudeerden het gebouw door het traliehek.

'Daar is het cellenblok,' zei Dominic. Hij wees naar de rechterzijde van het gebouw. 'Er staat alleen maar een bed met een oud matras waar je op kunt slapen.'

'Hoe weet jíj dat?' vroeg Billy. Hij daagde Martini uit, maar was diep in zijn hart wel degelijk onder de indruk.

'Onze vader vertelde ons dat,' zei Angelo. Hun vader was afgelopen jaar een paar keer wegens openbare dronkenschap opgepakt, en had daar zijn roes moeten uitslapen.

'En dat niet alleen,' zei Dominic een beetje verveeld. 'Ik heb er zelf ook gezeten.' Eigenlijk had hij nog nooit een nacht in de cel doorgebracht, hoewel hij het wel van plan was. Omdat hij een steen door de ruit van de lagere school had gegooid, had Dominic een officiële waarschuwing gekregen. Helaas was dat niet zo dramatisch als 'een strafblad'.

Achter het hoofdgebouw stond een garage. Daarin stonden een paar Harleys voor de motoragenten. Een van de drie patrouillewagens van het district, een opgevoerde Ford, stond bij het bureau. Daarnaast stond een ongemarkeerde patrouillewagen, eveneens een Ford. De jongens uit Brightwood herkenden de nummers van de patrouillewagens, 61 tot en met 63, die op de zijkant van de auto's waren geschilderd. Ze kenden ook de namen van de brigadier, de rechercheurs van de afdeling Moordzaken en de wijkagenten. Een van hen was een Ierse agent, wiens status tot legende was verheven nadat hij door een kogel uit een .45 in zijn buik was geraakt. Bij het Zesde zat ook één gekleurde wijkagent, William Davis, en de gehate agent Pappas, een Griek die het speciaal op kinderen had gemunt. Hij beschouwde het als zijn persoonlijke opdracht om vaders met hun zonen op te pakken, van wie sommigen eveneens Grieken waren, die illegale loterijen organiseerden en af en toe buiten hun wijk op de Avenue terechtkwamen. Pappas had een streepjessnor. De jongens vonden dat hij op een verwijfde Fransman leek. Ze hadden hem de bijnaam Jacques gegeven. Als hij zijn ronde liep, riepen ze van de daken of uit de stegen treiterend met een hoge falsetstem: 'Jaaacques, o, Jaaacques.'

Agent Davis verliet het gebouw door de voordeur en liep naar patrouillewagen 62. Davis was groot en slank, zijn uniform was perfect geperst en zijn dienstrevolver stak in zijn holster. Derek vroeg zich af wat je moest doen om agent te worden. Het moest iets bijzonders zijn, als je zag hoe Davis liep. Met opgeheven kin en een bijna branieachtige loop. Het was alsof de man er trots op was.

Dominic Martini raapte een steen op. Derek greep zijn pols beet.

'Niet doen,' zei Derek.

Dereks daad verraste hen beiden, zodat Dominic zich niet verzette. Hij liet de steen vallen, schudde zijn hand los en staarde naar Davis.

'Moet je zien,' zei Martini minachtend. 'Die verbeeldt zich echt dat hij iemand is.'

Maar dat ís hij ook, dacht Derek Strange. Hij keek naar de agent die in de auto stapte. Dat was pas een *echte* vent.

Buzz Stewart vulde de benzinetank van een DeSoto Fireflite uit

1957, een roodwitte sedan met zwart-witte banden en witte bekleding. Hoewel hij nu de pomp bediende, bungelde er toch een sigaret tussen zijn lippen. Eigenlijk mocht hij nergens in de buurt van de tanks roken, maar er was niemand bij het station, ook zijn baas niet, die genoeg lef had om het hem te verbieden. Nadat hij de slang weer had opgehangen en geld van de kerel achter het stuur had aangenomen, tikte hij de as van zijn Marlboro en stak de sigaret weer tussen zijn dunne lippen.

'Hallo, Buzz,' zei Dominic Martini, terwijl hij met een flesje Coca-Cola in zijn hand voorbijliep.

'Hallo,' mompelde Stewart.

Stewart keek naar Martini, een Italiaanse knul die in het weekend 's avonds werkte, die naar een groepje jongens aan de rand van het Esso-station liep. Een van de jongens was Martini's slappe, jongere broer. De andere was een dikke knul, volgens hem ook een spaghettivreter. De derde knul was een nikker. Nou zeg, waarom ging Martini met een kleurling op stap? De volgende keer als ze elkaar weer zagen zou hij Dom er eens voor op z'n lazer geven.

Stewart stak het terrein over terwijl hij op zijn blonde haar tikte dat stijf stond van de Brylcreem. Hij bewonderde zijn aderen, die als tentakels langs de binnenkant van zijn onderarmen omhoogliepen naar zijn biceps. Hij voelde zich sterk. Hij was bijna een meter tachtig lang, woog vijfentachtig kilo en daar zat geen greintje vet bij. Hoewel sommige jongens een stuk kleiner waren, dachten ze dat ze hem wel konden uitdagen. Stewart was voor niemand bang en vond het niet nodig om dat te bewijzen.

Hij liep het kantoortje binnen. De baas, ooit een flinke kerel, maar nu met een uitgezakt figuur, zat zoals altijd achter zijn bureau niets te doen. 'Party Doll' klonk over de radio. Het was Buddy Knox met zijn stottermanier van zingen, direct gevolgd door die mooie gitaarsolo met het wandeltempo van bas en drums op de achtergrond. Stewart vond dit wel een mooi nummer. Hij haalde het niet bij Link, maar het klonk wel goed.

'Kunnen we even praten?' zei Stewart.

'Ga je gang,' zei de baas, maar hij weigerde Stewart aan te kijken.

'Wanneer krijg ik de kans om eens aan een auto te werken?'

'Als je je diploma hebt.'

'Ik kan met mijn ogen dicht een motor uit elkaar halen en weer in elkaar zetten.'

'Misschien kunnen ze je dan wel in een circus gebruiken,' zei de baas. 'Maar op het bord buiten staat "gediplomeerde monteurs". Als je monteur wilt zijn, moet je van de moedermaatschappij je diploma halen.'

Dat diploma kan barsten, dacht Stewart. De laatste keer dat ik iets geleerd heb, was op Montgomery Blair, toen ik zestien was. Toen had ik geen diploma nodig en zeker geen diploma van de middelbare school. Je hoeft niet in een klaslokaal te gaan zitten om te weten hoe een auto in elkaar zit.

'Misschien later,' zei Stewart. Hij wees met zijn duim naar de klok aan de wand. 'Ik schei ermee uit.' Hij pakte de rol bankbiljetten uit zijn broekzak, trok de riem met wisselgeld van zijn middel en legde alles op het bureau van zijn baas.

'Wacht even tot ik het geteld heb,' zei de baas.

'Als het niet klopt, dan hoor ik het wel van je.'

'Heb je haast?'

'Ja,' zei Stewart. 'Ik moet ergens heen om een paar mensen te spreken en die zijn niet hier.'

Stewart liep naar buiten.

'Flinke vent,' zei de baas, maar wel nadat Stewart zijn kantoortje had verlaten.

Buzz Stewart stapte in zijn opgevoerde Ford uit 1950 met speciale koplampen en liet zich onderuitzakken. Speciaal voor hem was de auto met de blauwe bekleding kardinaalrood gespoten. Hij en zijn vrienden hadden hun auto allemaal een naam gegeven. Die naam was op het rechterspatbord geschilderd. Die van hem heette 'Lavender-Blue'. Dat was vanwege het kleurenschema, maar ook naar het liedje van Sammy Turner. Hij was trots op die naam. Hij had hem helemaal zelf verzonnen.

Stewart startte de motor en reed in noordelijke richting D.C. uit, naar het huis van zijn ouders in Silver Spring.

Net voorbij de grens van het District reed hij onder de spoorbrug van B&O door, langs de fabriek van Canada Dry, die hij links passeerde. Hij en zijn vrienden gingen elke zaterdag naar de fabriek, wanneer er slechts één bewaker aanwezig was. Dan stalen ze zoveel kratjes gemberbier als ze konden dragen. In een nabijgelegen bos goten ze de flessen leeg, waarna ze de lege flessen bij winkels in de buurt inleverden voor het statiegeld. Daar verdienden ze een paar dollar mee. Maar een paar jaar geleden was het opeens voorbij, toen een oudere bewaker hem en zijn groep verraste. Gelukkig dook Stewarts beste vriend, Shorty Hess, achter de bewaker op en sloeg hem bewusteloos met een eind pijp dat hij in zijn spijkerbroek had gestopt. In het begin waren ze bang dat hij hem vermoord had, maar toen ze er niets over in de krant lazen, vermoedden ze dat die ouwe vent het wel had overleefd. Dat incident maakte een eind aan hun wekelijkse gemberbierdiefstallen, maar het was toch maar kinderspel geweest. Nadien waren hij en zijn vrienden serieuzer aan het werk gegaan, zoals het plegen van inbraken. Ze vonden het leuk om met hun auto's te racen, bier en sterke drank te drinken, kleurlingen van het trottoir te jagen en meisjes te neuken. Ze vonden het ook leuk om te vechten.

Stewart reed naar het huis van zijn ouders. Hij woonde met hen in een vrijstaand huis in Mississippi Avenue, tussen Sligo en Piney Branch. Het huis, een vierkant stenen huis met een houten veranda, stond op een stuk land van ongeveer tweeduizend vierkante meter. Achter het huis stond een vrijstaande garage, waarin Stewart aan zijn auto's werkte. Naast de garage lag een grote groentetuin – maïs, tomaten, paprika's en zo – die door zijn moeder werd bijgehouden. Stewart had nog niet zo lang geleden de tuin voor haar omgespit, zodat ze binnenkort de zomergroenten kon planten en zaaien.

Binnen zag hij zijn vader, Albert Stewart, in de woonkamer in zijn gestoffeerde stoel zitten. Al dronk Old German-bier en rookte een Camel zonder filter. Hij kocht zijn bier voor tweevijftig per krat en dronk in twee dagen een krat leeg. Hij keek naar 'Cisco Kid' op tv. Albert was bijna net zo groot als zijn zoon en bijna kaal. Evenals zijn zoon was hij niet knap of lelijk. Hij bezat geen opvallende gelaatstrekken, maar was een bleke, constant snauwende man met dunne lippen, kleine oogjes, die snel kwaad werd en met zijn mening klaarstond.

'Wat is er met jou?' vroeg Al, zonder zijn hoofd om te draaien.

'Niets,' zei Buzz, die met open mond naar de tv staarde.

'Heb je je geld gekregen?'

'Gisteren.'

'Je bent nu achttien, jongen. Het wordt tijd dat je kostgeld gaat betalen.'

'Dat weet ik.'

'Nou, betaal dan.'

'Dat ga ik doen.'

'Wanneer?'

Stewart liep langs de keuken. Daar zat zijn moeder, Pat, aan een formicatafel een sigaret te roken. Ze droeg een kamerjas met bloemenmotief. Jaren geleden had ze er bij Montgomery Wards twee gekocht, die ze nu beurtelings om de andere dag droeg. Haar grijze haar zat in een knot. Ze had nog steeds lachrimpels om haar mond. Haar ogen waren lichtblauw. Haar familieleden zeiden dat ze vroeger een knappe meid was geweest.

'Carlton,' zei ze, de officiële naam van haar zoon gebruikend.

'Ja, ma.'

'Blijf je eten?'

'Nee, ik ga uit. Maar ik eet wel een boterham of zo.'

'Denk je dat dit een restaurant is?' riep Al uit de woonkamer.

'Ja,' zei Stewart luidkeels. 'Kan ik een biefstuk krijgen? Medium, graag. En ook nog een van je lekkere biertjes.'

'Stomme klootzak,' zei Al.

Buzz Stewart ging naar beneden naar zijn kamer.

3

Van het politiebureau van het Zesde District liepen de jongens weer terug naar de Avenue. Dominic Martini kocht een flesje Coke uit een rode koelkast in het Esso-station en verzekerde zijn baas dat hij op tijd zou zijn voor zijn avonddienst. Op weg terug naar de groep zei hij 'Hallo, Buzz' tegen een grote knul die benzine stond te tanken. Hij had zijn mouwen hoog opgerold om zijn spierballen te laten zien.

Dominic gaf de fles aan zijn broer, die zonder er verder bij na te denken de fles aan Derek gaf. Derek nam een slok uit de fles en gaf hem terug aan Dominic. Dominic veegde de hals schoon voordat hij hem aan zijn mond zette. Toen hij dat deed, keek hij Derek strak aan.

Uiteindelijk bereikten ze Ida's, het warenhuis op de oostelijke hoek van Georgia en Quackenbos. Naast de verkoop van huishoudelijke artikelen, voorzag het warenhuis het overgrote deel van de jeugd uit de wijk van kleding, kleurlingen net zo goed als blanken. De PF Flyers aan Dereks voeten kwamen van Ida's, net als het oude padvindersuniform dat in de kast van Billy Georgelakos hing. Het was in de buitenwijk de tegenhanger van Morton's in de binnenstad.

De jongens liepen de winkel in en volgden een van de gangpaden verder de zaak in. Het personeel was druk bezig met klanten en niemand had hen nog in de gaten gekregen. Er was voor hen geen enkele, geldige reden om hier binnen te zijn. Niemand had geld bij zich, maar Derek wist heel goed wat ze eigenlijk van plan waren. Maar toch ging hij mee. Bijna direct daarna zag hij dat Dominic een Ace-kam uit een mand haalde en in één vloeiende beweging in zijn achterzak stopte. Angelo met bezwete bovenlip deed hetzelfde.

'Laten we weggaan, Derek,' zei Billy.

'Ja, smeer hem maar, lafaards.'

'Wie is volgens jou een lafaard?' zei Derek. Meteen nadat hij de woorden had gezegd, kreeg hij spijt.

'*Doe* dan iets,' zei Dominic. 'Bewijs dan maar eens dat je lef hebt, *Derek.*'

'Oké,' zei Derek Strange.

Dominic glimlachte. 'We wachten buiten op je.'

Derek liep verder de winkel in, sloeg een ander gangpad in. Intussen waren de broers Martini verdwenen. Billy bleef bij Derek. Derek kwam bij de afdeling ijzerwaren, zag een hangslot en dacht dat zijn vader dat wel ergens voor kon gebruiken. Hij bleef zeker een volle minuut doodstil naar dat hangslot staren. Hij keek om zich heen, zag niemand in het gangpad en stak het hangslot in de rechterzak van zijn spijkerbroek. Vervolgens liep hij naar de uitgang van de zaak, met Billy in zijn kielzog.

Toen ze de deuren van de uitgang bereikten, voelde hij een stevige hand om een van zijn biceps. Hij probeerde zich los te rukken en weg te rennen, maar de persoon die hem had gegrepen liet niet los.

'Wacht eens even,' zei een mannenstem. 'Jij gaat nergens heen, knul.'

Derek hield op met tegenspartelen. Hij was de klos en diep in zijn hart wist hij dat hij dit verdiend had. Hij vervloekte zichzelf eerst in gedachten en daarna hardop.

'Stommeling,' zei Derek.

'Juist,' zei de man. Het was een forsgebouwde, blanke man met brede schouders. Hij droeg een ruitjesvest, een overhemd met openstaande boord en boven op zijn zwarte haar zat een bril geklemd. Strange zag op de badge op zijn borst de naam van de man: Harold Fein.

'Heb jij iets in je zak, knul?' vroeg Fein aan Billy.

'Nee,' zei Billy.

'Dan verlaat je nú de zaak.'

'Kan ik niet op mijn vriend wachten?'

Op dat moment kreeg Derek een warm gevoel voor Billy, omdat hij hem 'vriend' had genoemd. Daarvoor was hij gewoon een jongen die hij bijna per ongeluk ontmoet had.

'Als je op hem wilt wachten,' zei Fein, die Derek nog steeds vasthield, 'dan wacht je maar buiten. Nou, ik wéét wie je bent en ik ken je moeder. Laat ik niet merken dat je ooit nog eens bij dit soort zaakjes betrokken bent.'

Billy zei: 'Dat gebeurt niet meer,' maar dat zei hij tegen hun ruggen, want Fein nam Derek mee naar de achterzijde van de winkel. Door een nauwe opening bereikten ze een magazijn met een laaghangend plafond.

Fein zei tegen Derek dat hij moest gaan zitten. Er stond een gecapitonneerde stoel achter een met papieren bezaaid bureau en een stoel met harde zitting naast het bureau. Derek vermoedde dat die andere stoel voor meneer Fein was. Hij ging op de harde stoel zitten. Op het bureau stond een driehoekig blok hout met een koperen plaat erop. Daarop stond de functie van de man. Er stond: 'Inkoopmanager'. Op het bureau stonden ook ingelijste foto's van een meisje en een ongeveer tweejarig jongetje.

'Hoe heet je?' vroeg Fein, die nog steeds bleef staan.

'Derek Strange.'

'Waar woon je?'

Derek vertelde hem dat hij in Princeton Place woonde, in Park View.

'Ik ga aan de hand van een lijst controleren of de lading van een vrachtwagen klopt,' zei Fein. 'Jij blijft daar gewoon zitten. O ja, voordat ik het vergeet, leg het hangslot op het bureau. En probeer er niet vandoor te gaan, want ik weet nu waar je woont, oké?'

'Ja, meneer.'

Het duurde een poosje voordat Fein terugkwam. Misschien wel dertig minuten of zo, maar volgens Derek leken het wel uren. Hij voelde zich beroerd en bedacht wat zijn moeder en vader zouden zeggen als ze dat telefoontje kregen. Hij was ook boos omdat hij zich door Dominic Martini op stang had laten jagen, een knaap voor wie hij zelfs geen respect had. Waarom hij het nodig vond om zichzelf tegenover Martini te moeten bewijzen, wist hij niet. Derek had verkeerde dingen gedaan en hij wist dat hij in de toekomst nog meer verkeerde dingen zou doen, maar hij nam zich heilig voor om nooit meer zonder enige reden domme, verkeerde dingen te doen. Zo was hij niet opgevoed.

Fein kwam terug en ging zitten. Hij legde een stapel papieren op de juiste volgorde. Daarna vouwde hij zijn handen, liet ze in zijn schoot rusten en keek Derek aandachtig aan.

'Je hebt vandaag iets verkeerds gedaan,' zei Fein.

'Dat weet ik.'

'Weet je dat zeker?'

'Ja, meneer.'

Fein slaakte langzaam een diepe zucht. 'Ik zag die andere jongens een kam stelen. Dat is helemaal niet zo moeilijk, want we hebben spiegels in de hoeken van de winkel hangen. Weet je waarom ik hen niet als eerste greep?'

'Nee, meneer.'

'Omdat het in dit geval geen zin had. Ik heb hen al eens eerder gezien. Vooral de oudste is al… op het slechte pad. Ik ga hem bij het versnellen van dat proces niet helpen, begrijp je?'

Derek begreep hem niet precies. Later zou hij nog eens aan deze dag terugdenken en het wel begrijpen.

'Dus nu vraag je jezelf af, waarom ik?' zei Fein. 'Omdat je niet bent zoals die andere jongen. Ik heb jou en je vriendje in dat gangpad in de gaten gehouden. Je aarzelde, want je wist wat het verschil tussen goed en kwaad was. Vervolgens nam je de verkeerde beslissing. Maar luister, het is niet het einde van de wereld als je wéét dat je de verkeerde beslissing hebt genomen.'

Derek knikte en keek de man aan. Voor het eerst na hun ontmoeting hadden zijn ogen een zachtere uitdrukking.

'Derek was het, hè?'

'Ja.'

'Weet je al wat je later wilt worden?'

'Agent,' zei Derek zonder enige aarzeling.

'Nou, zie je wel. Zelfs nú moet je nadenken wat je verder wilt zijn. Alles wat je als jongen doet kan invloed op je latere leven hebben, wat je wel of wat je niet zult worden.'

Derek knikte. Het was hem niet duidelijk welke kant deze man precies op wilde. Maar het klonk wel redelijk.

'Je kunt gaan,' zei Fein.

'*Wat?*'

'Ga naar huis. Ik zal je ouders of de politie niet bellen. Denk na over wat ik je vandaag gezegd heb.' Fein tikte met een dikke vinger tegen zijn slaap. '*Denk na.*'

'Dank u, meneer,' zei Derek en ging staan. Hij maakte een verdoofde indruk.

Harold Fein haalde zijn bril van zijn haar en zette hem op zijn neus. Hij dook in de papieren die op zijn bureau lagen.

Billy zat buiten op het trottoir. Toen Derek naar hem toeliep, ging hij staan.

'En zit je in de problemen?' vroeg Billy.

'Nee,' zei Derek. 'Het is oké. Waar zijn de jongens van Martini?'

'Die zijn weggegaan.'

'Dat vermoedde ik al.'

'We kunnen beter weer naar het restaurant gaan, Derek, het is al laat.'

Derek legde een hand op Billy's schouder. 'Bedankt, man.'

'Waarvoor?'

'Omdat je op me bent blijven wachten,' zei Derek. Billy maakte een snelle hoofdbeweging en grinnikte.

Ze liepen in zuidoostelijke richting door Missouri Avenue, in de richting van Kennedy Street. De schaduwen van de namiddag werden langer, dus stapten ze stevig door. In Manor Park reed een auto voorbij. De radio speelde 'I Found a Love' van de Falcons, een groep met de leadzanger die Dereks vader zo goed vond. Derek moest glimlachen toen hij het geluid hoorde en de gekleurde mannen in de auto zag zitten. Hij voelde zich schoon, alsof hij zojuist uit de kerk was gekomen. Zoals je je voelt als je gebiecht hebt.

Naar de maatstaven van de meeste mensen had Frank Vaughn het heel goed. Hij had de invasie van Okinawa overleefd, was met een meisje met een paar mooie benen getrouwd, vader van een zoon geworden, had een huis in een blanke wijk gekocht en verdiende goed met uitzicht op een behoorlijk pensioen. Mannen deden een stapje opzij voor hem en vrouwen keken hem nog steeds aandachtig aan als hij over straat liep. Op bijna veertigjarige leeftijd had hij bereikt wat de meeste mannen graag hadden willen worden.

Vaughn nam een slok koffie, een trekje van zijn sigaret en legde die in een asbak die zijn zoon Ricky voor hem bij Kresge's voor vaderdag had gekocht. Hij had er net zo goed een kaart bij kunnen doen met de boodschap 'Alsjeblieft, pa, ik hoop dat je stikt'. Maar daar was die jongen niet slim genoeg voor. Waarschijnlijk was het Olga's idee geweest om die asbak te geven, haar idee van een grap. Alsof ze hem langer dan een week zou overleven. Hoe zou ze aan de kost moeten komen? Dan is er niemand die de boodschappen voor je betaalt, je tv laat kijken, of via de telefoon met je vriendinnen laat praten. In ieder geval niemand, voor zover hij wist.

Vaughn zocht het sportkatern tussen de krant die op een stapel aan zijn voeten lag. De voorzitter van de Redskins, George Marshall, die met Calvin Griffith over een nieuw huurcontract onderhandelde, dreigde een nieuw stadion bij Armory te gaan bouwen als hij zijn zin niet kreeg. Voormalig weltergewichtkampioen Johnny Sexton had zich geprobeerd op te hangen in de cel, waar hij na zijn arrestatie terecht was gekomen nadat hij een goedkoop warenhuis had overvallen. Voordat Sexton op het slechte pad was geraakt, had hij Kid Gavilan, Carmen Basilio en Tony DeMarco verslagen. Maar hij was al eens eerder gearresteerd voor het stelen van een bontjas en een pakje sigaretten. Voormalig Washington Senators-speler Jim Piersall, nog een kandidaat voor het gekkenhuis, zei dat hij 'ongelukkig' was omdat hij van Boston naar Cleveland was verkocht. Wanneer was Piersall ooit echt gelukkig geweest, dacht Vaughn. Audacious en Negro Minstrel waren de grote favorieten voor de Daily Double op Laurel. En de Nats hadden de Orioles met 2-1 verslagen, na een tweehonkslag van Killebrew in de achtste inning.

Vaughn liet de krant op de grond vallen en geeuwde. Er was niets opwindends voor hem aan het bewandelen van het rechte pad. Tegenwoordig kon hij alleen maar opgewonden raken als hij door die voordeur naar buiten liep, naar zijn andere leven op straat.

Hij leunde achterover in zijn stoel en keek naar Olga, die in de keuken sandwiches klaarmaakte. Ze droeg een zwarte kuitbroek die ze bij Kann's had gekocht, een topje van Lansburgh's in Langley Park en een paar nieuwe schoenen. Alles dankzij zijn Central Charge-card. Het maakte haar gelukkig en ze viel hem niet lastig, dus wat kon het hem verder nog schelen.

Olga liep met zijn sandwich naar hem toe. Ze had een onopvallend gezicht dat in de loop van de jaren harder was geworden. De donkere oogschaduw die ze droeg, een met haarlak verstevigd kapsel, de zware make-up en de rode lippenstift verlevendigden haar gezicht niet, maar deden Vaughn eigenlijk aan een lijk denken. Gelukkig had ze haar vroegere figuur nog, hoewel haar achterwerk wat platter was geworden. En nog steeds had ze die mooie benen.

'Alsjeblieft, schat,' zei ze en zette het bord voor hem neer.

'Dank je, lieveling,' zei hij.

Olga tilde een voet op en maakte er een draaiende beweging mee. 'Capezio's. Vind je ze mooi? Die heb ik bij Hahn's gekocht.'

'Mooi,' zei hij met een nijdig gezicht. Hij was niet boos omdat ze de schoenen had gekocht. Dat kon hem niets schelen. Maar ze verwachtte dat hij zo zou reageren. En nu moest ze een verklaring voor haar aankoop geven.

'Ik had een paar nieuwe nodig,' zei ze. 'En verder ben ik overal zuinig geweest. Ik heb een boekje van S&H Green Stamps volgespaard...'

Hij wilde de rest niet meer horen. Haar stem herinnerde hem aan vliegen die om zijn hoofd zoemden. Vervelend, maar ongevaarlijk. Hij gromde bijna onhoorbaar en bedacht hoe de uitdrukking op zijn gezicht nu zou zijn. Zoals hij nu zat en deed alsof hij luisterde, maar eigenlijk helemaal niet luisterde en met geamuseerde, neergeslagen ogen bijna wolfachtig naar haar grijnsde, terwijl hij langzaam zijn hoofd schudde.

Toen ze ten slotte uitgesproken was, zei hij: 'Kom, Olga, laten we gaan eten.'

Hij rookte zijn sigaret op. Intussen liep ze naar de trap bij de hal en riep haar zoon. Hij hoorde haar verder nog zeggen: 'Ga dan even naar beneden en zeg tegen Alethea dat ze ook komt.'

Terwijl Olga de tafel verder dekte en de glazen neerzette, kwam Ricky de kamer in. Hij was twaalf jaar en zijn schokkerige manier van bewegen deed bij Vaughn het vermoeden rijzen dat hij misschien een beetje verwijfd was. Hij ging zitten. Hoogstwaarschijnlijk had hij in zijn slaapkamer voor de spiegel gestaan en de twist of zo'n andere, krankzinnige dans gedaan die hij van die kerel op tv, Dick Clark, had geleerd. Het was nog niet zo lang geleden dat Ricky volkomen gek was geweest van Pick Temple, maar Vaughn hoopte dat hij nu meer in meisjes in sweaters was geïnteresseerd. Hij hield van zijn zoon, maar had hem nooit leren begrijpen. Vooral toen hij nog klein was, had hij moeten proberen nader tot de jongen te komen, maar hij wist niet hoe. Niemand bezat een handleiding hoe je vader moest zijn. Vaughn tikte de as van zijn sigaret en dacht: je kunt alleen maar je uiterste best doen.

Alethea kwam de keuken binnenlopen. Ze droeg een van haar oude uniformen, een vormeloze, witte jurk die niet in staat was haar figuur te verhullen. Vaughn zag haar naar de tafel lopen en hoopte iets van haar benen te zien als het zonlicht door haar jurk scheen. Terwijl ze door de keuken liep en ging zitten, hield ze haar hoofd rechtop en haar rug gestrekt. Ze droeg geen make-up en haar haar had ze onder een soort hoofddoekje weggestopt, dat ze altijd droeg als ze in hun huis werkte.

Vaughn schatte haar leeftijd op ongeveer veertig jaar. Ze was niet jong, maar op en top vrouw. Hij vroeg zich af wat ze met haar echtgenoot uitspookte als de lichten uit waren. Daar dacht hij dikwijls aan. Soms dacht hij eraan als hij met zijn vrouw lag te vrijen.

Je kon Alethea helemaal niet knap noemen. Haar huid was donker en ze had die uitgesproken gelaatstrekken van een kleurling, waar Vaughn niet zo'n liefhebber van was. Niemand zou haar voor Lena Horne houden. Maar die ogen, die lieten hem niet met rust. Donkerbruin waren ze, vochtig en wetend. Als er iets interessants aan haar was, dan moesten het haar ogen zijn.

Olga ging aan de keukentafel zitten. Alethea sloot haar ogen, vouwde haar handen en bewoog geluidloos haar lippen. Zelf waren de Vaughns niet religieus, maar ze wachtten eerbiedig tot Alethea gebeden had. Toen ze klaar was, gingen ze eten.

'Hoe gaat het vandaag, Alethea?' vroeg Olga.

'Ik lig op schema. Ik ga nu met de was beginnen.'

'Je voelt je goed?'

'Prima.'

'Hoe is het met je gezin?'

'Prima. Het gaat goed met iedereen.'

Steeds weer hetzelfde gesprek, dacht Vaughn. Olga, beïnvloed door haar vriendinnen in de buurt die aldoor over rassenscheiding en burgerrechten spraken, als ze het tenminste niet over hun nagels hadden of mahjongschijven aan het verschuiven waren. Olga, met haar schuldgevoel omdat ze Alethea 'slechts' tien dollar per dag betaalde, omdat dat het bedrag was dat Alethea op de eerste werkdag zelf had genoemd. Olga, die Alethea nog steeds het gevoel wilde geven dat ze bij het gezin hoorde. En Alethea, die niets van zichzelf wilde blootgeven. En waarom zou ze ook? Ze was hun dienstmeid, verdomme. Ga naar binnen, doe je werk, verdien je geld en ga dan weer terug naar je eigen mensen in de binnenstad. Vaughn begreep dit, maar Olga, die daar nooit geweest was, niet. Oké, sommige mensen wilden graag gelijke rechten, en Vaughn had daar geen enkel probleem mee. Maar als het erop aankwam, wilde niemand zich met de anderen vermengen. Mensen wilden alleen maar met hun eigen soort omgaan.

'Olga,' zei Vaughn, 'geef me wat potato chips, augurken of zo, schat? Dit is... zelfs een vogel heeft nog honger als hij deze sandwich op heeft.'

Als dit maar voldoende was om Olga's klep dicht te houden. Maar toen ze met een pot augurken terugkwam, probeerde ze het opnieuw.

'Alethea, is het niet verschrikkelijk van die jongen in Mississippi?'

'Ja,' zei Alethea, 'dat is het zeker.'

'Ze hebben die jongen gelyncht.'

'Dat stond in de krant.' Alethea's stem klonk zonder enige emotie. Ze weigerde Olga aan te kijken toen ze antwoord gaf.

'Zoals ze die negers in het Zuiden behandelen,' zei Olga hoofdschuddend. 'Wanneer zal dat ooit eens ophouden?'

'Ik weet het niet,' zei Alethea.

'Denk je dat het spoedig beter zal worden voor jouw mensen?'

Alethea haalde haar schouders op en zei: 'Ik weet het echt niet.'

Toen ze klaar waren met eten, ruimde Olga de tafel af. Toen ze de borden en glazen in de gootsteen plaatste, zag Vaughn dat ze Alethea's bord en glas apart neerzette. Later zou Olga Alethea's spullen intensiever wassen dan de rest van de afwas. Vaughn zag dat Alethea in de gaten had dat Olga de borden anders rangschikte.

Alethea draaide zich weer om naar de tafel en eventjes keek ze Vaughn strak aan.

4

Beneden in zijn kamer zette Buzz Stewart de Philco-tv met de 14-inch beeldbuis aan en zocht kanaal 5 op. De zaterdagaflevering van 'The Milt Grant Show' was nog steeds bezig. De plaatselijke band Terry and the Pirates stond op het toneel en het jonge publiek danste als gekken.

Milt Grants show draaide van maandag tot zaterdag op WTTG. Op zaterdag stond Milt tegenover de landelijke uitzending van 'American Bandstand'. Iedereen wist dat Milt Grant als eerste met het idee op de proppen was gekomen, maar de jonge kinderen en de ouders die het voor het zeggen hadden, waren overgestapt naar Dick Clark. Volgens Stewart waren de kinderen van de Bandstand watjes en na-apers. De jongeren met de wat ruigere smaak, zoals vetkuiven en zo, die van een beetje stevige rock-'n-roll hielden, bleven Milt Grant trouw. Verdomme, Link Wray was de leider van Grants huisorkest. Voor Stewart was dat voldoende om hem trouw te blijven.

Veel beroemde dansavonden van Milt Grant werden in de Silver Spring Armory gehouden, niet ver van Stewarts huis. Tijdens die avonden, als de zaal mudvol was met leerlingen van de plaatselijke, middelbare scholen, zag Stewart optredens van the Everly Brothers, Fats Domino en die wilde knaap, Little Richard. Stewart hield niet zo van dansen. Tijdens zo'n dansavond stond hij tegen de muur geleund, zijn mouwen opgerold om met zijn armen te showen, naar de meisjes te kijken. Maar soms, vooral als die gekleurde artiesten optraden en de zaal op stelten zetten, wenste hij dat hij een paar passen had geleerd.

Nadat Grants show was afgelopen nam Stewart een douche. Daarna begaf hij zich weer naar zijn slaapkamer. Daar had zijn moeder een kalkoensandwich en een fles RC Cola op zijn nachtkastje gezet. Hij draaide een paar singletjes op zijn Cavalier-platenspeler. Intussen at hij de sandwich op en kleedde zich aan. De eerste single was 'Bip Bop Bip' van Don Covay, op het plaatselijke Colt 45-label. Daarna een nummer van de Flamingo's en 'Annie Had a Baby' van Hank Ballard and the Midnighters. Ten slotte, zoals iedere zaterdag voor hij op stap ging, Links 'Rumble'. Van alle nummers van the Raymen raakte hij opgewonden.

Hij groette zijn moeder, die aan de tafel zat en weer een sigaret rookte. Ze wenste hem veel plezier, waarop hij zei dat hij zijn best zou doen. Vanuit de woonkamer bekeek zijn vader, die nu halfdronken was, hem aandachtig. Stewart droeg een zwarte Levi's-spijkerbroek, loafers met dikke zolen die 'bombers' werden genoemd, en een feloranje hemd onder zijn zwartleren jack. Zijn hoog opgekamde haar stond stijf van de Brylcreem.

'Waar heb je dat overhemd gekocht?' vroeg Albert.

'Wat is daar verkeerd mee?'

'Je lijkt wel een nikker.'

Buzz Stewart verliet het huis.

Beneden in de kelder van Vaughns splitlevel-woning vouwde Alethea het wasgoed van het gezin op de strijkplank, die onder een kale lamp stond. Het wasgoed was nog warm van de droger. Ze had haar werkzaamheden voor die dag zo ingedeeld dat ze dit relatief lichte werk na de lunch zou doen, als ze vermoeid begon te worden. Met al dat voedsel in je maag, vooral dat flauwe, smakeloze voedsel dat Olga bereidde, wilde je alleen maar op bed gaan liggen en je ogen sluiten.

Het was rustig hier beneden, aangenaam koel. Al dat speelgoed in de kelder, dingen die Ricky niet meer gebruikte en waar hij waarschijnlijk nooit veel mee gespeeld had, kwam onder een steeds dikker wordende laag stof te zitten. Volgens Alethea hadden ze die jongen verwend, niet ongewoon bij een enig kind. Terwijl het kind eigenlijk alleen maar liefde, voedsel, geborgenheid nodig had, en een goed voorbeeld hoe volwassen mannen en vrouwen hun leven zouden moeten leiden.

Alethea vermoedde dat Olga na de geboorte van Ricky geen kinderen meer wilde hebben, wat jammer was voor de jongen. Een kind had een broertje of zusje nodig om mee te spelen en in vertrouwen te nemen als er problemen waren. Frank Vaughn was niet het soort man dat een manier zou vinden om een vader en een vriend voor zijn zoon te zijn. Frank moest daar te veel zijn best voor doen en erbij nadenken. Maar hij had meer tijd met Ricky moeten doorbrengen, ook al was het helemaal zijn stijl niet, want nu was de jongen min of meer een moederskindje geworden. Jongens zoals hij groeiden op als minnaars en nietsnutten, het type man dat te veel op hun vrouwen leunde. Maar Ricky was slim en aardig. Ondanks zijn opvoeding zag het ernaar uit dat hij later zijn weg wel zou vinden.

Alethea stopte even om haar pijnlijke rug te strekken. De pijn zou iets kunnen zijn dat tussen haar oren zat, omdat ze te veel nadacht over het feit dat ze een paar jaar geleden de veertig was gepasseerd. Maar 's morgens had ze steeds meer moeite om uit bed te komen, daar was geen twijfel over mogelijk. Was het slechts verbeelding of was het de datum op haar geboortebewijs die haar zo'n pijn bezorgde. Je werkte jaar na jaar keihard door, zes dagen per week, dus wat verwachtte je eigenlijk? Maar ze zou er niet meer aan denken, want al die zorgen brachten je geen steek verder.

God zou haar de weg wijzen.

Ze vond dat ze maar eens naar de dokter moest gaan voor haar rug, maar ze zaten altijd zo krap bij kas. Tien of twaalf dollar per week extra zou helpen. Ze wist zeker dat ze die zou krijgen, verspreid over de zes huishoudens waar ze regelmatig werkte. Er was geen enkele familie die kon beweren dat ze geen twee dollar opslag verdiende. Maar met die tweeënzeventig dollar verdiende ze meer dan haar echtgenoot, die vijfenzestig dollar per week verdiende. En dat zou wel eens een probleem kunnen worden. Je wilde nooit meer geld gaan verdienen dan je echtgenoot. Zo'n situatie zou het einde van de leeuw in de man kunnen betekenen.

Alethea vouwde een broekje van Olga Vaughn op.

'O, mijn god,' zei Alethea. Ze grinnikte bij de herinnering aan Olga's poging om een gesprek aan te knopen.

Eigenlijk had de lunch Alethea's rustuurtje moeten zijn, maar eerlijk gezegd vormde dat deel van de dag de meeste uitdaging. Olga had erop gestaan dat ze met het gezin zou eten, terwijl Alethea eigenlijk een halfuur rust wilde hebben. Maar ze had het aanbod geaccepteerd, op de manier zoals je alles van je baas accepteerde als hij iets van je vroeg. Maar het was een opdracht en betekende nog meer werk, alsof je gedwongen bent om een rol in een toneelstuk te spelen. Als Olga met je sprak, was ze zich er zo van *bewust* dat ze met je sprak. Kijk eens goed naar me, mensen, ik praat met een Neger. Die hele lunch was haar manier om zichzelf én haar vriendinnen wijs te maken dat ze een zuiver hart bezat, beter dan die mensen 'uit het Zuiden'. Maar ze was geen steek beter. Eigenlijk was ze veel erger, want met een rassenhater, waar hij ook vandaan mocht komen, wist je tenminste waar je aan toe was. Waarom zette Olga het bord van Alethea apart van de andere in de gootsteen, als ze zo eerlijk was?

Want je wilt toch niets van die gekleurde mensen oplopen, hè, meisje?

'Denk er maar niet meer aan,' zei ze hardop. Ze vond haar gevoelens van wrok geen plezierig gevoel, want ze wist dat dit in strijd was met haar christelijke geloof. Zachtjes bad ze om vergeving.

Ze begon Frank Vaughns ondergoed op te vouwen, extra grote boxer shorts. Een grote kerel, Frank. Ze vroeg zich af... maar dat deed er verder niet toe. Het was geen zonde om daaraan te denken. Het was gewoon natuurlijke nieuwsgierigheid over iets fysieks, dat was alles. Maar ze wist dat híj wel op die manier naar haar keek. Ze voelde steeds dat zijn ogen op haar gericht waren. Maar op die manier dacht ze nooit aan hem, zelfs niet eventjes. In geen enkel opzicht was hij haar type.

Frank Vaughn zou nu boven in zijn slaapkamer zijn om zijn middagdutje te doen, zoals hij altijd deed voordat hij naar zijn werk ging. Waarschijnlijk viel hij direct in slaap, zoals alle ongecompliceerde mensen. Dat was Frank Vaughn in één woord: ongecompliceerd. En als je het hem vroeg, dan durfde zij erom te wedden dat hij hetzelfde zou zeggen. In tegenstelling tot zijn vrouw wist hij precies wat voor man hij was. Niet direct goed te noemen, maar wel duidelijk. Hij moest slechte dingen tijdens zijn werk hebben gedaan; ze vermoedde dat hij altijd slechte dingen had gedaan, want zo'n baan had hij. Uiteindelijk was hij gewoon een man. *Een en al man,* als je het moest samenvatten.

In elk geval had ze verder niets met dit gezin te maken. Ze zou altijd beleefd tegen hen zijn, maar ze was totaal niet geïnteresseerd om hun vriendin te worden. Dit was iets dat Olga en de meeste 'goede' blanken nooit zouden begrijpen. Het draaide erom dat ze haar eigen vrienden had en met veel plezier in haar *eigen* wereld woonde. Haar eigen gezin ook. Een goede, zorgzame echtgenoot van wie ze zielsveel hield, en twee goed oppassende jongens.

Nadat Frank Vaughn wakker was geworden, nam hij een douche en schoor zich in de grote badkamer. Hij had de deuren naar zijn slaapkamer en de badkamer dichtgedaan, zodat hij de rock-'n-rollmuziek uit Ricky's kamer niet hoefde te horen.

Daarvoor kon hij zichzelf de schuld geven, want hijzelf had de meeste plaatjes voor Ricky gekocht. Af en toe betaalde hij de winkelprijs bij the Music Box in 10th of bij de Jay Perri Record Shop, naast het Highland Theater op Pennsylvania Avenue in het zuidoostelijk deel. Maar de meeste keren kreeg hij ze direct van een gekleurde heler die hij kende in de buurt van 14th en U. Die heler stond bij hem in het krijt omdat Vaughn zijn jongere broer met rust had gelaten, daarom kreeg hij die platen dikwijls voor niets.

De platen vond Ricky prachtig, en dat gaf Vaughn weer een goed gevoel. Maar Vaughn had een bloedhekel aan die troep. Sinatra, Perry Como en zo, dat waren pas echte zangers, en dan sommigen van die grieten, zoals Peggy Lee, June Christy en, mijn god, Julie London, die waren ook heel goed. Elvis? Die zong als een dronken neger, en de manier waarop hij met zijn heupen wiegde was gewoon, nou ja, dat klopte ook niet. In elk geval hoorde je hem nu niet elke keer als je de radio aanzette. Presley zat nu in Duitsland en vervulde daar zijn dienstplicht. Die kinderen hadden een kortetermijngeheugen, dus misschien zou hij in de vergetelheid raken. En volgens Vaughn was dat prima.

Vaughn vond zijn bus scheercrème tussen Olga's spulletjes, een doos Modess en een fles Lysol-doucheschuim. Hij zeepte zijn gezicht in en gebruikte een recht scheermes om zich te scheren. Hij had forse gelaatstrekken, een vierkante kaak en dito hoofd. Zijn tanden stonden scheef en wijd van elkaar in zijn mond. Zijn ogen waren blauw en hij had een luie oogopslag. Hij vond zichzelf een minder knappe Mitchum. Sommigen van de jongere knullen op zijn werk noemden hem 'Hound Dog'. Hij vermoedde dat het iets met zijn doorzettingsvermogen op zijn werk te maken had en iets met zijn uiterlijk. En dan was er dat verdomde nummer van Elvis. Maar die naam vond hij niet erg. Hij vond alles best, zolang ze maar respect voor hem hadden.

Hij trok een wit overhemd aan, deed een zwarte stropdas om en koos een kostuum van Robert Hall uit. Hij trok de lade van zijn nachtkastje open en haalde zijn .38 tevoorschijn. Hij controleerde of het wapen geladen was en stak de dienstrevolver in de holster aan zijn riem.

Olga liep de kamer in. Ze glimlachte ondeugend en streek met haar handen over de pijpen van haar kuitbroek. Hij liep naar haar toe, trok haar tegen zich aan en kuste haar ruw op haar mond. Ze greep hem stevig bij zijn middel.

'Straks gaat mijn revolver nog af.'

'En jij hebt mijn lippenstift bedorven.'

'Dat is al gebeurd,' zei hij en liet haar zijn tanden zien. Hij drukte zich stevig tegen haar aan om haar te laten voelen dat hij nog steeds ergens toe in staat was. Hoewel hij af en toe doodmoe van haar werd, was ze nog steeds zijn minnares én zijn vrouw. Olga vond het heerlijk om tegen te stribbelen. Als je haar eenmaal op temperatuur had gebracht, was ze altijd een wilde kat in bed geweest.

'Laten we het weekend eens lekker uitgaan,' zei ze. 'Gezellig naar een goeie band luisteren en een paar cocktails drinken. Dat hebben we al een hele tijd niet gedaan.'

'Waarheen?'

'Xavier Cugat speelt in Casino Royal.'

'Daar vind ik geen zak aan.'

'Abbe Lane zingt bij zijn band.'

'Oké, schat. We zullen wel zien.'

Hij kuste haar opnieuw en voordat hij de omhelzing verbrak, duwde hij zijn tong diep in haar mond. Hij vond het heerlijk om iets bij haar te doen, zodat ze hem niet zou vergeten als hij aan het werk was.

Vaughn liet haar staan. Hij nam de moeite niet om op Ricky's deur te tikken om hem gedag te zeggen.

Beneden in de hal haalde hij zijn regenjas en hoed uit de kast. De aprilavonden waren koel en klam, dus kon hij best wel een beetje warmte gebruiken. Bovendien vond hij dat hij er zo goed uitzag. De jas en hoed deden hem denken aan de hoes van *No One Cares*, met

Sinatra, zittend aan de bar en starend in zijn glas whisky, alsof hij zojuist een verpletterend bericht had gehoord. Een wolf in de nacht, gewond en eenzaam. Vaughn vond het heerlijk om zichzelf zo te zien. Dat beeld streelde hem.

Toen hij op het punt stond het huis te verlaten, kwam Alethea de trap op lopen. Ze droeg een keurige regenjas over haar kleren. Bovendien had ze haar haren uitgekamd.

'Kan ik je soms ergens afzetten?' vroeg Vaughn. 'Ik ga nu naar de stad.'

'Nee, ik loop gewoon even naar Georgia en neem daar de bus. En die brengt me rechtstreeks naar huis.'

'Weet je het zeker?'

'Bedankt, maar het hoeft niet.'

Als ze wegging, stond hij meestal op het punt om naar zijn werk te gaan. Hij bood haar altijd een lift aan, maar haar antwoord was meestal hetzelfde.

'Mag ik je iets vragen?' vroeg Vaughn.

'Zolang het niet te persoonlijk is,' zei ze, terwijl iets in haar toon hem duidelijk maakte dat ze geen geintjes van hem zou accepteren.

'Ben je gelukkig?' vroeg Vaughn.

Alethea aarzelde even. Het was een vreemde en onverwachte vraag, maar de uitdrukking in Frank Vaughns ogen maakte haar duidelijk dat hij oprecht geïnteresseerd was.

'De meeste tijd wel,' zei ze. 'Ik zou bijna zeggen altijd. Ja.'

'Dat straal je ook uit,' zei Vaughn.

Buiten stapte Frank Vaughn in zijn Dodge Royal uit 1957, een tweekleurige, roze tweedeurs metallic met V8-motor en push-button-versnelling, die op de oprit van het huis stond. Een splitlevel-woning met twee verdiepingen in een blok tussen Wheaton en Silver Spring. Alethea Strange liep naar Georgia Avenue en wachtte met twee andere dienstmeisjes bij de bushalte, om daar op een bus van D.C. Transit te wachten die hen naar het zuiden zou brengen. Naar de bekende gezichten, reuk en muzikale, zangerige stemmen die haar duidelijk maakten dat ze thuis was.

Zijn vader had hem weer op stang gejaagd, maar dat gevoel verdween algauw toen Buzz Stewart in zijn auto door de straten reed. Hij had WDON aangezet, Don Dillard's rock-'n-rollplatenprogramma, dat vanuit een bunker in University Boulevard in Wheaton werd uitgezonden. Hij zette het geluid harder. Het nummer 'Maybe' van de Chantels, dat Stewart een van de mooiste nummers aller tijden vond, werd door Dillard gedraaid. Hij begon zich steeds beter te voelen. Toen het nummer voorbij was, sloot Dillard de uitzending af, want de zon ging al onder en WDON had slechts vergunning om overdag uit te zenden. Hij draaide door naar 1600, waarop WINX tot middernacht de uitzending verzorgde. Vervolgens haalde hij een Marlboro uit zijn borstzakje en stak hem aan.

Walter Hess' auto, een vuurrood gespoten 283 Chevy, stond voor de donutwinkel in Pershing. Op het rechterspatbord stond 'Shorty's Dream'. Stewart parkeerde achter de Chevy, liet de motor draaien en drukte op de claxon. Hess bevond zich in de donutwinkel, hoogstwaarschijnlijk stond hij bij een van de flipperkasten die ze zelf zo hadden afgesteld dat ze bijna altijd een vrij spel wonnen. Ze hadden een keer met Hess' mes het glas opgetild en de knop ingedrukt, het was zo makkelijk als wat. De eigenaar heeft nooit geweten wat er aan de hand was.

Walter kwam een paar minuten later de winkel uitgelopen. Hij droeg dezelfde kleren als Stewart, alleen in een veel kleinere maat. Walters vrienden noemden hem Shorty. Niet om hem te kleineren, maar uit respect. Hij was zeer gespierd en een vechtersbaas, die ten koste van bijna alles wilde winnen. Een van zijn voortanden was afgebroken en zijn ogen stonden een beetje vreemd, sommigen meenden serieus dat ze dicht bij elkaar stonden. De mensen beweerden dat hij niet kon lezen, anderen gingen verder en zeiden dat hij geestelijk gehandicapt was, maar dat durfden ze nooit in zijn gezicht te zeggen. Jongens waren bang van hem en meisjes baden dat hij hen nooit ten dans zou vragen. Hij zag er grappig uit, maar op een enge manier.

'Jouw auto of de mijne,' zei Hess, die naar het open raampje van de Ford liep.

'Jouw auto,' zei Stewart. Hij zette de motor uit. 'Later verwisselen we van auto.'

Voordat hij in Hess' Chevy stapte, trok Stewart zijn bombers uit. Het was een ritueel dat door veel autofreaks in hun groep gevolgd werd, want iedereen was apetrots op het interieur van zijn auto. Alleen bij Hess trok Stewart zijn schoenen uit. Sinds de lagere school van St. Michael, de katholieke lagere school in de buurt, waren ze vrienden. Van begin af aan werden ze beiden als lastpakken beschouwd. Geen enkele onderwijzer of zelfs een non met een liniaal kon hen in het gareel krijgen.

En nu was er niemand die hun vertelde wat ze moesten doen.

5

Derek Strange en Billy Georgelakos bereikten even na sluitingstijd het restaurant. In de huizen en appartementen in de buurt dronken mannen en vrouwen hun eerste bier of borrel, terwijl ze naar de radio luisterden, met elkaar discussieerden, de liefde bedreven of nette kleren aantrokken. Zojuist gewassen auto's reden op en neer door de straat, terwijl er rhythm and blues uit de open portierraampjes klonk. Het werd zaterdagavond en het tempo in Kennedy Street en achter haar muren werd langzaam maar zeker opgevoerd.

De jongens liepen het restaurant binnen. Mike Georgelakos zat achter de kassa aan het einde van de bar het verdiende geld van die dag te tellen. Darius Strange haalde staalwol over de grill en verwijderde op die manier het overtollige vet. Ella Lockheart, de barbediende én serveerster, goot waterachtige A&P-ketchup in flessen waarop een etiket van Heinz zat. Zoals ze op dat tijdstip van de dag altijd deed had Ella het gospeluur op de radio aangezet. Nu werd het lied 'Peace in the Valley' gedraaid.

Het restaurant was in de jaren veertig geopend. Aan een bar met formicablad stonden veertien met rood vinyl beklede draaikrukken. Drie aparte, met rood beklede zitjes voor vier personen vooraan in de zaak. Alle voedsel en drank werd achter de bar bereid en vandaar geserveerd: koude of warme drankjes en maaltijden. Aan de rechterkant van het restaurant liep de bar met een boog naar achteren. Dat gedeelte lag verborgen achter een van het plafond hangend plasticgordijn. Achter dat gordijn bevonden zich een roestvrijstalen, automatische vaatwasser, een gootsteen met dubbele spoelbak en een dikke slang met spuitkop. Drie wanden van het restaurant waren met gips afgewerkt. De vierde wand achter de bar was betegeld.

'Vasili,' zei Mike tegen zijn zoon. 'Derek.'

'Ba-ba,' zei Billy.

'Dag, meneer Mike,' zei Derek, omdat hij niet in staat was de achternaam van de familie op de juiste manier uit te spreken.

Darius Strange die gewoon doorwerkte, keek even naar zijn zoon en knikte. Als antwoord maakte Derek een beweging met zijn hoofd.

'Kom op, jongen,' zei Mike, 'help me even het geld te tellen. Derek, voor jou staat de stokdweil achter in de zaak te wachten.'

Derek vond de emmer met een hendel waarmee je de dweil kon uitwringen achter bij de vaatwasser. In het restaurant werkte een manusje-van-alles die alleen maar bij zijn bijnaam, Halftime, werd genoemd. Maar die ging zaterdag altijd eerder weg om Darius' zoon de kans te geven wat bij te verdienen. En dat vond Halftime prima.

Derek pakte de geruite rubbermatten achter de bar van de grond en maakte ze schoon in de dubbele spoelbak. Hij droeg de matten één voor één naar achteren, door de kleine voorraadkamer en legde ze in de steeg te drogen. Daarna wachtte hij tot Ella Lockheart de peper-en-zoutstelletjes had gevuld, zich had omgekleed en de zaak had verlaten. Lockheart, die begin dertig was, was broodmager, aardig, rustig, nog nooit gehuwd geweest en erg godsdienstig. Voordat ze wegging, zei ze tegen Derek: 'Een gezegende dag, jongeman.'

Derek maakte de vloer schoon, terwijl zijn vader op een kruk was gaan zitten om het sportkatern van de krant te lezen. De koksmuts die hij altijd droeg als hij achter de grill stond, had hij op de bar gelegd. Mike deed Billy voor hoe hij de getallen in het groene boek moest opschrijven. Derek had de bladzijden van het boek ooit eens gezien en zag dat het ruitjes waren waarin cijfertjes stonden.

Derek drukte de hendel zo stevig aan dat de dweil alleen nog maar vochtig aanvoelde, en ging weer verder met de vloer. Hij besteedde extra aandacht aan het gedeelte waar de barkrukken stonden, want daar was de vloer vetter dan ergens anders.

'Elgin Baylor scoorde gisteren vierendertig punten voor Minneapolis,' zei Darius Strange, zo hard dat zijn zoon kon horen wat hij zei, terwijl hij aan het werk was. 'Vierendertig in een *kampioens*wedstrijd. In een wedstrijd tegen de Lakers, tegen Russell, Cousy, Sam Jones en zo. Dat is pas een goed resultaat, vind je ook niet?'

'Dat is zeker.'

'De jongen is razendsnel op de eerste meters.'

'Nou en of.'

'Hij komt ook uit Spingarn,' zei Darius die Baylors alma mater bedoelde, een middelbare school in een zijstraat van Benning Road in noordoostelijk D.C. 'Onder de geslaagden van de Green Wave zaten een paar superieure atleten.'

Derek glimlachte in zichzelf terwijl hij doorwerkte. Gedeeltelijk om de manier waarop zijn vader altijd zijn gelijk probeerde te halen met die plaatselijke-jongens-die-het-goeddoen-verhalen. Maar hij glimlachte vooral omdat hij de zware stem van zijn vader zo prachtig vond.

Darius Strange keek naar zijn zoon, die in gebogen houding de dweil voortduwde. Het was goed voor de jongen om dit baantje te hebben. Nadat hij de schoongemaakte vloer had gecontroleerd, zou

Mike Derek een dollar geven. Het was extra zakgeld, maar ook een eenvoudige werk-en-beloning-les. Daarnaast bezorgde de jongen tweemaal per week de krant. Darius maakte zich geen zorgen over Derek, zoals hij bezorgd was om zijn oudere zoon Dennis. In de grond van zijn hart was Derek een goede jongen.

Het was eveneens mooi meegenomen dat Derek zag dat hij hier een vaste baan had. Veel jongens kregen nooit de kans om zo'n voorbeeld te zien. Op een dag zou Derek beseffen wat de betekenis hiervan was, als hij zelf iets had bereikt.

Maar afgezien daarvan vond Darius Strange dat hij een fijne baan had waar hij trots op was. Na de oorlog had hij verschillende baantjes gehad. Daarvoor had hij dom en zwaar lichamelijk werk moeten verrichten. Ten slotte was hij in het restaurant van een hotel in de binnenstad beland. Daar werkte hij als bordenwasser, maar intussen hield hij de werkzaamheden van de koks scherp in de gaten. Een van de koks, een blanke, was zo aardig hem de bijzonderheden te leren. Het duurde niet lang of Darius was van mening dat hij aan de beurt voor promotie was. Maar de chef honoreerde zijn wensen niet, dus nam hij ontslag en ging voor de eerste maal als grillman in een armoedig restaurant in het noordoostelijk deel werken. De eigenaar was een bittere, keiharde blanke die hem als een dier beschouwde en hem slecht betaalde, maar daar vond hij wat hij zocht en toen hij eenmaal alles had geleerd, ging hij op zoek naar een andere baan. Hij schreef zich in bij Conway's Employment Service in 6th Street, waar hij werd ingeschreven als 'Kok, Kleurling'. Niet lang daarna brachten ze hem in contact met Mike Georgelakos, die zojuist een goede kok wegens drankproblemen had ontslagen. In het begin verdiende Darius veertig dollar per week. Vijf jaar later verdiende hij er vijfenzestig.

'Ik ben klaar,' zei Derek Strange.

'Ga maar even naar meneer Mike,' zei Darius.

Mike Georgelakos stond op van zijn kruk achter de kassa. Hij was niet veel langer dan toen hij zat. Boven op zijn hoofd was hij kaal met hier en daar aan de zijkant plukjes grijs wordende zwarte haren. Hij had een grote neus die gebogen over zijn snor hing. Mikes schouders waren breed en hij had een kogelronde borstkas. Beide kenmerken had hij aan Billy doorgegeven.

Mike liep plechtig door het restaurant en inspecteerde de vloer. Toen hij terugkwam, gaf hij Derek een nieuw biljet van één dollar.

'Alsjeblieft, jongen. Keurig gedaan.'

'Dank u wel, meneer Mike. Tot de volgende keer, Billy.'

'Tot ziens, Derek,' zei Billy die naast zijn vader stond. Hij glimlachte even naar zijn vriend en deelde op die manier hun geheim van deze dag.

Bij de deur draaide Darius Strange zich even om en hief, zoals hij iedere dag deed, zijn hand op om Mike Georgelakos te groeten.

'*Yasou,* Mike,' zei Darius.

'*Yasou,* Darius,' antwoordde Mike. '*Adio.*'

Toen ze buiten waren zei Derek tegen zijn vader. 'Wat betekenen die Griekse woorden eigenlijk?'

'*Adio* betekent hetzelfde als adios. En *Yasou?* Dat is gewoon een groet, hoe noem je dat ook al weer, een soort begroeting. Het heeft vele betekenissen, zoals Aloha. Weet je, zoals ze in Hawaï zeggen.'

Derek keek op naar zijn vader. Sterk en knap, met een mooie snor en kortgeknipte, met Brylcreem ingevette haren. Hij was bijna een meter negentig lang.

'Nu we het toch over Hawaï hebben,' zei Darius Strange, 'de Globetrotters komen naar Uline. Ze spelen tegen een team uit Hawaï, de 50th Staters. Ik heb net de advertentie in de krant gelezen. Heb je zin om mee te gaan? Dan zorg ik voor de kaartjes.'

'Ja!'

'Bij de Trotters speelt een jonge reus, Wilt Chamberlain, die voor Kansas heeft gespeeld. Ze betalen hem vijfenzestigduizend dollar per jaar. Ik zou wel eens willen zien of die knul al dat geld waard is.'

'Komt hij ook uit Spingarn?'

'Hou je daarmee op?' zei Darius Strange streng, maar Derek zag de flauwe glimlach om zijn mondhoeken.

Ze stapten in Darius' auto, een Mercury uit 1957, die hij in een zaak op de hoek van 10th en New York had gekocht. De aanschaf van de auto werd gefinancierd, negentien dollar per maand op een balans van achthonderd dollar. Voor de financiering werd een 'speciale' rente in rekening gebracht, een soort straf alleen voor kleurlingen die iets kochten. Darius was er zich van bewust, hij wist dat het verkeerd was, maar toch accepteerde hij het. Hoe dan ook, de komende vier jaar zat hij aan die auto vast.

Darius Strange reed over Georgia Avenue met zijn zoon naast hem. Ze reden voorbij Ida's warenhuis, waar Derek eerder die dag in de problemen was geraakt. Maar nu scheen het alweer een hele tijd geleden. Nu zat hij veilig naast zijn vader, en de gebeurtenissen daar waren nu diep weggestopt.

Net voorbij Piney Branch Road, vlak bij Van Buren, reed Darius Strange de parkeerplaats op van de zaak waar ze soft ijs verkochten. In het stucwerk op de muren van die zaak waren kleine stukjes glas verwerkt. De zaak heette Beck's, maar iedereen noemde het de Polar Bears, naar de ijsbeerbeelden voor de zaak.

Darius zette de motor af, gaf Derek wat kleingeld en zei dat ze elkaar weer bij de auto zouden ontmoeten. Derek begaf zich naar het loket, kocht een grote beker met chocolade-ijs en ging op de stoeprand zitten. Zijn vader liep naar Hubbard House om een van hun chocoladetaarten te kopen. Derek Strange keek de hele week verlangend uit naar dit deel van de dag.

Hij at zijn ijs op en keek naar zijn vader aan de overkant van de straat met de taartdoos in zijn hand. Een groep blanke jongens reed voorbij in een oude Chevy en schreeuwde iets door de open raampjes naar hem. Zijn vader kwam met een uitdrukkingsloos gezicht terug, maar zei niets over het incident. Maar Derek had hen horen lachen en het geluid ervan had hem diep geraakt.

De laatste keer dat ze op hun weg naar huis stopten, was bij Tempchin's Kosher Meat Market, een slagerij in 14th, tussen Shepherd en Randolph. In de zaak groette Darius Strange Abe Tempchin, de eigenaar, een dikke, kale man die altijd scheen te glimlachen. Derek vond de zaak maar vreemd ruiken, en de klanten, blanken maar ook weer niet helemaal, praatten ook vreemd. Ongeveer zoals Billy's vader, Mike.

'Is de heilige man nog geweest vandaag?' vroeg Darius Strange.

'Ja, hij is hier geweest,' zei Tempchin.

'Dan wil ik graag een van die kippen die hij vandaag bezorgd heeft.'

Derek wist dat Tempchin achter de zaak een hok vol levende kippen had. Zijn vader vertelde hem dat de rabbi, 'de joodse versie van een dominee', naar de zaak kwam om de kippen te slachten. Vreemd, dacht Derek, voor een man Gods om zoiets te doen. Maar zijn vader had uitgelegd: 'Op die manier zijn ze koosjer.' Derek had toen gevraagd: 'Wat betekent koosjer?' 'Ik heb geen enkel idee,' moest zijn vader toegeven. 'Maar je moeder vindt deze kippen beter dan de kippen van A&P.'

Ze reden in zuidoostelijke richting Petworth en Park View binnen. Darius Strange parkeerde de Mercury in Princeton Place, een zijstraat van Georgia. Rijtjeshuizen die uit eengezinswoningen en appartementen bestonden, vormden het blok en werden voor het grootste deel door kleurlingen bewoond.

'Ga even wat melk voor je moeder halen,' zei Darius terwijl hij de handrem aantrok.

'Oké,' zei Derek.

Derek liep naar de oostelijke zijde van de Avenue. Op de ene hoek stond de buurtbioscoop, the York, en op de andere een kleine kruidenierswinkel, een van de vele buurtwinkels die je overal in de stad aantreft. Hij pakte een fles melk en nam hem mee naar de kassa, waar de eigenaar, een jood die de kinderen meneer Meyer en de volwassenen gewoon Meyer noemden, op een hoge kruk met rugleuning zat. Meneer Meyer kende hem en de andere familieleden bij naam. Hij noteerde de koop op een gele blocnote en dankte Derek voor de koop. Darius Strange voldeed zijn schuld als hij zijn salaris kreeg of op de eerste van de maand of soms wanneer hij er toe in staat was.

Derek verliet de winkel. Een meisje dat hij kende stond op de hoek. Ze had een nieuwe jurk aan. Ze was even oud als hij en had borsten. Als ze lachte had ze kuiltjes in haar wangen. En nu lachte ze.

'Hallo, Derek,' zei ze op een zangerige manier.

'Hallo,' zei Derek en bleef staan. Hij had de melkfles in zijn ene hand, maar zijn andere hand was vrij. Zijn hand hing er maar slapjes bij, daarom stopte hij hem maar in de zak van zijn spijkerbroek.

'Weet je niet hoe ik heet?' zei het meisje. Mijn god, dacht Derek, die heeft een paar mooie, bruine ogen.

'Natuurlijk weet ik dat.'

'Waarom noem je die dan niet?'

'Je heet Carmen.'

'*Ik* weet wel hoe ik heet. Dat hoef je *mij* niet te vertellen. Maar je moet beleefd zijn en me bij mijn naam noemen als je me ziet.'

Derek voelde zich vuurrood worden. 'Waarom heb jij een Portoricaanse naam, meisje?'

'Die is niet Portoricaans. Maar mijn moeder vond het een mooie naam.'

'Het is wel een aardige naam,' zei Derek.

Carmen Hill giechelde en begon met een voet op het trottoir te tikken. Ze droeg leren, zondagse schoenen. Die moesten iets onder de neus hebben voor het dansen, want ze maakten een bepaald geluid.

'Waarom lach je?' zei Derek. 'Ik vertel toch geen grap.'

'Geef je een meisje op die manier een compliment? Dat mijn naam *wel aardig* is?'

'Hij is mooi,' zei Derek vlug, en voordat hij het lef er niet meer voor had ging hij verder: 'Net zoals jij.'

Hij draaide zich om en liep de straat in. Hij passeerde een Duitse man, een van de laatste blanken in het blok. Die had eens kokend water naar hem en zijn broer gegooid omdat ze te dicht bij zijn huis speelden. Daarna een jongen die hij herkende. Die droeg een Daisy, een luchtbuks, die hij voor zijn verjaardag had gekregen. Onder normale omstandigheden was Derek Strange blijven staan om de buks te bekijken. Maar hij liep stug door. Af en toe keek hij over zijn schouder naar Carmen Hill die nog steeds met haar voet stond te tikken. Ze glimlachte met glinsterende ogen, en dan die diepe kuiltjes in haar wangen...

Elke keer als hij dat meisje zag, bezorgde ze hem de kriebels. In ieder geval had hij het lef om te zeggen dat hij haar aardig vond. Hij vroeg zich af wat ze dáárvan dacht.

Bij 760 Princeton liep hij de buitentrap op naar zijn huis.

6

Het gezin woonde in een rijtjeshuis dat Darius Strange in twee appartementen had verdeeld. Een alleenstaande moeder die in het restaurant van Howard University werkte, ongeveer anderhalve kilometer daarvandaan, woonde op de benedenverdieping met haar drie wilde zoons. Darius had het huis gekocht nadat hij op een advertentie in de *Washington Post* had gereageerd. Die luidde: 'Kleurlingen, Noordwest, Stenen Huis'. Na een aanbetaling van driehonderdvijftig dollar, had hij een GI Bill-hypotheek van vier procent afgesloten. Hij moest achtenzestig dollar per maand ophoesten, maar tot nu toe had hij geen enkele termijn gemist. De onderhuurster was dikwijls laat met haar huur, maar ze deed haar best en dikwijls liet hij het maar zo.

Het gedeelte waarin de familie Strange woonde, telde twee slaapkamers, een wooneetkamer en een klein keukentje. Een afgeschermde veranda, waar Derek Strange dikwijls 's zomers sliep, bood uitzicht op een kleine, door onkruid overwoekerde achtertuin die aan een steeg grensde. De steeg en het terrein van Park View Elementary verderop in het blok vormden de voornaamste speelgelegenheden voor de jongens en meisjes van Princeton en die van Otis Place, de volgende straat in zuidelijke richting.

Derek Strange liep het appartement binnen. Zijn vader was in zijn ouderwetse, grote leunstoel gaan zitten. De stoel stond recht tegenover de tv van de familie, een nieuwe Zenith, met 21-inch beeldbuis en een Space Command-afstandsbediening. Het laatste nummer van *Afro-American* lag opengeslagen in zijn schoot. Op de beeldbuis schoten James Stewart en Stephen McNally met geweren op elkaar, beiden hadden dekking gezocht achter een rotspartij.

'Jonge D,' zei Dennis Strange, achttien jaar, groot en slank als zijn vader en een donkere huid als de rest van het gezin. Dennis zat aan de tafel waaraan het gezin hun maaltijden nuttigde. Ook voor hem lag een nummer van de *Afro-American*. Er waren altijd extra nummers beschikbaar in huis.

'Dennis,' zei Derek.

'Wat heb je uitgespookt, man?'

'Gespeeld.'

Dennis wreef met zijn vingers over zijn geschoren hoofd. 'Met dat blanke vriendje van je?'

'Nou en?' Derek keek naar het vuurgevecht op de buis. Het geluid van verdwaalde kogels klonk luid door de kamer. 'Waarom proberen ze elkaar dood te schieten, pa?'

'In het begin van de film heeft de ene man de Winchester van de ander gestolen,' verklaarde Darius Strange. 'En nu zijn ze van plan om dit geschil voorgoed te beslissen.'

Derek keek naar de krant met het tijdschriftformaat in zijn vaders schoot. Derek en zijn beste vriend Lydell Blue bezorgden dinsdag en vrijdag de Washingtoneditie van de krant bij abonnees in de buurt en verdienden er ongeveer twee dollar mee. Dat was echt geld voor hen. Derek probeerde ook altijd de krant te lezen. Maar in tegenstelling tot de berichten in de *Post* en de *Star*, beschreven de verhalen in de *Afro* zíjn wereld.

Maar dikwijls joegen die verhalen hem angst aan. Op de voorpagina van het jongste nummer stond een artikel over een jongen, Mack Parker, slechts twintig jaar oud, die tijdens een lynchpartij in Mississippi halfdood werd geslagen en uit zijn cel gesleept. Zijn moeder had gezegd: 'O, mijn God, waarom?' Want niemand had Parker meer teruggezien nadat de bende hem in een auto buiten de gevangenis had gesmeten. Het deed Derek denken aan het verhaal dat zijn broer Dennis altijd vertelde. Over Emmett Till die alleen maar werd vermoord omdat hij naar een blank meisje had gefloten.

Maar in dit appartement, met zijn moeder, vader en zijn grote broer Dennis, voelde hij zich veilig.

'Waar is ma?' vroeg Derek.

'In de keuken,' antwoordde Dennis.

Derek liep voorbij de stapel nummers van *Life* die op een tafeltje naast de bank lag. Het voornaamste artikel was een vervolgverhaal in zeven delen, 'Hoe het Westen werd overwonnen'. Darius Strange had ieder deel verzameld. Gewoon om zijn vader te ergeren noemde Dennis het 'Hoe het Westen werd gestolen'. Op dezelfde manier stak hij de draak met de programma's die zijn vader graag 's avonds zag: 'Wagon Train', 'Bat Masterson', 'Trackdown' en zo. Tegenwoordig leek het wel alsof Dennis en zijn vader regelmatig met elkaar in de clinch lagen.

Naast de eettafel stond een hificombinatie, een Sylvania met erbovenop een stapel platen. Zijn vader luisterde af en toe naar jazz, maar meestal naar rhythm and blueszangers die als gospelzangers begonnen waren. Derek keek graag naar de platenhoezen, foto's van mensen zoals Ray Charles, de zanger van the Soul Stirrers en een grote vent op het Apollolabel, Solomon Burke. Hij vroeg zich af hoe het was om op het toneel voor zoveel mensen te zingen, zoveel geld te verdienen en de mooiste vrouwen en Cadillacs te bezitten. Hij vroeg zich af of zijn vader die, als hij thuiskwam van zijn werk, naar vet, zweet en verbrand vlees rook jaloers was op het leven dat die mannen leidden. Maar Derek wilde daar niet te lang bij stil blijven staan, want hij voelde zich niet goed worden bij het idee dat zijn vader ooit hun huis zou verlaten.

Toen Derek probeerde hem voorbij te lopen greep Dennis hem bij zijn shirt, trok hem naar zich toe en drukte zijn armen tegen zijn zij. Derek slaagde erin de fles melk in zijn handen boven de stapel platen te zetten. Toen hij dit eenmaal had gedaan probeerde hij zich te bevrijden, maar Dennis was te sterk. Derek deed het enige wat hem nog te doen stond. Hij liet zich op zijn knieën vallen en trok Dennis met zich mee omlaag. Ze kwamen op de vloer terecht en rolden over elkaar heen.

'Je komt nooit los,' zei Dennis.

'Hufter,' zei Derek.

'Zeg dat nog eens en dan zul je op een van die polioslachtoffertjes lijken. Dan zul je hier en daar een paar beugels nodig hebben om je overeind te houden.'

'Zo kan het wel weer,' zei hun vader, strak naar de tv kijkend.

Derek rolde Dennis om zodat hij een van Dennis' handen vastpinde. Derek voelde rond en probeerde Dennis' andere hand te grijpen. In plaats daarvan greep hij in Dennis' kruis.

'Vind je dat lekker, jongen?'

'Wat bedoel je?'

'Dat je met je hand aan mijn piemel zit!'

Ze rolden tegen de radio en lachten.

'Ik zei dat het zo wel weer kon,' zei Darius. 'Ik heb dat ding zelfs nog niet afbetaald.'

Darius Strange had de hifi en tv precies op tijd gekocht. Eerst was hij naar het centrum gegaan, naar George's op de hoek van 8th en F. Maar de verkoper daar, een dikke blanke, behandelde hem niet met respect. Toen hij de zaak binnenliep hoorde Darius Chubby ergens opzij met een medewerker lachen. Hij zei dat hij van plan was hem een 'Zenick' te verkopen en had met een zogenaamd kleurlingenaccent gezegd: 'Kunt u hem voor mij opzijzetten?' Chubby had gedacht dat hij het niet had gehoord, maar hij had het wel degelijk gehoord. Darius had er niet op gereageerd, maar was direct de zaak uitgelopen en naar Slattery's aan Naylor Road gereden. Daar had de eigenaar, Frank Slattery, zelf de Zenith en de Sylvania voor hem besteld, hem krediet gegeven en alles de volgende dag laten bezorgen. Het gekleurde geld werd bij het blanke geld in de kassa gestopt, en als je het er 's avonds na sluitingstijd uithaalde zag je het verschil zelfs niet meer. En dat had Chubby niet begrepen.

Net als voor de auto zou hij voor deze apparaten nog lang moeten betalen. Maar Darius maakte zich daar geen zorgen over. Hij verwachtte dat hij voor de rest van zijn leven werk zou hebben.

'Je wordt sterk,' zei Dennis. Toen ze gingen staan keek hij zijn jongere broer bewonderend aan.

'Ik durf te wedden dat ik je binnenkort kan hebben.'

'Dat kun je altijd proberen.' Hij maakte een hoofdbeweging in de richting van de keuken. 'Ga je gang, man.'

'Ik ben al weg.'

Grinnikend duwde Dennis met zijn platte hand tegen Dereks voorhoofd. Hij probeerde het opnieuw en Derek dook opzij, greep snel de melkfles van de stapel platen en liep door de korte gang naar de keuken.

'Die knul heeft mijn overhemd gekreukt,' zei Dennis. 'En dat zou ik vanavond dragen.'

Darius Strange keek naar zijn oudste zoon. 'Ga je uit?'

'Dat ben ik van plan. Waarom?'

'Met wíe ga je uit? Met die nietsnut met wie ik je laatst op de Avenue heb gezien?'

'Kenneth?' zei Dennis. 'Hij is oké.'

'Volgens mij deugt hij niet.'

'Nou, u hoeft zich geen zorgen te maken. We rijden alleen maar een beetje rond met zijn neef, dat is alles. Misschien gaan we nog even naar de All-Star Jamboree die ze bij de Howard hebben georganiseerd. Baby Cortez en The Clovers staan op het programma. In ieder geval ben ik niet laat thuis.'

'Dat wil ik ook niet. Je gaat morgenochtend met ons mee naar de kerk, hè?'

'Ik ga naar de tempel. Daar is 's middags een dienst.'

'Tempel,' zei Darius grommend. 'Je bedoelt dat gebouw aan Vermont Avenue.'

'Dominee Lucius leidt de dienst,' zei Dennis.

'Nu leidt hij ook al diensten, hè?'

'Die man is een volgeling van Elijah Mohammed.'

'Ik weet wie hij is.' Darius tikte op de krant in zijn schoot. 'Hier staat een advertentie die jouw man heeft laten plaatsen. Noemt zich de Gezalfde Leider. Hij vraagt donaties en beweert dat hij een ziekenhuis wil bouwen. Zijn er dan nog geen ziekenhuizen in Chicago?'

'Dit ziekenhuis is voor onze mensen.'

'O. Als je hem zo fantastisch vindt, waarom stuur je hem dan geen geld?'

'Als ik geld had, dan zou ik het doen.'

'Die man is een gewone oplichter. Hij is niets beter dan welke willekeurige pooier die je op straat ziet. En bovendien is hij geen christen.'

'Dat is het punt juist. Jezus is de god van de blanke.'

'Laat je moeder dat maar niet horen, jongen.'

'Luister, voor mij is de christelijke Kerk hetzelfde als dat blad wat u leest. Ze beweren dat het voor ons is bestemd, maar dat is niet zo. Hebt u de advertenties gezien die erin staan?' Dennis pakte de krant die voor hem op tafel lag en las hardop. '"Black and White crème voor een blanke huid – voor een frisse, *blankere*, zachtere en gladdere huid". En hier nog een: "Dr. Fred Palmer's Huidbleker". En de foto's van de vrouwen boven de artikelen die ze schrijven? Die vrouwen hebben allemaal een lichte huid, en dan de manier waarop ze hun haar hebben behandeld. Ik bedoel, ze proberen op een blanke te lijken. Dus wie licht wie nu eigenlijk op? Wat probeert deze krant volgens u nu eigenlijk te verkopen?'

'Ik heb ogen om te zien. Je denkt wel dat ik blind ben, maar dat ben ik niet. De dingen veranderen in een langzaam tempo, maar ze veranderen. Het is nog lang geen perfecte wereld, maar met wat we nu hebben moeten we het doen.'

'Dus bent u tevreden met *wat we hebben?*'

'Je bent nog jong,' zei Darius. 'Vroeg of laat zul je zien dat je bepaalde dingen moet accepteren om verder te kunnen.'

'U bedoelt zoals vorig jaar zomer toen we naar het strand gingen. Herinnert u zich nog hoe u als Jim Crow behandeld werd en u daarna *gewoon wegging?* Hoe hebt u zich die dag toen gevoeld? Hoe denkt u dat wij ons gevoeld hebben?'

Darius was met het gezin naar het gebied van Annapolis gereden, op zoek naar Highland, het strand waar kleurlingen mochten komen. Maar hij was verkeerd gereden, maar voordat hij achteruit kon rijden en keren werd hem door een man in een tent verteld dat zijn soort hier niet mocht komen. Zo maar waar zijn vrouw en kinderen bij waren. Woest was hij toen geweest. Woest en beschaamd. Maar hij gaf zijn zoon geen antwoord.

'De dingen veranderen niet snel genoeg voor mij,' zei Dennis. 'Ik wil me niet aanpassen. En ik zal het meteen maar vertellen: volgende week loop ik ook mee in die mars.'

'Wat voor mars is dat?'

'Een jongerenmars voor geïntegreerde scholen. Ze zeggen dat vijfentwintigduizend mensen elkaar bij het Sylvan-theater zullen ontmoeten.'

'Let goed op waar je bij betrokken raakt.'

'Ik weet wat ik doe.'

'Dat denk je,' zei Darius Strange. 'Maar jullie lopen veel te hard van stapel, en dan doen ze dezelfde dingen met jullie als ze met die jongen in de gevangenis van Mississippi hebben gedaan.'

'Ik maak me geen zorgen.'

'Natuurlijk niet. Zoals ik al zei, je bent nog jong.'

In de keuken zette Derek Strange de fles melk in de koelkast en liep vervolgens naar de aanrecht waar zijn moeder de afwas deed. Boven de aanrecht bevond zich een raam, maar op dit moment kwam daar weinig licht door omdat Alethea de onderste helft met karton had afgeplakt. Dat had ze gedaan zodat de mensen in de keuken de vogels niet bang zouden maken die een nest in het kozijn hadden gebouwd.

'Hallo, mama,' zei Derek en raakte even de heup van zijn moeder aan.

'Derek,' zei ze. Ze keek hem aan. In het afgelopen jaar was hij even lang als zij geworden. 'Is er nog iets bijzonders gebeurd vandaag?'

'Niets bijzonders,' zei hij. Hij dacht aan het voorval bij Ida's en vroeg zich af of hij zojuist tegen zijn moeder gelogen had. 'En u?'

'O, je kent dat wel, gewoon werk.' Alethea haalde een fles Kretalkakkerlakkenverdelger van het kozijn en trok een hoek van het karton los van het raam. 'Kijk eens, jongen.'

Derek boog zich over de aanrecht. Een moederroodborstje was bezig haar kinderen in het nest te voeden. Drie kale kopjes gingen achter een halve worm aan.

'Waar is de vader?' vroeg Derek.

'Ik vermoed dat die ergens rondvliegt. Hij heeft het nest gebouwd en nu zorgt de moeder voor de kleintjes. Precies zoals bij ons.'

Derek knikte. Dat had zijn moeder al vele malen eerder verteld. Hij zag dat ze het karton weer vastplakte en leunde met zijn rug tegen de aanrecht.

'Lydell is nog geweest,' zei Alethea.

'O ja?'

'Hij kwam langs om te vragen of je zin had om mee te gaan vissen bij het Home. Hij zei dat hij je zo kwam ophalen.'

'Mag ik mee?'

'Ja, maar niet te lang. Trouwens, de zon gaat over niet al te lange tijd onder. Je vader en ik waren van plan om vanavond naar de bioscoop te gaan. Ik wil dat je thuis bent voordat wij weggaan.'

'Welke film?'

'Ik wil de film *Imitation of Life* heel graag zien, omdat iedereen erover praat. Maar je weet hoe je vader is; hij was niet van plan om ook maar één cent aan een 'jankfilm' uit te geven. Hij wilde heel graag naar een western, maar ik ben niet van plan om in mijn mooie jurk naar een film te gaan waarin de mannen in stoffige kleren rondlopen. Dus hebben we een compromis gesloten. We gaan naar die nieuwe film, *I Want to Live,* in het Lincoln.'

'Dat is die film waarin een vrouw naar de gaskamer gaat, hè?'

'Hm, ja.'

'Tjonge, die zou ik ook graag willen zien.'

'Daar ben je nog veel te jong voor. Nou luister, je broer gaat ook uit. Je kunt toch wel een paar uur alleen zijn, hè?'

'Natuurlijk.'

'We zullen het niet te laat maken. We moeten morgen naar de kerk.'

'Ja, moeder,' zei Derek Strange.

Alvin Jones en Kenneth Willis zaten in een auto in de steeg achter het huis van Jones' grootmoeder. Ze deelden een fles geïmporteerde sherry van zevenennegentig cent. Willis zat naast de chauffeur en draaide aan de keuzeknop van de radio. Hij probeerde een liedje te vinden dat Jones aardig vond. Hij stopte toen een dj een plaat aankondigde. Het nummer begon, gevolgd door de stem van een zangeres.

'Wie is die griet?' vroeg Jones.

'Die kerel zei dat ze Connie Francis heette,' antwoordde Willis.

'Die kan geen noot zingen. Maar als ik ooit dicht genoeg bij haar kom, neuk ik haar dood.'

'Ze is te oud. Trouwens, ik heb haar foto in een tijdschrift gezien en zoveel bijzonders is het niet.'

'Het kan mij niet verdomme hoe ze eruitziet. Ik zou die blanke griet hoe dan ook doodneuken.'

'Ze is een Latino.'

'Nou en?'

'Ik zeg het alleen maar.'

'Hoe heet dat liedje eigenlijk wat ze zingt? Mijn Hete Penis?'

'My *Hap*piness.'

'Dat zei ik toch.'

Ze zaten in Jones' Cadillac, een '53 sedan, een gewoon model met radio en verwarming, maar geen Coupe DeVille of Eldorado. Maar de auto bezat alle symbolen van de Caddy, en daar ging het Jones om. Het was in ieder geval een begin. Hij had hem op afbetaling gekocht bij Royal Chrysler op Rhode Island Avenue en er achthonderdvijfennegentig dollar voor betaald. Om toch krediet te krijgen, had hij over zijn baan gelogen. Hij bezat de auto nu drie maanden en had tot nu toe slechts eenmaal betaald. Als ze wilden, konden ze hun gang gaan en de auto weer terugnemen. Hij was niet meer van plan om nog iets te betalen.

'Waar gaan we heen als we deze fles leeg hebben?' vroeg Jones.

'Ik heb mijn vriend Dennis gezegd dat we hem zouden oppikken en daarna wat gingen rondrijden. Die knul rookt marihuana, man. Volgens mij heeft hij genoeg bij zich voor ons drieën.'

'Is dat die grote knul die in Princeton woont?'

'Ja.'

'Hij is nog maar een kind.'

'Hij is even oud als ik.'

'Dat zeg ik toch.'

Alvin Jones was tweeëntwintig. Zijn neef Kenneth Willis was pas achttien geworden. Jones was opvliegend, mager, had een lichte huid en was klein van stuk. Willis was donker, had een gewoon postuur, grote tanden en was mager, met dikke polsen die aangaven dat hij over niet al te lange tijd een stevige kerel zou zijn.

'Waar ken je die Dennis van?' vroeg Jones.

'We zitten allebei bij de reservemarine.'

'O,' zei Jones en begon te lachen.

'Wat is daar zo leuk aan?'

'Ik zie jullie in gedachten voor me staan in zo'n matrozenpakje. Weet je, bij sommigen van die marinejongens lijkt dat uniform precies op een jurk. Ik hoorde dat die schepen tot de nok toe vol zitten met flikkers.'

'Ik ben geen homo.'

'Dat is maar goed ook. Want als je dat was, dan was het mijn dure plicht om iets van vijfentwintig centimeter in je achterwerk te stoppen.'

Willis greep het kruis van zijn spijkerbroek. 'Die is alleen maar voor grietjes bestemd, Alvin.'

'En deze ook,' zei Jones en stak zijn vuist omhoog. 'Is dat duidelijk?'

'Noem me geen homo,' zei Willis.

'Shit, zoek eens wat muziek op dat ding, verdomme.'

Kenneth Willis draaide aan de knop en vond een song op WUST, gezongen door Fats Domino: 'I Want to Walk You Home'. Nou, zo zou een song gezongen moeten worden. Willis keek opzij naar zijn oudere neef die zoveel wist.

'Alvin?'

'Ja?'

'Hoe voelde dat nou toen je die jongen doodschoot?'

Jones nam een slok sherry en gebruikte zijn mouw om zijn mond af te vegen. 'Ik was helemaal niet van plan hem dood te schieten.'

Van plan zijn heeft er helemaal niets mee te maken. Hij is dood, of je het nu van plan was of niet.'

Twee avonden daarvoor had Jones een slijterij gebeld, waarvan hij wist dat ze ook bezorgden. Hij had gevraagd of de bezorger een fles Cubaanse rum, een flesje Franse cognac en een fles Spaanse sherry kon brengen. Hij had naar aanleiding van een advertentie zijn keuze gemaakt, die de winkel in de *Evening Star* had geplaatst. Toen de bezorger, een jonge kerel met een hoed op, op het opgegeven adres, een onbewoond rijtjeshuis in het oosten van Shaw, arriveerde was Jones uit de schaduw tevoorschijn gekomen en had de loop van een gestolen .22 tegen zijn slaap gedrukt. De jongen gaf

51

zonder tegen te stribbelen al het geld af dat hij bij zich had. Maar Jones had hem toch neergeschoten. Hij had gefascineerd naar de laatste momenten van de jongen gekeken, terwijl hij trillend op straat lag dood te bloeden. Hij had altijd geweten dat hij ooit iemand zou doden, en toen had hij besloten dat dit het juiste moment was om tot de daad over te gaan.

'Ik voelde helemaal niets,' zei Jones. 'Die jongen ademde en even later niet meer.'

'Je bent een ijskouwe, man.'

Jones haalde zijn schouders op. 'We zijn allemaal op weg naar een bed vol maden. En ik heb die jongen gewoon een handje geholpen.'

Die reactie bezorgde Willis kippenvel. Op een bepaalde manier wond het ook hem op. Hij greep de fles en nam een stevige slok.

'Maar je vertelt het verder aan niemand door, hè?' zei Jones.

'Aan niemand,' antwoordde Willis.

'Je praat er zelfs niet met je vriend over.'

'Je weet dat ik dat niet doe.'

Jones greep de fles, zette die aan zijn lippen en dronk hem helemaal leeg. 'Dit is het laatste bewijs. Ik heb de rum en de cognac al opgedronken.'

Willis veegde langs zijn voorhoofd. 'Ik ben high.'

'Ik ook,' zei Jones.

Ze reden de steeg uit en stopten in de eerstvolgende straat. Daar stapte Willis uit en rolde de lege fles in een afvoerput. Daarna reden Jones en hij naar Princeton Place om Dennis Strange op te pikken.

7

'Dennis?'

'Ja?'

'Ik heb vandaag die agent gezien en eens goed naar hem gekeken.'

'Nou, en?'

'Ik denk dat ik misschien later ook wel agent wil worden.'

'Agent?'

'Ja.'

'Dan ga jij ervoor zorgen dat wij negers ons rustig houden, hè?'

'Waar heb jíj het nu over?'

'Dat doet er niet toe.'

Dennis en Derek Strange zaten op het stoepje voor hun rijtjeshuis. Het begon donker te worden. Op het trottoir waren drie meisjes aan het touwtjespringen. Aan de overkant van Princeton duwde een vrouw een kinderwagen in de richting van Georgia. Het licht van de ondergaande zon scheen als honingdruppels op de straat. Derek vond dit echt een 'gouden tijd'.

'En jij?' vroeg Derek. 'Wat word jij later?'

Dennis raakte met zijn vingers de marihuanasigaret aan die hij in zijn broekzak had gestopt voordat hij het huis verliet. Hij dacht even na over deze vraag, maar hij vond het niet erg om deze vraag te beantwoorden zolang het Derek was die deze vraag stelde en niet zijn ouders. Niet dat hij nooit aan zijn toekomst dacht. De laatste tijd verlangde hij er alleen maar naar om high te worden. Een oudere man uit de volgende straat had hem een paar maanden voor het eerst een joint gegeven. En Dennis had het van het begin af aan heerlijk gevonden.

'Dat weet ik niet. Als ik eenmaal van Roosevelt af ben, ga ik misschien door bij de marine, denk ik. Of een beroep leren. Misschien dat ik de staat voor mijn studie laat betalen. Kennis is macht, broertje, dat beweren ze tenminste.'

'De marine. Betekent dat dat je weggaat?'

'Wat denk je, man?'

'Ik wil niet dat je weggaat,' zei Derek. Hij probeerde de wanhoop die hij voelde niet in zijn stem te laten doorklinken.

'Het is gewoon een natuurlijk gegeven dat dingen hier gaan veranderen, D. Nu zul je me missen, maar spoedig ben je zelf zover om weg te gaan. Zoals die jonge vogeltjes waar mama het altijd over heeft. Die blijven toch ook niet altijd in het nest, hè?'

'Volgens mij niet.'

'Kom op, knul,' zei Dennis. Hij duwde tegen het hoofd van zijn jongere broer en hoopte dat de sombere uitdrukking in zijn ogen zou verdwijnen. 'Het komt allemaal goed.'

Een Cadillac reed Princeton in en stopte achter Darius Stranges Mercury. Hoewel er nog voldoende ruimte achter hem was, raakte de chauffeur met zijn bumper de achterbumper van Darius' auto.

Een man en een jongere man stapten uit de auto en liepen de stoep op. Derek had de jongste van de twee, Kenneth, een vriend van zijn broer uit de marinereserve, al eens eerder ontmoet en mocht hem niet. Hij schepte te veel op en sprak de hele tijd over wat hij met meisjes had gedaan en wat hij met hen van plan was. Volgens hem zou het met Kenneth Willis nog eens slecht aflopen.

De ander, de oudere, kleinere man met de lichte huid, was eveneens iemand in wiens gezelschap Derek niet graag gezien zou willen worden. Hij droeg een zwarte broek en een dun purperen overhemd, dat wel van zijde leek te zijn. Hij was, wat zijn vader een nietsnut noemde, een oplichter of gewoon een pooier. Dat kon je zien aan de manier waarop zijn vader keek als hij zei dat hij dat type mannen totaal niet mocht.

Toen de twee uit de Cadillac in hun richting liepen, ging Dennis staan. Derek kwam ook overeind en ging naast zijn broer staan.

'Verdomme, Alvin,' zei Dennis, 'het was toch niet nodig om tegen de auto van mijn vader te rijden.' Hij zei het met een lachend gezicht, om te laten weten dat hij niet boos was. Derek schaamde zich toen hij het hoorde.

'Is dat de Merc van je ouweheer?' zei de man die Alvin heette en de chauffeur van de Cadillac was. 'Ik dacht dat hij een baan had.'

'Dat heeft hij ook.'

'Het lijkt wel of het een tweedehands is.'

Nou en wat dan nog? dacht Derek. Dan hoef je er toch niet tegenaan te rijden?

Alvin Jones haalde een pakje sigaretten tevoorschijn uit zijn broekzak, nam er een sigaret uit en stak hem aan. Nonchalant smeet hij de gebruikte lucifer in de voortuin, terwijl de rook uit zijn mond en neus kringelde.

Deze mannen met hun bloeddoorlopen, doffe ogen leken iets van plan te zijn. Derek had iets gehoord over dingen die mensen gebruikten, zodat ze licht in hun hoofd werden. Maar toen ze dichterbij kwamen rook hij de alcohol. Hij herkende die stank van een dronkelap die hij dikwijls in de buurt tegenkwam. Die twee waren dronken.

'Is dat je broer?' zei Alvin en nam Derek aandachtig op.

'Hij heet Derek,' zei Dennis.

'En waar houden jullie Dumbo verborgen?' vroeg Alvin Jones.

'Wat, beginnen jullie voornamen allemaal met een D?' vroeg Kenneth Willis grinnikend, want hij had de clou van Alvins opmerking begrepen.

'Dat was een idee van mijn vader,' zei Dennis met neergeslagen ogen.

Verontschuldig je niet voor onze vader, dacht Derek. Doe dat nooit meer.

'Ik zie dat de kleine man erg boos is omdat we over zijn familie praten,' zei Willis. 'Kijk maar, Alvin, hij heeft zelfs zijn vuisten gebald.'

Derek ontspande zich. Hij besefte niet dat hij zijn vuisten had gebald.

'Verdomme,' zei Jones. 'We wilden je niet van streek maken, kleine man. Wat, wil je me soms in elkaar slaan, of zo? Kom dan maar hier als je het lef hebt. Jij mag de eerste klap geven.'

Derek voelde Dennis' arm om zijn schouder. Hij voelde dat Dennis hem terugtrok.

'Hij is oké,' zei Dennis. Hij maakte een hoofdbeweging in de richting van de Cadillac. 'Kom op, dan gaan we.'

'Heb je de gage bij je, man?' vroeg Willis.

'Hou je kop, Kenneth,' zei Dennis. Zijn stem verloor de opgewekte klank die hij krampachtig probeerde vol te houden 'Ben je nu helemaal gek geworden?'

Jones en Willis lachten.

Dennis wendde zich tot Derek. 'Ga maar weg, D.'

'Waarom ga je met hen mee?' vroeg Derek. Hij trok er zich niets van aan dat Willis en Jones hem konden horen.

'Ik ben niet laat thuis. Daar komt Lydell, die was op zoek naar je.'

Derek keek de straat in en zag Lydell Blue op het trottoir uit de richting van Park View Elementary komen met twee hengels over zijn schouder. Hij liep naar zijn vriend toe. Ze gaven elkaar een hand en tikten met een gebalde vuist tegen hun eigen borst.

'Wij,' zei Derek.

'Wij,' zei Lydell Blue.

Lydell, klein en stevig gebouwd met een beginnend snorretje, overhandigde Derek een van de hengels. Ze liepen naar het Old Soldier's Home. Daar klommen ze over het hek om in de vijver midden in het bos te gaan vissen. Ze hadden bijna nooit beet, maar niemand viel hen daar lastig en het was een fijne plek om te zitten en te praten. Lydell Blue en Derek kenden elkaar al vanaf de kleuterschool. Ze waren altijd de beste vrienden gebleven.

'Gaat het wel goed met je?' vroeg Lydell. Toen ze wegliepen, keek hij naar Dereks bezorgde gezicht.

'Wat is een gage, Ly?'

'Dat is marihuana, man. Weet je nou helemaal niets?'

'Ik wist het wel,' zei Derek en kreeg het er benauwd van. 'Ik vroeg me alleen af of jíj het ook wist, dat is alles.'

Derek draaide zijn hoofd om, zag zijn broer en de twee anderen naar de oude Cadillac lopen en Dennis zijn hand uitsteken om het portier te openen.

Stap niet in die auto.

Derek Strange hoorde de portieren openen en weer dichtslaan, gevolgd door het geluid van een startende motor. Hij en Lydell Blue liepen in oostelijke richting in de laatste gouden zonnestralen, terwijl het langzaam donker werd in de straat.

Stewart en Hess reden naar Mighty Mo's, een drive-in waar je in de auto bediend werd. Deze was gevestigd op het kruispunt van New Hampshire Avenue en de 410. De zaak was opgericht in 1958 en de hangplek van hun groep en anderen. Daar beraamden ze hun plannen voor de rest van de avond. Opgevoerde motoren en motoren met hoog stuur en namen, zoals 'Little Dipper', 'Little Sleeper en 'Also Ran' stonden overal op de parkeerplaats. Rock-'n-roll klonk uit de openstaande raampjes van de zojuist in de was gezette auto's, die in het licht van de straatlantaarns stonden te glimmen.

Stewart en Hess voegden zich bij hun vrienden. Via de microfoons bestelden ze burgers met uienringen, die even later door de serveersters vanuit de keuken naar hun auto's werden gebracht. De jonge mannen en vrouwen spoelden alles weg met bier. En zo verliep de avond met gesprekken over motoren, opschepperijen en oogcontact met de vriendinnen van andere jongens. Naarmate de avond vorderde, werd er door het alcoholgebruik steeds luider gepraat. Nu werd het tijd om in de auto te stappen en de motoren te starten.

Hess en verscheidene anderen begonnen het parkeerterrein van Mo's te verlaten. In een hoek van het parkeerterrein, apart van de anderen, stonden Billy Griffith, Mike Anastasi en Tommy Hancock tegen hun auto geleund. Zij waren de beruchtste blanken uit de buurt. Voor de gein reden ze dikwijls naar D.C. om ruzie te zoeken met groepjes kleurlingen. Het beroemdste gevecht was begonnen in the Hot Shoppes op de hoek van Georgia en Hamilton. Het werd later voortgezet in the Little Tavern aan de overkant van de straat. Men beweerde dat Griffith, Anastasi en Hancock het tegen tien kleurlingen hadden opgenomen en hen allemaal in elkaar hadden geslagen. Het verhaal werd steeds mooier, want nu bedroeg het aantal kleurlingen twintig.

Toen hij en Buzz voorbijreden knikte Stewart naar Billy Griffith, de krankzinnigste van de drie. Griffith bezat een legendarische reputatie. Mannen van alle leeftijden spraken in de bars over hem, maar ze zwegen als hij ergens binnenliep. Buzz Stewart kon alleen maar hopen dat de mensen ooit ook zo over hem zouden spreken.

Stewart en Hess reden via Route 29 naar het gebied in de buurt van Fairland Road. Het was niet ver van het centrum van Silver Spring, misschien acht kilometer op de kilometerteller, maar het was buiten de stad. Om tien uur was er weinig verkeer, maar degenen die hun auto daar langs de kant hadden geparkeerd waren daar om plezier te maken.

Een traject van vierhonderd meter was uitgezet. Kleine weddenschappen waren bij Mo's en andere hangplekken afgesloten. Hess stopte bij een groepje vrienden en keek naar de race tussen een Chevy en een Dodge. Vervolgens arriveerde een kerel met een aanhanger, waarop een Ford uit 1931 zonder nummerplaten stond.

'Man, die kerel beweert dat er achterin een 512-motor zit.'

'Dat zegt hij tenminste,' zei Stewart.

De chauffeur van de Ford racete tegen een opgevoerde Studebaker uit 1950, en blies zijn deuren eruit.

'Tjonge,' zei Hess. 'Die vent overdreef niet.'

Ze volgden nog een paar wedstrijden en dronken nog wat bier. Stewart zag een grietje met geblondeerd haar, Suzie, die hij had geprobeerd te neuken op de achterbank van zijn auto toen ze beiden lam waren van gin en Coke. Toen ze uit de auto was gestapt kon hij zich op haar geur na niets meer van haar herinneren. Hij begon in haar richting te lopen, maar bedacht zich. Als hij er zin in had, kon hij altijd zijn portie nog krijgen. Wat hij vanavond wilde, was een totaal andere actie. Drie biertjes hadden het al in zijn oor gefluisterd en nu zei nummer vier het zachtjes: het werd tijd om iemand een pak slaag te geven.

Maar Hess wilde zijn geluk wel eens bij een griet proberen, dus liepen ze een eindje verder en spraken met een paar stevige grieten die ze kenden. De ene was oké, maar de ander was een lelijk eendje. Beiden droegen strakke spijkerbroeken. Ze slaagden erin de meisjes te laten instappen. Nadat het ene stel op de voorbank en het andere stel op de achterbank was gaan zitten en iedereen de schoenen had uitgetrokken, reed Hess voor de gein door een maïsveld. De meisjes waren totaal dronken en weldra hadden ze een plek gevonden om te parkeren. Stewart ging met het meisje dat oké was wandelen, terwijl Hess met het lelijke eendje in de auto achterbleef. Later, nadat ze de meisjes weer afgezet hadden bij een feestje in de buurt van Peach Orchard Road, moest Stewart bekennen dat hij bot had gevangen bij zijn meisje, hij had zelfs geen tiet aangeraakt. Hess beweerde dat hij natte vingers had gekregen en stak zijn hand uit naar Stewart, dan kon hij even ruiken.

'Hou die lucht bij je, Shorty,' zei Stewart.

Hess lachte kakelend als een heks. 'Heb je zin om op jacht te gaan, Buzz?'

'Ja, laten we mijn auto oppikken.'

Bij de donutwinkel wisselden ze van auto's, kochten nog wat bier en reden het District in om iets of iemand in elkaar te slaan.

Hun volgende halte was The Rendezvous in 10th Street in het noordwestelijk deel. De bar was afgeladen met ruige ouwe knapen, motorrijders en vrouwen die op dergelijke types vielen. Het stonk er naar alcohol en zweet. Link Wray en zijn Raymen stonden op het toneel. Link was in het leer gekleed en liet de zaak rocken.

Stewart en Hess begaven zich naar de bar en bestelden een paar glazen bier. Stewart bestelde een gewoon glas en Hess een klein glas. Het leek wel een glas voor een meisje, maar dat kon Hess niets schelen. Het glas was lang, dun en smal. Je kon er makkelijk de top afslaan en als het nodig was de kartelrand gebruiken om iemands gezicht open te halen. Hess nam een slok en zette het glas weer op de bar.

De band speelde een door Bobby Howard gezongen nummer. Hij zong af en toe bij hen. Daarna nog een nummer. De Raymen gingen als gekken tekeer op hun instrumenten, maar Howard had een goede stem voor deze rock. Het was bekend dat Link niet kon zingen. Toen hij overzee in het leger zat had hij tbc opgelopen, waarna de artsen een van zijn longen moesten verwijderen.

'Nu gaat het gebeuren,' zei Stewart gelukkig. Ze zagen dat Link een pen gebruikte om een paar gaten in de speakers van de band te prikken. Op die manier kreeg hij die zoemende toon uit zijn gitaar, maar tevens was dat het teken dat de band op het punt stond om naar een climax te werken.

En zo ging het ook toen de band 'The Swag' begon te spelen, gevolgd door een langere versie van 'Rawhide'. Het was een geluid dat niemand anders zou kunnen produceren; een dierlijk, opwindend soort rock-'n-roll dat de hele zaak op stelten zette. Mensen botsten al dansend tegen elkaar. Weldra werd er gestompt, maar de meeste mensen die aan het vechten waren lachten er nog steeds bij. Link beweerde dat hijzelf een vreedzaam man was, maar soms zorgde zijn muziek voor regelrecht geweld.

'Doe je mee?' vroeg Hess. Hij keek naar een steeds groter wordende knokpartij aan de andere kant van de zaal.

'Nee,' zei Stewart, die nu alleen maar van de muziek wilde genieten. 'Ik heb het prima zo.'

Hess zette zijn glas neer, zocht zijn weg door de menigte en begon om zich heen te slaan. Zijn eerste stoot raakte de slaap van een kerel die juist om dat moment zijn hoofd in Hess' richting draaide. Het gevolg was dat de man als een blok tegen de grond sloeg. Hess dacht: sommige avonden heb je alle geluk van de wereld, vlak voordat een andere kerel met het uiterlijk van Richard Boone hem met een rechtse directe een snee in zijn lip bezorgde.

Een uur later stonden ze in 14th Street, ten noorden van Columbia Road, bier te drinken en sigaretten te roken. Op de radio werd 'The Girl Can't Help It' gedraaid. Stewart tikte in de maat met zijn vinger op het stuur.

Beiden waren nu ladderzat, maar nog steeds opgewonden na de vechtpartij. Nadat Hess tegen die rechtse directe was opgelopen, ging Stewart zich ermee bemoeien en vanaf dat moment hadden ze flink huisgehouden. Ze waren nog het meeste trots op het feit dat ze zelfs niet neer waren gegaan. Ze waren zelfs op hun eigen twee benen lopend de zaak uitgegaan, terwijl de band achter hen 'Rumble' speelde. Stewart zou zich altijd blijven herinneren hoe hij zich op dat moment voelde, alsof Link dat nummer speciaal voor hem speelde. Toen hadden ze tevreden moeten zijn, maar ze liepen nog steeds over van energie en hadden het gevoel dat de avond nog lang niet voorbij was.

'Wat denk je dat hij van plan is?' vroeg Hess die een eindje verderop een eenzame kleurling zag staan.

'Het is duidelijk dat hij op de bus staat te wachten,' zei Stewart. Soms had hij het idee dat iemand een gedeelte van Shorty's hersenen had weggenomen. Verdomme, die knul stond bij een halte van D.C. Transport te wachten.

Hess raakte zijn lip aan. Het was opgehouden met bloeden, maar omdat de snee tamelijk diep was kwam er af en toe kwam nog een druppel uit. Hij stak een sigaret in de andere mondhoek en nam een trekje.

'Wat ben je van plan?' vroeg Hess.

'Wat bedoel je?'

'Nou, met je leven?'

'Dat weet ik niet.' Stewart had daar nog nooit bij stilgestaan.

'Ik denk erover om bij het Korps Mariniers te gaan.'

'Denk je dat ze je aannemen?'

'Waarom zouden ze niet?'

'Heb je nog nooit van Artikel Acht gehoord?'

Hess wreef over zijn kruis en dacht aan het lelijke grietje dat hij had gepakt. Ze had een beetje tegengestribbeld toen hij zijn hand in haar slipje had gestoken. Misschien was hij een beetje te ruw geweest, maar shit, je *wist* dat ze 'ja' bedoelden als ze 'nee' zeiden.

'Weet je nog dat grietje dat ik vanavond had?' vroeg Hess.

'Ik heb haar in 'You Bet Your Life' gezien. Ze viel van het plafond en raakte Groucho bijna.'

'Hou op. Dat grietje was fantastisch.'

'Ja, fantastisch lelijk. Ze paste ook precies bij jou.'

De twee vrienden lachten. Hess kneep zijn ogen halfdicht toen hij die kleurling verderop in de straat beter probeerde te zien.

'Laten we die nikker proberen te pakken, Stubie. Wil je dat?'

'Natuurlijk,' zei Stewart. 'Waarom niet?'

Stewart startte de motor en reed langzaam door de straat. Zijn koplampen had hij niet aangestoken.

'Hij kijkt naar ons,' zei Hess. 'Hij probeert om het niet te laten merken, maar hij houdt ons in de gaten.'

Hess zette de radio keihard aan. Little Richards jammerklacht klonk luidkeels door de donkere avond. De kleurling draaide zijn hoofd om en keek in de richting van de Ford.

'Nu hebben we zijn aandacht,' zei Hess.

Buzz Stewart stuurde zijn auto het trottoir op en drukte het gaspedaal in. De kleurling begon te rennen.

'Rennen, nikker, rennen,' zei Hess.

'Hoeveel punten krijg ik als ik hem raak?'

'Laten we zeggen, vijf.'

Stewart lachte, terwijl hij steeds dichter achter hem begon te rijden. De jongen sprong van het trottoir de straat op. Hess lachte kakelend toen Stewart een scherpe bocht naar links maakte. De auto schoot van het trottoir en hij voelde dat de vier banden het asfalt raakten. Op het laatste moment, toen ze gevaarlijk dichtbij waren, trapte Stewart op de rem.

Ze zagen de jongen razendsnel over straat wegrennen. Lachend reden ze door naar huis.

Rechercheur Frank Vaughn meldde zich bij zijn inspecteur op het bureau van het Zesde District en reed vanaf dat moment in een zwarte Ford. Hij reed door de stad, sprak met zijn informanten en verhoorde getuigen van een recent gepleegde moord op een bezorger van een slijterij. Hij was telefonisch naar een adres gelokt, werd beroofd en vervolgens vermoord. Hij dronk een paar borrels in een bar in de buurt van Colorado Avenue, die hij niet hoefde te betalen. Even later belde hij een gescheiden vrouw die hij kende. Ze woonde in een appartement in 16th Street, vlak bij de brug met de leeuwen. Hij en de gescheiden vrouw, die Linda heette, dronken een paar cocktails, praatten wat en gingen vervolgens met elkaar naar bed. Eén uur nadat hij haar appartement was binnengegaan, was hij weer aan het werk.

Later die avond werd hij opgeroepen om naar de plek te komen waar een moord was gepleegd, in Crittenden Street, vlak bij Sherman Circle. Het slachtoffer, een gekleurde jongen, was pas achttien jaar. Hij was in borst en hals gestoken. Agenten in uniform begonnen met het buurtonderzoek, maar hadden nog niets ontdekt.

Vaughn deed zijn werk op een methodische, ongehaaste manier. Van de kant van de witte boorden zou er niet veel druk uitgeoefend worden om tot een vlugge arrestatie over te gaan. Een vermoorde, jonge kleurling had geen hoge prioriteit. Het haalde nauwelijks de krant, verdomme.

De moeder van het slachtoffer was op de plaats delict verschenen en huilde hysterisch. Het geluid van haar verdriet deed Vaughn aan zijn dienstbode, Alethea Strange, denken. Ze had twee zonen, de ene niet veel ouder dan Ricky, de andere ongeveer even oud als de dode knul die nu op straat lag. Hij had hen en haar echtgenoot een keer ontmoet, toen hij haar tijdens een hevige zomerbui naar huis had gebracht.

Hij verjoeg die gedachten. Tenslotte vormde elke moord voor iemand een tragedie.

Derek Strange lag in zijn bed en luisterde naar een krassend geluid. De wind bewoog de takken en bladeren van de boom voor zijn raam heen en weer. Ook een hond maakte lawaai buiten. Dat moest de herder van Broadnax zijn die in de steeg achter het huis stond te blaffen. Dat was er aan de hand. Een boom waar hij regelmatig in-klom, en een hond die altijd zijn uitgestrekte hand likte.

Dennis was nog steeds uit met zijn vrienden. Hun ouders waren thuisgekomen van de film en naar bed gegaan.

Derek voelde zijn hart wild tekeergaan. Hij wilde dat Dennis weer thuiskwam. Hij wilde dat hij weer onder hetzelfde dak was als zijn vader en moeder. Het was veilig als ze hier weer allemaal thuis waren.

Hij stond op, liep naar Dennis' bed en kroop tussen de lakens. Zijn broer zou het niet erg vinden als hij van bed had gewisseld. Derek glimlachte. Hij rook de geur van Dennis in het bed, en wist op dat moment dat hij in slaap zou vallen. Hij sloot zijn ogen en viel in slaap.

Tijdens zijn slaap kropen de schaduwen over de muur.

Deel twee

Lente 1968

8

Toen een jongen de zondagschool van de Grieks-orthodoxe kathedraal St. Sophia verliet, hoorde hij een langzame, zorgvuldig formu-
lerende stem uit de luidsprekers buiten klinken. De stem had iets
bevelends, maar klonk toch uitnodigend. De jongen liep de trappen
van zijn kerk af en begaf zich in de richting van de stem.

Rondom hem waren vaders bezig hun echtgenoten en kinderen te
verzamelen. Mannen lachten tegen elkaar en rookten de eerste sigaret na de kerkdienst. De dag was aangenaam koel. De geur van
tabaksrook en het aroma van kornoelje en magnoliabloesems hingen in de lucht.

De jongen liep naar een grote man met een vriendelijk, open
gezicht. Over zijn ene wang liep een litteken. De man stond op het
trottoir met een andere, oude Griek te praten. De grote man glimlachte naar de elfjarige jongen, die bruin krullend haar had en een
blauwe blazer droeg met een pin op zijn revers.

'Ben je zover, *Niko?*'

'Nog niet, *Papou.* Ik kom zo.'

'Waar ga je heen?'

'Ik ga even kijken wat daar aan de hand is. Ik ben zo terug.'

'Oké, jongen. Dan zien we elkaar bij de *karo.*'

De grote man keek zijn kleinzoon na, die Garfield overstak, een
paar betonnen traptreden afdaalde en het terrein van de National
Cathedral opliep.

De jongen volgde het geluid van de stem. Hij liep over een gazon
met heesters en azalea's tot hij de rand van een grote menigte
bereikte. Hij zocht zijn weg door de menigte. De meeste mensen
waren blank, maar van een ander type dan hij of zijn grootvader of
zijn vrienden. Zijn grootvader noemde deze mensen *Amerikani*, of
soms gewoon *aspri*. Ze stonden tegenover de luidsprekers die voor
de kathedraal waren neergezet en luisterden naar een stem. Die
stem klonk als van een zwarte man die zich ergens binnen de stenen
muren bevond. Aan de geconcentreerde uitdrukking op hun gezichten merkte de jongen dat wat er gezegd werd erg belangrijk was.

'*… we komen niet naar Washington om ons aan theatrale acties te
bezondigen, ook komen we Washington niet afbreken…*'

De jongen wendde zich tot de man naast hem en trok aan zijn jasje.

'Neem me niet kwalijk,' zei de jongen. 'Maar wie is dat?'

'Dr. King,' zei de man. Toen hij antwoord gaf, bleef hij strak naar de luidsprekers kijken.

'... *ik houd er niet van om geweld te verkondigen, maar als er tussen nu en juni niets gedaan wordt om onze broeders en zusters in de getto's weer hoop te geven, dan wordt deze zomer niet alleen even erg, maar zeker slechter dan vorig jaar.*'

Toen dit gezegd werd, keken sommige mannen in de menigte naar hun vrouwen. Diezelfde mannen en vrouwen keken toen even naar hun kinderen.

Omdat hij de betekenis van dr. Kings woorden niet begreep, begon de jongen zich al spoedig te vervelen. Hij verliet het terrein van de kathedraal en liep naar het terrein waar zijn eigen kerk en mensen stonden. Zijn grootvader leunde tegen zijn goudkleurige Buick Wildcat uit 1963, die in Garfield stond. Hij schoot het peukje van zijn sigaret op straat en opende het portier aan de passagierskant voor de jongen. Daarna kroop hij achter het stuur en startte de motor.

'Je bent even naar de *mavros* gaan luisteren, hè?' vroeg de grootvader, terwijl hij wegreed.

'Ik heb maar eventjes geluisterd,' zei de jongen. 'Is hij goed?'

'Goed?' De grootvader haalde zijn schouders op. 'Verrek, wat weet ik daar nu van? Ik denk dat hij gelooft wat hij zegt. In ieder geval is één ding zeker, hij weet de boel wel in beweging te krijgen.'

De jongen stak zijn hand uit naar de knoppen van de radio. 'Waar gaan we heen?'

'We gaan even naar *kirio* Georgelakos in Kennedy Street. Hij zit nu zonder tomaten. Ik heb hem gezegd dat we wat tomaten zouden komen brengen.'

De jongen, Nick Stefanos, speelde wat met de keuzeknop van de radio en stopte bij 1390. Op WEAM hoorde hij een rock-'n-rollnummer dat hij leuk vond. Hij zette het geluid harder en begon mee te zingen.

'Verdomme,' gromde de grootvader, die ook Nick Stefanos heette. Maar hij ergerde zich niet. Eerlijk gezegd amuseerde hij zich stiekem. Hij keek naar de jongen en glimlachte ondeugend.

De oude Nick Stefanos parkeerde zijn Wildcat in de steeg achter een Mustang met schuin aflopende achterkant en pakte een krat tomaten uit de kofferbak. Voordat hij en zijn kleinzoon naar binnen liepen, riep hij iets door de hordeur van de Three Star. Hij zette het krat in het kleine magazijn. Vervolgens liep hij door een gang die naar de wasruimte achter de bar leidde.

'*Niko*,' zei Mike Georgelakos. Hij leunde boven de grill met een spatel in zijn hand. Aan weerszijden van zijn kale hoofd zaten plukjes grijs haar.

'Ik heb de tomaten in het magazijn gezet.'

'Bedankt, chef.'

'*Tipota*.'

Nick en zijn kleinzoon liepen om de bar, passeerden Mikes zoon Billy en knikten naar hem. Hij was met de koude gerechten bezig. Billy was een jongere, langere en hariger versie van zijn vader. Hij droeg een schort en er zat een balpen achter een van zijn oren geklemd. Bij de kannen haalde een magere serveerster een hendel over en schonk koffie in een kopje. De twee Nicks gingen op een vrije kruk zitten.

Alle zitjes en de helft van de krukken aan de bar waren bezet. Mike Georgelakos was iedere zondag een paar uur open om de kerkgangers de gelegenheid te geven tussen twaalf en één uur te komen lunchen. De meeste klanten waren netjes gekleed en hadden een jurk of een kostuum aan. Uit de radio klonk gospelmuziek, uitgezonden door een middengolfstation dat normaal rhythm and blues speelde.

Een zwarte en een blanke agent, beiden in uniform, zaten aan de bar te ontbijten. Voor hen stonden kopjes koffie en borden met eieren, tomaten, gebakken uien en gerookte vis. Af en toe zeiden ze zachtjes iets tegen elkaar, maar de meeste tijd zaten ze zwijgend te eten. Een paar teenagers, die met hun moeder in een van de zitjes zaten, keken openlijk naar de ruggen van de agenten. Ze namen hun gestalten nauwkeurig in zich op en bestudeerden de dienstrevolvers in de holsters aan hun heupen.

'Is dat je nieuwe auto achter de zaak, Billy?' vroeg de oudere Nick.

'Het is een twee-plus-twee,' zei Billy Georgelakos, terwijl hij aandachtig naar de clubsandwich keek die hij aan het bereiden was.

'*Orayo eine*.'

'Ja, hij is mooi.'

'*Tha fas simera?*' riep Mike bij de grill.

'Vandaag eten we hier niet,' zei Nick Stefanos. 'Alleen een kopje *caffe* voor mij en een cherry Coke voor mijn kleinzoon.'

De slanke, aardige serveerster schonk een kop koffie voor de oudere man in en vervolgens kersensiroop in een glas Coke dat ze voor hem ingeschonken had. Hierna zette ze de bestelling voor beiden neer.

'Ella, je doet goed je best.'

'Dank u, meneer Nick.'

Ze dronken hun koffie en frisdrank op. De jongen voelde zich hier niet op zijn gemak, want zijn grootvader was ook nog eens de eigenaar van een lunchroom, Nick's Grill, op de hoek van 14th en S, die eveneens zwarten bediende. Maar in beide zaken was hij er zich altijd van bewust dat hij zich in een andere wereld bevond dan zijn eigen.

De oude Nick liet een dollar voor Ella achter op zijn schoteltje. Daarna begaven hij en de jongen zich naar de kassa waar Mike zojuist een rekening had uitgetikt. Het was een stilzwijgende afspraak dat Mike Nick geen geld voor de tomaten zou geven, maar dat de schuld in de toekomst tijdens een transactie verrekend zou worden. Zoals het ook een stilzwijgende afspraak was dat de drankjes voor rekening van de zaak waren.

'Hoe gaat het met je, jongeman?' vroeg Mike aan de kleinzoon. 'Gaat het goed met je?'

'Ja.'

'Goeie jongen.' Mike wendde zich tot de oudere man, die hij nu al meer dan twintig jaar kende. 'Je bent naar de kerk geweest, hè? Ik hoorde dat de *mavros* daar zou komen preken.'

'King?' zei Nick Stefanos. 'Hij heeft gesproken. En nog voor een grote menigte ook.'

'Hij gaat moeilijkheden veroorzaken,' zei Mike zachtjes. 'Hij jut ze allemaal op.'

'Wat gebeuren moet, gebeurt,' zei Nick schouderophalend. Hij keek over de bar naar Mike. Die was twintig pond te zwaar, hij transpireerde en stond te hijgen omdat hij een paar meter heen en weer had gelopen over de rubbermat. 'Je kunt het toch niet tegenhouden, *patrioti,* dus verknoei geen tijd met je daar zorgen over te maken. Je wordt er alleen maar ziek van.'

Mike maakte een afwerend gebaar. 'Verdomme, je kent me toch. Ik maak me nergens zorgen over.'

'Volgens mij kun je wel wat hulp gebruiken. Waar is je grillman vandaag?'

'Die werkt 's zondags niet. Ik, mijn zoon en Ella kunnen het makkelijk aan.'

'Doe rustig aan, *Michali,*' zei Nick. Hij stak zijn hand uit over de bar om Mike de hand te schudden.

'Jij ook.'

Nadat de oude Nick Stefanos en zijn kleinzoon de zaak hadden verlaten, lieten de twee agenten aan het einde van de bar hun fooi op de bar achter, stonden op en liepen naar de kassa. De jongens, die openlijk naar hen hadden zitten staren, sloegen hun ogen neer toen de grote mannen door de zaak liepen.

'Smaakte het, jongens?'

'Vanavond droom ik nog over die gebakken vis,' zei de blanke agent met een zuidelijke tongval.

'Dat is mijn specialiteit,' zei Mike, terwijl hij de zwarte agent even aankeek. 'Dat heb ik van een professional geleerd.'

'Hoeveel is het, meneer Mike?' vroeg de zwarte agent.

'Elk twee dollar,' zei Mike. Hij berekende hun twee dollar minder dan dat hij de burgers rekende.

'Een gezegende dag, jongeman,' zei de serveerster Ella Lockheart, toen ze achter de zwarte agent langsliep die op dat moment zijn portemonnee in zijn achterzak stopte.

'U hetzelfde.'

Bij de deur draaide de jonge, breedgeschouderde, knappe, zwarte agent zich om en riep naar Billy Georgelakos die de koude gerechten klaarmaakte.

'*Yasou, Vasili.*'

'*Yasou,* Derek.'

De zwarte agent, Derek Strange, en de blanke agent, die Troy Peters heette, verlieten de Three Star en begaven zich naar hun patrouilleauto die in de straat stond.

Strange drukte de knop van de microfoon in om de agent op het bureau te vertellen dat hij en zijn collega weer verdergingen met hun ronde. Ze reden in westelijke richting door de straat. Peters zat achter het stuur. Kinderen vormden een rij voor de matineevoorstelling in The Kennedy; op de uithangborden stond 'Joan Crawford goes *Berserk!*' Bars, stomerijen en andere zaken waren dicht. Toen de patrouilleauto hen passeerde, keken een paar jongemannen op het trottoir minachtend naar Strange.

'Kom op, jongens,' zei Peters. 'Zwaai eens naar Oom Agent.'

'Weten jullie niet dat de politie je beste vriend is?' zei Strange. Peters grinnikte, maar Strange kon het niet opbrengen om te glimlachen.

Dit hoorde ook bij de job, de openlijke minachting die Strange pijn deed. Het zou niet zo erg zijn als het alleen maar gebeurde als hij in uniform was. Maar hij werd er zelfs aan herinnerd als hij geen dienst had. Eens, op een feestje in de buurt van Florida en 7th, vertelde een vrouw hem waar Darla Harris, zijn afspraakje voor die avond, bij was dat hij een vorm van verraad pleegde en eigenlijk een verrader was. Maar hij vond dat hij dat niet was. Hij *beschermde* zijn mensen. Hij had werk dat weinig anderen wilden doen, maar toch gedaan moest worden. Hij was daar van het begin af aan van overtuigd, waardoor hij in staat was om elke dag dit werk te doen.

Het was waar, hij was door de ervaren, zwarte agenten erop voorbereid dat dit hem te wachten stond. Maar hij had niet gedacht dat hij zich voortdurend zo gekwetst zou voelen. Hij praatte er zoveel mogelijk over met zijn vriend, Lydell, want met Troy Peters kon hij er niet over spreken. Lydell Blue was direct na zijn diensttijd ook agent in Washington geworden. Hij wist ervan.

Maar niet iedereen behandelde hem zo. Er waren genoeg mensen die respect voor hem hadden. Meestal waren het oudere mensen en kinderen. Maar als hij in de armere wijken kwam, werd hij vooral door de jongeren toch als een vijand beschouwd. Soms kwam het van zijn eigen familie. Op de middag dat Strange beëdigd werd op de Academy, feliciteerde zijn broer Dennis, die high was, hem met de woorden: 'Nu ben je een volwaardig lid van de bezettingsmacht'. Strange stond op het punt om tegen zijn broer te zeggen dat hij iemand met een baan niet lastig zou vallen, maar hij zweeg. Dennis bedoelde er echt niets mee. Hij was altijd tegen dingen geweest die het systeem vertegenwoordigden. In ieder geval hadden zijn ouders met trotse blikken naar hem gekeken.

'Heb je die twee oude mannen over dr. King horen praten?' vroeg Peters.

'Ik heb ze gehoord,' zei Strange.

'Ik denk dat ze bang zijn.'

Strange keek zijn blonde partner aan. 'En nu ga jíj me vertellen dat je dat niet bent.'

'Niet op die manier. Luister, als die mensen hier niet geholpen worden, ontploft de boel. En ik kijk echt niet uit naar dat soort geweld. Ik ben er *bang* voor, oké? Maar die oude kerels zijn bang voor de veranderingen zelf. Ik bedoel dat hun wereld voor altijd veranderd zal zijn als deze dingen definitief geregeld worden. Ik zou het wel fijn vinden als die veranderingen ingevoerd werden.'

'Jíj zou het wel fijn vinden, hè?'

'Je weet wel wat ik bedoel.'

'Oké. Maar dan heb ik nog iets waar je over kunt nadenken terwijl je zo ruimdenkend bent. Stel dat er revolutie komt? Ga jij dan naar buiten om *deze mensen* met open armen te begroeten? Jouw strot is de eerste die ze doorsnijden.'

'Ik zeg alleen maar dat er iets staat te gebeuren. Dat kun je toch niet ontkennen? Je kunt net zo goed proberen de zon te verhinderen op te komen.'

Strange knikte flauwtjes. De armoede was het laatste decennium steeds groter geworden. Daardoor waren de woonomstandigheden ook steeds slechter geworden. Nu verliet slecht één op de drie studenten de middelbare school met een diploma. En dat had tot resultaat dat er een enorm aantal ongeschoolden werd losgelaten op een stad vol ambtenaren die de regering draaiende hielden. Er kwamen weinig banen vrij en de vooruitzichten waren praktisch nihil. Voor velen was de belofte van de beweging voor gelijke burgerrechten gebroken. En als de bewoners het getto als een gevangenis beschouwden, dan was het politiekorps de gevangenbewaarder. Dat werd nog eens benadrukt door het feit dat in D.C. ruwweg driekwart van de bewoners zwart was, terwijl viervijfde van de agenten blank was. Geen wonder dat misdaad, burgerlijke ongehoorzaamheid en openlijke haat steeds grotere vormen aannamen.

Intussen deed de regering wanhopige, laatste pogingen om de spanning te verminderen. President Johnson benoemde Walter Washington, lange tijd hoofd van de National Capital Housing Authority, tot de eerste, zwarte burgemeester van D.C. Burgemeester Washington benoemde vervolgens Patrick V. Murphy, voormalig hoofdcommissaris van de politie van Syracuse, tot Directeur van de Openbare Veiligheid, een nieuwe functie. Murphy, van wie men aannam dat hij opener tegenover het rassenprobleem stond dan hoofdcommissaris John Layton, werd onmiddellijk verantwoordelijk voor zowel de politie als de brandweer. Met onmiddellijke ingang liet hij zwarten promotie maken en stimuleerde pogingen om zwarten voor beide korpsen te rekruteren. Hierdoor werd Murphy niet populair bij senatoren en congresleden uit een zekere hoek, die bang waren dat zwarten te veel macht in de door de federale regering gecontroleerde hoofdstad zouden krijgen. Maar ondanks alles werden er nieuwe kansen gecreëerd, en veel zwarte mannen en vrouwen meldden zich voor het uniform, badge en revolver. Derek Strange en Lydell Blue waren twee van de velen die gehoor gaven aan de oproep.

Maar inwoners van Washington zonder kiesrecht vonden het te weinig en te laat. De rassenscheiding bleek het kruitvat van de natie te zijn, en de grootste explosie leek in D.C. te gaan plaatsvinden. In augustus 1967 werd er in 7th en 14th Street brand gesticht en vonden er rellen plaats. Stenen en flessen werden naar brandweerlieden gegooid die de branden probeerden te blussen. Sindsdien was het wekelijks onrustig en vonden er opstootjes plaats. Stokely Carmichael, voornaamste woordvoerder van het SNCC, was naar de stad gekomen. H. Rap Brown werd van New Orleans naar Richmond verbannen. Ten slotte werd hij naar Marylands Oostkust overgeplaatst waar aanklachten werden ingediend wegens brandstichting en het aanstichten van rellen in de stad Cambridge. Zwarte Panters en andere Zwarte Nationalisten waren actief geworden en hadden zich overal in de stad genesteld. En dr. King beloofde, sommigen zeiden dreigde, zijn Poor People's Campaign, een enorme bijeenkomst, op tweeëntwintig april in Washington te houden. Maar eerst moest hij nog iets in Memphis regelen.

Een paar dagen hiervoor was King met een menigte van zesduizend mensen door Beale Street gelopen, als steunbetuiging voor de vuilophalers in Memphis die al lange tijd staakten. De meeste vuilophalers in Memphis waren zwart. Rellen met veel geweld waren het gevolg, met als resultaat zwaargewonden, veel arrestanten en de dood van een zestienjarige jongen. Getuigen beweerden dat de jongen, Larry Payne, door een blanke agent werd neergeschoten, hoewel hij als teken van overgave zijn handen omhoog had gestoken.

Daarna wilde een belangrijke groep radicalen de annexatie van vijf zuidelijke staten uitvoeren met de bedoeling een afzonderlijke, zwarte natie te vormen. Ze waarschuwden het land dat ze 'geen schijn van kans hadden om te overleven' als hun eisen niet werden ingewilligd. Een duidelijk vermoeide president Johnson verklaarde dat de rellen alleen maar dienden om de mensen tegen elkaar op te zetten, terwijl presidentskandidaat Richard Nixon verklaarde dat 'het land zich erop moest voorbereiden om geweld met geweld te beantwoorden'. King beloofde dat het incident in Memphis geen veranderingen in zijn plannen zou brengen om in maart naar D.C. op te trekken.

'Troy?'

'Wat is er?'

'Denk je dat we voor de verandering één middag bij elkaar kunnen zijn zonder over deze rotzooi te praten?'

'Is het niet belangrijk voor jou?'

'Ik hoor er iedere dag genoeg over in *mijn* wereld. Ik heb er geen zin in om er de hele dag tijdens mijn werk over te praten.'

Om er met een blanke over te discussiëren, had Strange eraantoe kunnen voegen. Maar het was nergens voor nodig om dat hardop te zeggen. Peters was slim genoeg om tussen de regels door te lezen.

Strange was nu al enige tijd de partner van Peters, maar na één dag wist hij alles over hem. Peters was negenentwintig jaar. Peters was een vroom christen en met zijn studievriendin Patty getrouwd. Ze werkte voor een groep die voor de rechten van Amerikaanse indianen opkwam. Die was gevestigd in Jefferson Place in het noordwestelijk deel. Ze reed in een VW kever met een bloemvormige sticker voor McCarthy op de voorklep. Peters had een uitgesproken mening over burgerrechten, rechten voor de vrouw, vakbonden en de oorlog in Vietnam.

Of hij nu gelijk had of niet, dikwijls bracht hij zijn mening alsof het speeches waren die hij tijdens zijn schooltijd bij de lessen Politieke Wetenschappen voor zijn studenten had gehouden. Soms voelde Strange zich verantwoordelijk om Peters weer met beide benen op de grond te zetten. Om hem op zijn eigen wijze te laten weten dat, hoewel alle zwarten graag als gelijken behandeld wilden worden, er weinig naar verlangden om door blanken geaccepteerd of aardig gevonden te worden. Eerlijk gezegd was dat het laatste waaraan ze dachten. Het was iets dat veel van deze goedwillende types maar niet konden begrijpen.

Eén ding sprak in het voordeel van Peters: hij was duidelijk anders dan de meeste agenten die Strange had leren kennen. Een jongen uit Carolina, afgestudeerd aan Princeton, was bij het Peace Corps gegaan en daarna agent in Washington geworden. Hij was een van de vele hooggewaarde rekruten met dezelfde achtergrond. Die waren naar het korps gekomen met hun Ivy League-diploma's in de hand en hoopten van binnenuit het systeem te veranderen. Er was zelfs een artikel over deze mannen in de *New York Times* verschenen, waarin Peters werd geciteerd. Verder nog een exemplaar van het weekblad *Look*, waarin een foto van zijn sproeterig gezicht met de blauwe ogen stond. Hij beweerde dat hij zich ongemakkelijk voelde door al die belangstelling. Strange twijfelde er niet aan of dat was inderdaad het geval. Het was zeker dat zijn algemene bekendheid en gegoede komaf hem niet populair maakte bij velen van zijn collega's, blank of zwart. Voor hen speelde hij gewoon een rol, tot hij zich verveelde en iets anders ging zoeken.

Niet dat Peters een eitje was. De jongens uit het Zuiden leken groter en sterker te zijn en Peters was op en top een jongen uit het Zuiden. Van wat Strange tot nu toe gezien had, was hij niet bang om bij een ruzie in te grijpen en hij had geen enkel fysiek probleem om verdachten op straat aan te houden. Maar nog belangrijker, Strange was er rotsvast van overtuigd dat Peters hem rugdekking zou geven als het nodig was.

Dus Peters was oké. Hij was Stranges vriend niet of zo, maar hij was oké. Strange wenste alleen dat hij niet zo zijn best zou doen om het zijn 'neger'partner naar de zin te maken. Soms was het doodvermoeiend om naar het kloppen van zijn zuivere hart te luisteren.

'Ik wilde dat ik er geweest was,' zei Peters.

'Waar?'

'De kathedraal. Ik had hem graag willen horen spreken.'

'Ik dacht dat we er niet meer over zouden praten,' zei Strange.

'Volgens de radio waren er vierduizend mensen om naar hem te luisteren,' zei Peters, die het niet wilde opgeven.

'Als hij in april terugkomt,' zei Strange, 'dan zullen het er vier*honderd*duizend zijn.'

'Eerst gaat hij naar Tennessee terug om te proberen de situatie daar op een vredige manier tot normale proporties terug te brengen.'

'Dat vind ik prima,' zei Strange. 'Laat de politie van Memphis er maar een tijdje mee bezig zijn. Dan is het hier een poosje rustig.'

Hij keek door het raampje van zijn patrouilleauto. Hij zag een man zijn Cadillac wassen. Een flard 'Cold Sweat' klonk over de radio. Twee kinderen dansten op het trottoir, een van hen probeerde naast de auto van de man een JB-split te doen.

'Maceo,' zei Strange zachtjes.

Een eindje verder liep een vrouw alleen, in de jurk die ze altijd naar de kerk droeg; ze zwaaide met haar handtasje. Haar achterwerk bewoog sierlijk onder haar korte rok.

'Wat zei je?' vroeg Peters.

'Ik hou van deze stad,' antwoordde Strange.

9

Buzz liep door de open garagedeur naar buiten de koele lentelucht in en stak een sigaret aan. Zojuist had hij de olie ververst van een Dart 1966, en nu vond hij dat hij aan een verdiende pauze toe was. Op de radio achter in de garage hoorde hij de nieuwe song van de Temptations, 'I Wish It Would Rain'. Nou, dat was een mooi liedje.

'Day-in-day-out my tear-stained face pressed against the window pane', zong Stewart zacht en een beetje vals met gesloten ogen mee terwijl de warme zon in zijn gezicht scheen. David Ruffin was de zanger, dat kon niet missen. Vanzelfsprekend kon Stewart de meeste nikkers niet uitstaan. Maar, jongen, wat konden ze zingen.

Na Stewarts ontslag uit het leger had de chef van het Esso-benzinestation op de hoek van Georgia en Piney Branch hem direct weer aangenomen. De chef zei dat hij hoopte dat het leger een man van hem had gemaakt. Stewart verzekerde hem dat het inderdaad het geval was. Niet lang daarna werd Stewart leerling-monteur, een titel die hem toestemming gaf het eenvoudige werk te doen: waterpompen, V-snaren, slangen, accu's vervangen, thermostaten en zo. Geen kleppen stellen of zelfs de motor afstellen, want de dikke man stond erop dat hij zijn diploma haalde voordat hij die dingen mocht doen. Maar Stewart weigerde dat. Al lang geleden had hij besloten om nooit meer in een klas te gaan zitten, om dan door iedereen uitgelachen te worden zoals de kinderen hem op St. Michael hadden uitgelachen, toen bleek dat hij die lange woorden in die stomme leerboeken niet kon lezen.

De chef zei: 'Je haalt je diploma en dan word je monteur, zo simpel ligt dat.'

Stewart zei: 'Dat diploma kan barsten,' en dat betekende het einde van de discussie.

Stewart vond het heerlijk om aan auto's te werken, maar was niet van plan dat zijn hele leven te blijven doen. Er was een makkelijker weg om geld te verdienen.

'Hallo, Dom,' zei Stewart, terwijl hij naar Dominic Martini keek die bij de pompen met een rubber trekker de voorruit van een Impala 1964 schoonmaakte. 'Je hebt een vlekje gemist. Hoe ben je ooit van plan om medewerker van de maand te worden?'

'Dat weet ik niet, Buzz,' zei Martini zonder van zijn werk op te kijken. Hij moest geweten hebben dat Stewart hem stond te pesten, maar als het hem dwarszat liet hij dat niet merken.

'Ik zou niet graag willen dat je je roeping om chef te worden zou mislopen.'

'Bedankt dat je me zo in de gaten houdt, man.'

Stewart gromde even. De nu ongeveer vijfentwintigjarige Martini was net zo donker en knap als Broadway Joe. Misschien had hij wel filmster kunnen zijn of, als hij wilde, gigolo die afspraakjes met oudere dames maakte. En nu stond hij hier nog steeds in de wijk waar hij was opgegroeid als pompbediende voorruiten schoon te maken. Een wijk die nu voor de helft door zwarten werd bewoond.

'Domme klootzak,' zei Stewart.

Misschien dom, maar ook taai. In tegenstelling tot Buzz Stewart die zijn hele diensttijd op de Filippijnen had doorgebracht, was Dominic Martini in Vietnam geweest. Men zei dat zijn compagnie ook bij echte acties betrokken was geweest. Maar Martini, die als tiener al een brutale schooier was geweest, was overzee iets kwijtgeraakt. Grappig hoe een verblijf in die rotzooi alle pit uit hem had gehaald. Of misschien had het wel iets met zijn jongere broer Angelo te maken. Toen ze opgroeiden leefde die jongen altijd in de schaduw van zijn broer. Volgens Stewart was die broer een watje.

Wat de reden van zijn duffe houding was wist hij niet, maar ondanks zijn gebrek aan enthousiasme had Stewart Martini toch deelgenoot gemaakt van zijn plannen. Hij vermoedde dat als er iets verkeerd ging, Martini automatisch zou reageren en ook met gezag zou handelen. Als je eenmaal geprogrammeerd bent om te doden, zal dat instinct je nooit verlaten, dacht Stewart.

Martini zei dat hij het prima vond wat Stewart van plan was. Hij zei het zonder enig enthousiasme, op dezelfde toon zoals hij andere dingen zei, maar stemde toe om mee te doen. Nadat Shorty uit de gevangenis was ontslagen had Stewart hem er eveneens bij betrokken. In de gevangenis was die kleine zo gek als een deur geworden, maar daar konden ze best nog wel eens hun voordeel mee doen. Niet dat hij ooit normaal was geweest. Walter Hess had het Korps Mariniers niet nodig om te leren hoe hij moest doden.

Stewart nam een trekje en nog een keer, zodat het vloeitje snel verbrandde. Hij trapte de sigaret uit met zijn laars. Er stond een Olds 88 in de garage naast de Dart, waarvan de banden moesten worden verwisseld. Het werd weer tijd om aan het werk te gaan.

Hij stond even stil bij zijn auto, een Plymouth Belvedere uit 1964, vuurrood met witte top, die tegen de muur van de garage stond. Stewart koesterde zijn auto, een aangepaste 440 met een Max Wedge-luchtinlaat, Hooker-koplampen, uitlaten van drie inches breed, een

727 automatische transmissie en verchroomde achterlichten. Op het linkervoorspatbord stond in witte letters 'Bernadette'. Hij had zijn auto naar een van zijn favoriete songs genoemd.

Stewart merkte dat er een vlek op de motorkap zat. Hij greep naar zijn heup, waar altijd een schone doek tussen zijn riem zat en trok de doek los. Hij veegde over de vlek en verwijderde hem. Nu zag ze er weer perfect uit.

Het duurde niet lang of Stewart had de Olds op de brug gezet en gebruikte hij het luchtpistool om de wielbouten los te draaien. De eigenaresse van de auto, een oude dame, zou de auto al snel komen ophalen.

Hij had zijn mouwen tot over zijn biceps opgerold en tijdens zijn werk keek hij regelmatig naar hun omvang. Hij was altijd een forse kerel geweest. En het leger had ervoor gezorgd dat hij zo groot als Kong was geworden.

Barry Richards, de snelpratende dj van WHMC, introduceerde een gloednieuwe plaat van the Miracles, 'If You Can Want'. Voordat het nummer begon zei hij: 'Ga je gang, Smokey.' Het was geen 'I Second That Emotion', maar toch klonk het goed.

Walter Hess had Stewart stevig op zijn donder gegeven toen hij merkte dat zijn vriend gek op r&b was geworden. Het was waar dat Stewart vroeger een rocker was, maar toen hij aan het begin van het decennium naar het Howard ging was er iets in hem veranderd. Het Howard was gevestigd in een zijstraat van 7th Street, voorbij Florida Avenue. Daar ging hij samen met zijn vrienden naar live optredens kijken. De meeste keren waren ze de enige blanken in de zaal, maar de zwarte jongeren gingen zo in de show op dat er nooit moeilijkheden waren. Afgezien dan af en toe van de normale, doordringende blik. Stewart zat altijd op het balkon, waar hij het minst opviel, voor het geval dat. Want door zijn gestalte viel hij toch al meer op dan de anderen.

Vanaf het begin woonde hij optredens van de grote artiesten bij. Voor vijftig cent kon je vroeger naar een live optreden plus een film. Soms waren het komieken, zoals Moms Mabley en Pigmeat Markham. Maar meestal waren het muzikanten, en die herinnerde hij zich het best: James Brown and the Famous Flames, Little Stevie Wonder, Martha and the Vandellas, the Impressions, Joe Tex en Aretha, die toen nog een meisje was. Verdomme, die was toen zo jong dat haar vader haar als chaperon tot op het toneel vergezelde. Hij was doodmoe geworden van de hits die hij over de radio hoorde. Vooral van die Engelse troep. Maar wat hij in het Howard zag wond hem zo op dat hij weer muziek ging kopen.

Hij hield van alle soorten r&b. Maar als hij van plan was geld uit te geven, dan zocht hij speciaal naar de labels Tamla, Gordy en

Motown. Er was niets beters dan de Motown-sound. Die donkere zangers uit het zuiden, Otis Redding en Wilson Pickett en zo, zongen best wel aardig, maar zodra ze begonnen te kreunen en zweten waren ze veel te nikkerachtig in zijn ogen. De Motowners waren altijd keurig gekleed in rokkostuum en avondjurken en hadden hun haar als blanken. En als ze zongen, wist je dat het niet alleen voor kleurlingen was bestemd. Verdomme, ze zongen over dingen die ook in het leven van blanken voorkwamen. Als je je ogen dichtdeed, dacht je zelfs dat ze blank waren.

Niet dat Stewart voorgoed afscheid van de rock had genomen. Hij en Shorty en soms Martini gingen nog steeds naar de clubs. En Link Wray bleef zijn man.

Stewart had het langdurige optreden van Link in Vinny's gemist. Dat was een ruige, oude bar in de buurt van het Greyhound-bussta-tion in H. Het was de tijd dat hij in dienst had gezeten. Toen hij terugkeerde, waren Wray and the Raymen de vaste band in de 1023 Club in het uiterste zuidoostelijk deel. Het was een bar waar motor-rijders kwamen, leden van Satan's Few, the Phantoms, the Pagans en vele andere. Maar nu werd dat gedeelte van Anacostia niet langer door blanke middenklassers bewoond, maar door kleurlingen. Het gevolg was dat de spanningen tussen de buurtbewoners en de club-eigenaren steeds groter werden. In de zomer van '66 hadden zwar-ten de club aangevallen, de stroomtoevoer afgesneden, motoren omgegooid en stenen door de ramen van de 1023 Club gegooid. De daaropvolgende week namen the Pagans wraak door zelf ook tekeer te gaan. Buzz Stewart en Walter Hess hadden zich in het strijdge-woel gemengd. Dat was voordat Shorty voor een ander delict naar de gevangenis moest. Maar tijdens die bloederige avond had Ste-wart gezien dat hij tijdens een flinke knokpartij een groot mes over het gezicht van een nikker haalde. Toen Stewart de man voor het laatst zag, rende hij gillend als een griet door de straat. Shorty had hem goed te grazen genomen.

Uiteindelijk moest de club wel sluiten. Link verhuisde naar de Famous op New York Avenue, tegenover The Rocket Room, even-eens een wilde kroeg. Stewart volgde hem, en ook daar dronk hij en nam hij deel aan bloederige knokpartijen. Dan was er de Anchor Inn in het zuidoostelijk deel, waar een paar serveersters werkten die ook hoer waren, en Strick's op Branch Avenue, waar men nog steeds country speelde. The Alpine op Kennedy, The Lion's Den op Geor-gia, en Cousin Nick's, een stamkroeg van de Pagans bij de busgarage, verderop in 14th. In de meeste kroegen waren zwarten niet welkom, hoewel veel bars zich in zwarte wijken bevonden. Als er eentje naar binnen ging en naar een blank grietje keek, nou, dan was dat zijn pro-bleem. Dan moest je wel ingrijpen en hem op zijn donder geven.

In die zaken voelde hij zich veilig bij zijn eigen soort. Het was alsof hij met zijn maatjes van de autoclub op de parkeerplaats van Mo's stond, de Chantels op de autoradio zongen en het volgens de kalender nog steeds 1959 was. Maar buiten de muren van de clubs was alles anders geworden. Kleurlingen sloegen hun ogen niet meer neer als je hen strak aankeek. Ze staken echt langzaam de straat over, terwijl ze je bijna uitdaagden om ze aan te rijden. Vooral jongeren hadden die lachende, verrek-maar-uitdrukking in hun ogen. Het was duidelijk dat ze niets meer van de blanke jongens zouden accepteren.

En er hadden nog andere veranderingen plaatsgevonden. Vetkuiven waren niet langer cool. Motoren waren uit, auto's met motoren met groot vermogen en kleine auto's waren in, en Elvis was voor ouderwetse lui. Stewart smeerde geen Brylcreem meer in zijn haar en liet het een beetje over zijn oren groeien. Sommigen van Stewarts vrienden waren marihuana gaan roken. Een paar zelfs zwaarder spul. Walter Hess dronk nog steeds bier en soms Jack, maar op een zeker moment, waarschijnlijk in de gevangenis, was hij ook amfetaminen gaan gebruiken. Wat Stewart betrof, hij hield zich bij het bier en de sterkedrank. Hij vond Ten High-bourbon met ginger ale lekker. Soms, als hij 's avonds uit zijn dak wilde gaan, dronk hij gin met Coke.

Vroeger vertrouwden Stewart en Hess voornamelijk op hun vuisten. Maar nu gingen ze nooit ongewapend een zwarte wijk in. Buzz had een klein pistool, een derringer, in zijn laars gestopt; Shorty had altijd een mes bij zich. In de bars die tot diep in de nacht open waren droegen ze dezelfde kleding. De meeste bars bevonden zich in 13th en 14th Street, in het centrum van Shaw. Vanzelfsprekend kwamen er ook kleurlingen in die tenten, maar naarmate het later werd begon de spanning steeds minder te worden. De klanten vormden een dronken waas van zwart en blank. De hoeren waren meestal zwart.

'Is die Olds klaar?' De dikke chef stond in de deuropening.

'Bijna,' zei Stewart, die de banden had verwisseld en gebalanceerd en nu bezig was de moeren aan te draaien.

'Het ouwetje staat te wachten.'

'Ik zei dat ik bijna klaar was.'

Stewart keek naar buiten. De chef liep al weer terug naar zijn kantoortje. Bij de pompen stond Martini met een grote vent te praten. Die had een kostuum aan en een hoed op. De slang stak in de tank van de ouderwetse Dodge. Die grote vent leek wel een hond met zijn slaperige ogen en wel erg kortgeknipte haren. Op het eerste gezicht zou je denken dat hij militair was. Maar Stewart liep lang genoeg mee om beter te weten. Deze vent was agent.

Stewart was niet verbaasd. Dominic Martini kende de meeste agenten in de wijk. Het was een soort spelletje voor hem om alle namen te weten. Als kind had hij in de buurt van de politiebureaus rondgehangen en hen in de gaten gehouden.

Stomme zak, dacht Stewart. Het was alsof hij tegen hen opkeek of zo. Verbeeld je zeg, tegen een agent opkijken.

Even later reed een patrouilleauto het terrein op. Twee agenten in uniform, een kleurling en een blanke, zaten voorin. De chauffeur, de blanke, stopte naast de Dodge van de agent in burger.

Stewart zei: 'Verdomme, wat is dat nou?'

Frank Vaughn vond het prettig om de auto even te verlaten en zijn benen te strekken, terwijl de jongeman van het Esso-station de tank vulde. Deze knaap werkte met tussenpozen al jaren hier.

Op zijn shirt stond de naam 'Dom' op een lapje. Dom was een hele tijd weggeweest. Vaughn vermoedde dat hij in dienst was geweest. Hij had het uiterlijk van iemand die het leger graag wilde inlijven. Het was duidelijk niet iemand voor de middelbare school en ook niet de zoon van een rijke vader. Waarschijnlijk iemand die voortijdig de middelbare school had verlaten. Maar wel groot genoeg om soldaat te zijn. Toen Vaughn hier jaren geleden kwam, was het een chagrijnige knul. Hij wist dat Vaughn bij de politie zat en was daarom dikwijls brutaal tegen hem. Maar nu leek het wel of die brutale uitdrukking uit zijn ogen was verdwenen.

'Graag niet helemaal voltanken,' zei Vaughn. Hij bewonderde een glimmende, opgetuigde Plymouth Belvedere die naast de garage stond. 'Je moet een beetje ruimte voor de tijger overhouden.'

'Wat?'

'Op dat bord staat "Stop een tijger in je tank".'

'O ja,' zei Dom alsof hij nog steeds de grap niet snapte. Waarschijnlijk had hij die grap wel tientallen keren per dag gehoord.

Een patrouilleauto reed het terrein op. Vaughn kende de inzittenden. Peters de student en de gekleurde nieuweling Derek Strange. De witte prins en zijn zwarte partner, ongekreukt als een pasgedrukt bankbiljet en onderdeel van de nieuwe uitstraling van MPD. Maar Vaughn vond het meer een publiciteitsstunt dan dat het praktisch was. Peters was een opvallend goede agent, wiens foto af en toe in de krant verscheen. Om iets duidelijk te maken zet je hem naast een kleurling, liefst een knappe vent die goed uit zijn woorden kan komen. Dat is het gezicht van uw toekomstige politieman. Of iets dergelijks.

Vaughn vond dat het korps te snel zwarte agenten in dienst nam, ongeacht hun kwalificaties. Theoretisch was het een goed idee om de gekleurde burgers door gekleurde agenten te laten controleren. Maar Vaughn was er niet zeker van dat het korps in staat was om met die veranderingen om te gaan. Zoals alles in de laatste jaren leek het allemaal veel te vlug te gebeuren.

Maar deze jongeman was een prima kerel. Verdomme, hij was Alethea's zoon, dus zo verbazingwekkend was dat niet.

De Ford stopte aan de andere kant van de pomp en Peters liet de motor lopen. Derek Strange zat aan de passagierszijde, terwijl zijn arm op de rand van het open raampje rustte.

'Rechercheur Vaughn,' zei Strange.

'Hoe gaat het vandaag met jullie, jongens?' vroeg Vaughn.

'Onze dienst zit er zowat op.'

'En de mijne staat op punt te beginnen. Hebben jullie iets nodig?'

'We wilden alleen maar even gedag zeggen. Je stond er een beetje eenzaam en verloren bij.'

'Bedankt voor jullie zorgzaamheid.'

De pompbediende draaide zich om en keek even naar Strange. Hun ogen ontmoetten elkaar even, waarna de pompbediende zijn ogen afwendde.

Strange herkende hem. Martini, de tiener uit Billy's wijk, met wie hij een paar keer was opgetrokken toen ze nog jongens waren. Een knul die niet deugde en al vroeg met de politie in aanraking was gekomen. Hij had een jongere broer die veel aardiger was, maar door deze knaap waarschijnlijk als een zwakkeling werd beschouwd. Negen jaar geleden trokken ze op een dag met elkaar op. Toen werd Strange in Ida's gegrepen omdat hij geprobeerd had een hangslot te stelen.

Strange deed alsof hij Martini niet herkende. Hij kreeg de indruk dat de ander daar geen prijs op stelde. Het leek wel alsof hij van zijn voetstuk was getuimeld. Strange liet het maar zo. Stranges vader zei altijd dat hij geen man moest schoppen die op de grond lag. Daar is nooit een gegronde reden voor, zei hij. Hoewel het geen fraaie gedachte was, moest Strange toegeven dat het prima voelde om in een net politie-uniform te lopen. Vooral als je naar Martini keek, die onder het vet en de olie zat.

'Gaat het goed met je moeder?' vroeg Vaughn.

'Het gaat prima met haar,' antwoordde Strange op een toon die verdere vragen uitsloot. Vaughn begreep dat Strange niet verder op dit onderwerp wilde ingaan.

'Goed dan,' zei Vaughn. 'Jongens, houd je ogen onderweg goed open.'

'U ook succes, rechercheur,' zei Peters. Hij zette de auto in de eerste versnelling en reed weg.

Martini hing de slang weer op. 'Dat is dan vijf dollar.'

'Alsjeblieft,' zei Vaughn en gaf hem het biljet.

Vaughn liep naar de prachtige, rode Plymouth naast de garage. Hij bekeek de auto nauwkeurig. De eigenaar had de auto 'Bernadette' genoemd, hoogstwaarschijnlijk naar zijn vriendin. Nou, dacht Vaughn, jonge mannen doen soms domme dingen als het om jonge vrouwen gaat. Zelf had Vaughn een tatoeage op zijn schouder. 'Olga' stond er op een wimpel die dwars over een hart liep. In die tijd was ze zijn vriendin. Toen hij vierentwintig jaar geleden zijn diensttijd aan de andere kant van de oceaan vervulde, had hij tijdens een dronken bui in een salon de tatoeage laten aanbrengen. Nadat het karwei was gefikst, was hij een ernaast gelegen bordeel binnengestapt en had de rest van zijn soldij uitgegeven aan een mager meisje dat hem 'Fwank' noemde, een kaalgeschoren poesje had en graag lachte.

Vaughn liep door de deuropening de garage binnen. Een monteur, een flinke kerel, liet een Olds weer op de vloer zakken.

'Is dat jouw Belvedere die daar buiten staat?' vroeg Vaughn.

'Ja,' antwoordde Stewart, die zelfs de moeite niet nam om Vaughn aan te kijken. Hij was druk aan het werk, maar ademde gewoon door zijn mond. Vaughn schatte zijn leeftijd op achter in de twintig. Een niet al te slimme vetkuif die door de tijd was ingehaald.

'Mooie slee,' zei Vaughn.

'Is er iets mee aan de hand?'

'Nee, ik zag hem opeens staan. Ik ben zelf een Mopar-man.'

'O,' zei Stewart. Het klonk meer als grommen dan een antwoord.

Vriendelijk type, dacht Vaughn. Oké dan, verrek maar.

Hij liep terug naar zijn eigen auto, een Polara uit 1967 met achterlichten als kattenogen. Er zat slecht een 318-motor onder de kap, in verhouding tot het gewicht weinig pk's. Alles erop en eraan was standaard en rechtstreeks van Laurel Dodge. Hij leek in de verste verte niet op de Plymouth van de jongeman; dat was een aandachttrekker en een echte raket op wielen. Maar de Polara was heel sportief voor een man die op het punt stond vijftig te worden. Het was een mooie auto.

Hij stak een sigaret aan. Vervolgens verliet Vaughn het terrein van het Esso-station op weg naar het bureau. Zondag was een prettige dienst. Misschien had hij nog een uurtje niets te doen. Genoeg tijd om zijn vriendin op te zoeken.

Nadat ze het Esso-station hadden verlaten, beantwoordden Strange en Peters een oproep. Het betrof een huiselijke twist in Ogelthorpe. Peters vertelde de coördinator dat ze de zaak zouden afhandelen en ging op weg.

'Staan we soms geparkeerd?' vroeg Strange.

'We hebben geen haast, groentje.'

'Je rijdt anders wel heel langzaam.'

Peters keek naar de snelheidsmeter. 'Je hebt gelijk.'

Peters wist dat huiselijke ruzies meestal vanzelf tot een oplossing kwamen. Meestal was dat voordat de politie arriveerde. Agenten, die al een tijdje langer meeliepen, haastten zich nooit om zich met een ruzie tussen man en vrouw te bemoeien als het niet nodig was.

'Rechercheur Hound Dog,' zei Peters, terwijl hij het gaspedaal van de Ford verder intrapte om de helling van 14th te nemen. 'Kent hij je moeder?'

'Van het werk,' zei Strange.

'Ik vermoed dat Vaughn die tanden van hem regelmatig laat nakijken.'

'Dat denk ik ook,' zei Strange.

Strange had Peters ooit verteld dat zijn moeder als receptioniste bij een tandarts werkte. Direct nadat hij dat verteld had, schaamde hij zich diep en vroeg zich af waarom hij dat gezegd had. Nu moest hij zich aan die leugen vastklampen.

'Heb je nog plannen voor vanavond?' vroeg Peters.

'Ik ga naar de eerste avondvoorstelling in Tivoli. *The Good, the Bad and the Ugly.*'

'Die heb je al twee keer gezien.'

'Dan wordt dit de derde keer. Trouwens, mijn vriendin heeft hem nog niet gezien.'

'Ik vermoed dat als een meisje jouw vriendin wil zijn, zij dan ook van westerns moet houden.'

'Als ze van iets goeds wil houden, dan zal ze het moeten leren.'

'Schep niet zo op.'

'Dat is geen opschepperij, dat is gewoon een feit.'

Peters sloeg rechtsaf Ogelthorpe in en ging langzamer rijden. 'Weet je dat ze het thema uit die film regelmatig op de radio spelen?'

'Hugo Montenegro?' zei Strange. 'Dat is pas een echte kloteserie.'

Ze stopten langs het trottoir, vlak bij het huisnummer dat ze hadden doorgekregen. Een man en een vrouw, beiden in hun zondagse kleren, omhelsden elkaar op de veranda voor het huis. De man kuste de vrouw op haar wang en daarna op haar mond.

'Nu is hij bezig om het goed te maken,' zei Peters.

'Hij doet zijn best,' zei Strange.

'Daarom reed ik ook niet zo snel,' zei Peters. 'Laten we hier even blijven staan, oké?'

'We geven hem een kans om haar te vertellen dat hij zijn lesje heeft geleerd.'

Buzz Stewart liep naar de benzinepompen. Dominic Martini had zojuist acht gallon in een goudkleurige Riviera gegoten. De Buick verliet het terrein, waarna hij de reset-knop indrukte.

'Wat was er net aan de hand?' vroeg Stewart.

'Niks.'

'Niks, verdomme. Wie waren die agenten in uniform?'

'Gewoon, agenten.'

'Ik bedoel, kende je hen?'

'Ik heb ze wel eens eerder ontmoet.'

'Shit, je snap het gewoon niet, hè?' Stewart wreef over zijn kaak. 'Doe je mee of niet?'

'Ik doe mee,' zei Martini.

'Laat dat dan merken. Je kunt niet tegelijkertijd met de politie praten en ook nog eens met mij. Begrepen?'

'Ik heb niet... ik heb geen woord gezegd.'

'Goed. Shorty en ik hebben voor vanavond met elkaar afgesproken. Kom je ook?'

'Ik zei toch dat ik meedeed.'

'We zien elkaar vanavond om acht uur bij mij thuis.'

Martini keek Stewart na die het terrein overstak en in de donkere garage verdween.

10

Alvin Jones zat in zijn favoriete stoel met een brandende Kool tussen de vingers van zijn rechterhand. In zijn linkerhand hield hij een glas bourbon met ijs. Het sportkatern lag opengeslagen in zijn schoot. Hij probeerde met samengeknepen ogen de letters te lezen. Zijn ogen waren prima, maar door de whisky waren ze troebel geworden.

Volgens de krant hadden de Senators in een vriendschappelijke wedstrijd de Pirates met 5-3 verslagen, zodat ze nu tien wedstrijden achtereen tegen teams uit de National League ongeslagen waren gebleven. Maar hij was er niet in geïnteresseerd wie gewonnen had. Jones keek naar de scoredetails, zodat hij het nummer voor aanstaande maandag kon kiezen.

De laatste tijd speelde Jones op de volgende manier: hij koos zijn favoriete speler uit het team van de tegenstanders, noteerde welke positie hij speelde en wat voor resultaten hij in die wedstrijd had behaald. Vandaag bestudeerde hij Willie Stargell. Stargell speelde als eerste honkman, dat was een 1. Hij had 2 uit 4 gescoord, dat was 2-4. Zet het achter elkaar en je hebt 124. Dat was het nummer waarmee Jones zou spelen.

Maar had hij dat nummer vorige week ook niet gehad? Dat was inderdaad zo en dat had niets opgeleverd. Shit, hij was niet van plan dezelfde fout te maken. Hij keek naar de scores van de National League en probeerde hetzelfde. Maar eigenlijk had hij geen enkele favoriet bij Washington. Del Unser was prima, maar niets bijzonders. Epstein op het eerste honk, oké, maar zijn naam klonk joods, dus daar ging hij niet mee verder. En dan had je nog Ken McMullen op het derde honk. O nee, hij hield niet van de manier waarop die slanke man met zijn adamsappel wipte. Casanova, Valentine... Frank Howard. Hij kon net zo goed met die boerenjongen verdergaan, die klootzak was in staat de bal aan flarden te slaan als hij hem in de tribunes van het D.C. Stadium joeg. Maar Howard was linkerveldspeler. Hoe kon je een nummer van iemand uit het linkerveld kiezen?

Jones nam een trekje van zijn mentholsigaret en nam een slok van zijn bourbon. Goedkope troep, 86-proof, met een label van Clark's, het eigen merk van de slijterij. Hij had vijf jaar oude troep gekocht in plaats van zes jaar oude. Als hij met een vrouw het spul dronk, dan kocht hij oudere bourbon. Niet Lula, maar een nieuwe vrouw. Goedkoop of niet, het spul werkte en hij kreeg er koppijn van. Ze zeiden dat het uit Kentucky kwam, dus zo slecht kon het toch niet zijn? Hij dronk zijn glas leeg en sabbelde even op een paar ijsblokjes die hij later weer in het glas spuwde.

'Lula!' schreeuwde hij boven een nummer van Sam en Dave uit, dat uit een stereoset tegenover hem klonk. Die set had alles, zelfs FM. Maar Jones had de ontvanger altijd op AM staan waar de soul-zenders zich bevonden. Hij had de zender WOOK gekozen.

Ze was in haar slaapkamer bezig met dat kind, zodat ze hem waarschijnlijk niet kon horen. Met de muziek en dat kind van haar was ze zeker buiten gehoorsafstand. Soms vroeg hij zich af hoe hij in deze situatie was beland. Eenendertig jaar en nog steeds had hij het niet geleerd. Hij hield zelfs niet van kinderen en nu zat hij hier weer dag en nacht naar een huilebalk te luisteren. Onlangs had hij een vrouw om haar kind in de steek gelaten. Toen het kind er eenmaal was, beperkte ze haar aandacht alleen maar tot haar zoon en begon hem te negeren. Dat kon hij niet hebben, maar nu zat hij weer in hetzelfde schuitje. In ieder geval kreeg deze slet regelmatig een che-que. Dat alleen al was voor hem voldoende om te blijven.

Jones stond op en zette het geluid zachter. Na enige aandrang van zijn kant, had Lula het apparaat ten slotte gekocht. Hij had haar meegenomen naar de Dalmo-winkel op de hoek van 12th en F en de verkoper gevraagd om de bestelling te noteren. De verkoper had gegrinnikt toen Jones het een 'Admirable' noemde. Hoe kon híj nou weten dat het merk Admiral was. Volgens hem stond er in de adver-tentie in de krant Admirable.

'Lula!' schreeuwde hij.

'Wat?'

'Breng me wat te drinken!'

Maar dat was niet alles wat ze die dag gekocht hadden. Ze hadden ook nog een RCA Victor kleuren-tv met 20-inch beeldbuis en Wire-less Wizard-afstandsbediening gekocht. Jones had Lula opgedragen de formulieren voor kredietaanvraag voor beide artikelen in te vul-len en haar handtekening te zetten.

Voordat ze dit deed, nam ze hem apart. 'Alvin, je weet dat ik niet zoveel geld heb.'

'Je hoeft alleen maar de aanbetaling te doen,' zei Jones. 'En als je er geen zin meer in hebt, dan betaal je geen enkele termijn meer.'

'Dan nemen ze alles weer terug.'

'Als ze die spullen zo graag terug willen hebben, dan gaan ze hun gang maar. Intussen hebben wij muziek en kleuren-tv.'

'En mijn krediet dan?'

'Je raakt je krediet nooit helemaal kwijt. Er is altijd wel iemand die je krediet geeft.'

'Weet je het zeker, Alvin?'

'Op die manier heb ik alles gekocht.'

Hij was van mening dat hij wel een paar mooie dingen verdiend had als hij bij die griet zou intrekken en naar het gejank van die baby moest luisteren.

Dit huis was zo slecht nog niet, als je wist wat Lula ervoor betaalde. Twee slaapkamers, als je dat kleine achterkamertje meetelde waar de baby sliep. Maar in dat kamertje was geen kast. Trouwens, hij betaalde er toch geen cent voor, dus maakte het hem niets uit wat zij ervoor moest betalen. Hij werkte niet, in ieder geval geen dom baantje. En eerlijk gezegd, Lula ook niet. Haar uitkering van de staat betaalde alles. En dat betekende dat hij zich moest verstoppen als de man van de bijstand kwam controleren. Het was wel een beetje onhandig, maar de prijs was goed en het was altijd nog beter dan op straat te moeten leven.

Jones ging weer zitten, nam een laatste trek van zijn sigaret en doofde hem in de asbak die op de gestoffeerde arm van zijn leunstoel stond.

Maar binnenkort had hij toch weer wat geld nodig. Je kon niet altijd op kosten van een vrouw leven. Een man moest toch iemand zijn als hij over straat liep. Hij moest toch wat geld op zak hebben als hij in een club een vrouw aansprak en haar een drankje aanbood. Geld voor sigaretten bijvoorbeeld, of drank en marihuana.

Bovendien had hij bij een dealer nog een mooie El D zien staan.

Dus werd het tijd om eens van zijn luie reet te komen en aan het werk te gaan. De laatste keer had hij op een avond op Kenilworth Avenue in het noordoostelijk deel een bus beroofd. Hij was in een bus van D.C. Transit gestapt met een van Lula's kousen over zijn hoofd, liet de chauffeur zijn .38 zien en nam alles mee. Te weinig cash en te veel kaartjes, maar net genoeg om de eerstvolgende weken door te komen. Om dit soort dingen ging het meestal. Een oplichting, een overval, een inbraak of een tasjesroof per keer. Af en toe iets groters om het langer uit te zingen. Hij had een paar kleine hotels in een blanke wijk van de stad in de buurt van 16th bestudeerd. Alle hotels hadden cash bij de hand en waren in het bezit van brandkasten. Trouwens, dat had een vriend van hem gezegd en díe knaap wist een heleboel. Er stonden slappe homo's achter de balie, dus zoveel risico zou hij niet lopen. En dan was er nog de buurtsupermarkt op de hoek, vlak bij Lula's huis, waar de vaste klanten op de eerste van iedere maand hun schulden regelden. Hij en zijn neef Kenneth dachten er al lang over om daar eens een kijkje te gaan nemen.

Hij had zich wel eens vergist en voor kleine vergrijpen vastgezeten, zoals voor berovingen met geweld en zo. Maar geen echt lange gevangenisstraf. En hij was nog nooit gegrepen voor een van de moorden die hij had gepleegd, zoals uit wraak, uit hartstocht en huurmoorden, waarvoor je meer dan een half jaar kon krijgen. Een paar keer had hij in blinde woede een moord gepleegd.

Hij dacht aan die laatste keer. Toen was hij een kerel uit een bar achternagelopen, omdat hij een minder leuke opmerking tegen een vrouw had gemaakt met wie Jones op stap was. Dat hij een mes over de wangen van die kerel haalde in een steeg achter een laag appartementsgebouw, een ontwikkelingsproject. Dat was de mooie naam die de regering voor een getto gebruikte. Jones had hem goed geraakt en het bloed van de man stroomde tussen diens vingers. De man begon te smeken: Ik heb het zo niet bedoeld, broeder, en: Alsjeblieft, mijn god, niet vandaag. Maar Jones voelde het *tik, tik, tik* door zijn bloed pompen, dat *ding* dat hem opdracht gaf te doden. Jones stak hem midden in zijn borst. Voordat hij het mes terugtrok, draaide hij het een paar keer om. Hoogstwaarschijnlijk had hij het hart geraakt, want het helderrode bloed werd snel uit het lichaam gepompt. Er was een getuige, een jonge knul, maar toen Jones wegliep had hij de klootzak doordringend aangekeken. Hij wist dat die jonge knul zich niet als getuige zou melden. Weinig mensen in die buurt, en dat gold vooral voor de jongeren, zouden met de politie willen praten. Jones sliep er geen minuut minder om. Hij vond dat de man niet op die manier tegen zijn dame had moeten praten.

En toen dacht hij: waar blijft die slet nou met mijn borrel?

Lula Bacon liep de woonkamer in met een glas in haar hand. Het leek wel of God zijn gebed verhoord had. Hij pakte het glas van haar aan en nam een grote slok bourbon.

'Waar ben je geweest?' vroeg Jones. Hij veegde met de rug van zijn hand over zijn mond.

'Ik heb hem in zijn bedje gelegd.'

Ze stond tegenover hem in een mouwloos jurkje met haar voet te tikken. Ze droeg een paar pumps met een toefje stof boven op de schoen. Hij vermoedde dat er van hem werd verwacht dat hij haar schoenen zou zien.

'Nieuwe schoenen?' zei hij, op zijn eigen bescheiden manier haar bedankend voor de borrel.

'Die heb ik voor Pasen gekocht. Maar ik zou het niet erg vinden om ze vanavond ook te dragen.'

'En wie let er dan op het kind?'

'Mijn moeder wil wel.'

'Nou, ik ga verdomme niet verder dan deze stoel. Mijn neef en zijn vriend komen vanavond hierheen met marihuana, en ik ben van plan om erg high te worden.'

'We zouden naar Ed Murphy's kunnen gaan.'

'Wat, heb ik de loterij gewonnen en heeft niemand mij dat verteld?'

'Je bent gewoon een krent.'

Jones hield van Ed Murphy's Supper Club in Georgia. De keuken maakte een geweldige, Creoolse garnalenschotel en de barkeepers schonken er met gulle hand. Af en toe ging hij er wel eens heen om een nieuw grietje aan de haak te slaan. Maar wat voor nut had het om een vrouw mee te nemen en goed geld voor haar uit te geven als hij haar gratis en voor niets kon neuken, hier, vijftien meter verder in de slaapkamer?

'Jij wilt nooit uitgaan,' zei Lula.

'Wat, sta je daar nog steeds te ouwehoeren?'

'Luie sodemieter.'

'Hou je kop, meid.'

'Luister – '

'Ik waarschuw je, je houdt je kop dicht of, of…'

Lula legde een hand op haar heup. 'Of wat?'

'Als je zo door blijft gaan, schop ik je met mijn maat 43 onder je reet.'

'Maat 43?' zei ze met plagerige ogen. 'Nou, je weet dat je maar maat 42 hebt. Waarom liegen jullie mannen toch altijd over je maat schoenen?'

'Als ik lieg, dan lieg ik omdat ik bescheiden ben. Dat weet je donders goed.'

Lula glimlachte.

Jones bekeek haar nauwkeuriger in haar jurk met een split tot boven haar knie. Mooie benen die bij een achterwerk eindigden zo mooi, dat je vrienden jaloers waren dat jouw handen er als eerste aangezeten hadden. Een jonge meid, pas twintig geworden. En ze had verdomme na de geboorte van haar kind haar mooie figuur behouden. Ze had ook mooie, bruine ogen. Dat meisje leek op Diana Ross, maar dan met tieten.

Jones zette het glas op de vloer en spreidde zijn armen. 'Kom hier, meisje.'

'Je maakt de baby wakker,' zei Lula.

'Jij zal degene zijn die al dat lawaai maakt.'

Ze grinnikte en hij wist dat ze er klaar voor was.

'Alvin?'

'Wat?'

'Zullen we uitgaan?'

'Dat zullen we nog wel zien.'

'Ik heb iets dat je hier kunt zien.'

'Wanneer?'

Lula trok haar jurk omhoog tot boven haar middel. Ze liep langzaam naar hem toe. De voorzijde van haar slipje was donker op de plek waar haar poesje zat. De gedachte aan haar zwarte poes achter het witte slipje bezorgde hem een stijve. Hij was maar klein, zodat er genoeg ruimte voor hen beiden was in de stoel. Ze ging schrijlings op hem zitten en trok de rits van zijn spijkerbroek omlaag.

'Zullen we nog weggaan?' vroeg ze.

'Oké,' antwoordde Jones.

Jones dacht: nadat ik haar een beurt heb gegeven, zeg ik gewoon dat ik van gedachten ben veranderd.

Kenneth Willis had zijn Mercury, een groene Monterey, gekocht om de bijna platte achterruit. Hiermee leek de Monterey op geen enkel ander model op de weg. Hij geloofde dat vrouwen graag naast een man wilden zitten die in zo'n auto rondreed.

Maar de laatste maanden had Willis een beetje moeite om op tijd te betalen. Hij was conciërge op een lagere school in een zijstraat van Kansas Avenue, maar dat betaalde niet veel. Bovendien hadden hij en Alvin de laatste tijd niet veel uitgespookt. Hij had geld nodig. En hij rekende erop dat hij binnenkort weer over geld zou kunnen beschikken.

Kenneth Willis en Dennis Strange reden in de Monterey in zuidelijke richting door 7th Street. Beiden waren high van de marihuana die ze vijftien minuten eerder in Willis' armzalige appartement in H hadden gerookt. Dennis was gekleed in kleren die in '66 nog in de mode waren. Zijn haar was slordig geknipt. Hij hield de pocketuitgave van *Dominated Man* in zijn hand.

Willis zat achter het stuur. Zijn forse lichaam vulde het open portierraampje. Hij knikte op de maat van de nieuwe Percy Sledge-plaat 'Take Time to Know Her', die krakend en afgeknepen uit de luidspreker onder het dashboard klonk.

'Percy doet in dit nummer goed zijn best,' zei Willis. Hij had brede schouders en slanke, gespierde armen. Als hij niet van die grote voortanden had, zou je hem knap kunnen noemen.

'Als je high bent, klinkt iedere klootzak goed,' antwoordde Dennis Strange.

Dennis prefereerde de nieuwe stroming die steeds populairder werd, zoals Sly and the Family Stone, The Chamber Brothers en zo. Hij vond het prachtig zoals die jongens zich kleedden, alsof ze gewoon hun eigen gang gingen en zich geen moer aantrokken wat anderen ervan zouden zeggen. Percy Sledge? Volgens Dennis was hij een ouderwetse, lantaarn-in-het-gazon-neger, een gevangene van de platenmaatschappij. Hij droeg altijd een smoking en gebruikte nog steeds pommade in zijn haar. Maar dat zei hij niet tegen zijn vriend Kenneth. Willis gebruikte ook pommade in zijn haar.

Het was druk en levendig op straat. Gezinnen liepen tussen de oplichters en de met een bal spelende kinderen door. Vrouwen in hun zondagse jurk bewogen zich soepel over het trottoir.

'Verdomme, schat,' zei Willis. Hij minderde vaart en stak zijn hoofd naar buiten om met een jong meisje te praten, dat haar weg door de drukte zocht. 'Waarom loop je daar terwijl ik hier achter het stuur zit? Op die manier zorg je er nog voor dat een man een ongeluk krijgt.'

'Je moet mij de schuld niet geven dat je niet kunt rijden.' Ze glimlachte een beetje, maar bleef gewoon doorlopen zonder in zijn richting te kijken.

'Wil je meerijden?'

'Nee.'

'Wat is er, heb je iemand anders?'

'Daar heb je niets mee te maken.'

'Waarom doe je zo lelijk, meisje?'

'Rij maar door, gladde jongen,' zei ze, voordat ze zich omdraaide om de straat over te steken.

'Een pot,' zei Willis.

'Als ze jou niet moeten, dan moeten het wel lesbiennes zijn, hè?'

'Sommige sletten houden gewoon niet van mannen,' zei Willis schouderophalend.

'Maar je wilt wel met hen praten. Om erachter te komen wie wel wil en wie niet.'

'Is daar iets verkeerds mee?'

Het was zinloos voor Dennis om Kenneth duidelijk te maken dat het wel degelijk iets uitmaakte. Kenneth, die hij kende sinds ze beiden bij de reserves hadden gediend, was zo geil als een man maar kon zijn. Hij was ooit eens veroordeeld voor verkrachting van een minderjarig meisje, maar zelfs dat was niet voldoende geweest om het vuur in hem te blussen. Volgens Dennis was het onbegrijpelijk dat een man zoals hij in de buurt van kleine meisjes mocht komen, laat staan dat hij conciërge mocht zijn. Als hij een dochter had, zou hij haar nooit alleen met Kenneth laten. Hij wilde hem zelfs niet in de buurt van zijn moeder hebben, en die was over de vijftig.

'Maar het uitzicht is hier prachtig,' zei Willis, die alweer een ander meisje in het oog had gekregen.

'Dat is zeker,' zei Dennis. Hij glimlachte bij het bekende gevoel vanbinnen toen hij naar zijn mensen en zijn wereld keek.

Ze reden langzaam T Street voorbij, waar het Howard Theater juist ten oosten van Seventh stond. De laatste tijd had het Howard hun live optredens vervangen door wat zij 'films voor volwassenen' noemden. Vandaag stond er op de luifel: *Miniskirt Love,* daaronder stond in kleinere letters 'Perverse handelingen in de moderne maatschappij'. Dennis vroeg zich af waarom iemand zich zou moeten interesseren voor rijke, blanke kinderen, die allerlei fratsen uithaalden omdat ze zich verveelden?

'Waar is de muziek heengegaan, man?'

'De live optredens zijn naar plaatsen gegaan waar de blanken hun geld uitgeven,' zei Dennis. 'Ray Charles heeft pas in Constitution Hall gespeeld. Shit, James Brown, Gladys Knight treden volgende week in Shady Grove op.'

'Waar is dat nu weer, verdomme?'

'In een of ander maïsveld in Maryland. Ik weet alleen maar dat ik er niet in geïnteresseerd ben.'

Ook al zou hij willen, dan nog kon hij het zich niet veroorloven om naar zo'n optreden te gaan. Dennis Strange had geen baan. Hij verkocht marihuana in kleine hoeveelheden, zodat hij aan zijn eigen behoefte kon voldoen. En hij was verslaafd aan pillen. Hij dronk te veel en wat hij dronk was goedkoop. Eerlijk gezegd rook hij in het zweet dat uit zijn poriën stroomde de alcohol van de wijn die hij gisteravond had gedronken. Als hij helder was en erover nadacht, schaamde hij zich wel eens diep. Maar dat weerhield hem er niet van om high te worden.

Als hij een stickie rookte, dan was hij lang zo woedend niet meer. En dat was goed, want hij had het gevoel dat hij al heel lang woedend was. Hij was steeds woedender geworden door de onrechtvaardige behandeling van zijn mensen, lang voordat die klootzakken, die na-apers met hun zwarte handschoenen, onecht gedrag en slogans naar buiten optraden. Hij wilde niet langer meer met protestborden rondlopen.

Enige tijd geleden, tijdens zijn diensttijd bij de marine, was hij in aanraking gekomen met een paar moslimjongeren die er precies zo over dachten. Stiekem hadden ze elkaar opgezocht en over Elijah Mohammed gesproken, en over de nieuwe wereld die volgens hen zou moeten komen. Ze leenden elkaar boeken, zoals *Colonizer and the Colonized* en *The Wretched of the Earth*. Ze spraken tot diep in de nacht over gelegaliseerde onderdrukking, de ziekte van het kapitalisme en revolutie. Maar Dennis kon zich nooit verenigen met de persoonlijke politiek van de moslimreligie. Om te beginnen dronk hij graag, werd hij graag high en was hij gek op knappe, onafhankelijke vrouwen. En geen enkele God was het waard om die dingen op te geven. En toen Malcolm door een van zijn eigen mensen werd vermoord, wilde Dennis er totaal gedesillusioneerd niets meer mee te maken hebben. Hij ging niet langer met zijn moslimvrienden om en bemoeide zich nergens meer mee.

Op een avond in Chicago waar hij was gelegerd, viel hij dronken van Night Train van een trap en brak zijn staartbeentje. Hij was in een appartement geweest om marihuana te kopen, toen hij struikelde en omlaag tuimelde. Door de pijn en drank raakte hij bewusteloos. Het duurde pas tot de volgende ochtend voordat iemand hem vond. Toen hij gevonden werd, was hij nuchter en lag hij in zijn eigen urine. Zijn tijd bij de marine zat er nu op. Hij werd eervol ontslagen en kreeg honderd procent invaliditeitsuitkering. Vanaf dat moment liep hij een beetje mank en had hij altijd pijn. Sindsdien kreeg hij iedere maand een cheque.

Dennis Strange keerde als een kreupele terug in D.C. en leefde verder op kosten van de staat, bitterder en onzekerder dan hij ooit geweest was. Hij trok weer bij zijn ouders in en probeerde nooit een baan te krijgen. Hij werd iedere dag high. Hij ging naar lezingen in Africa House en bezocht een paar bijeenkomsten van SNCC en Black Nationalists. Hij woonde een paar vergaderingen bij, die door de plaatselijke afdeling van de Zwarte Panters in Shaw werden georganiseerd. Hij dacht dat de Panters wel iets voor hem zouden zijn, maar bij hen vond hij ook niet wat hij zocht. Toegegeven, velen van de aanwezigen waren er oprecht bij betrokken. Maar een paar jonge broeders waren gekomen omdat ze de baret en het uniform geweldig vonden. Anderen waren er voor de vrouwen. Sommigen vonden het heerlijk om te schreeuwen; ze vonden het allemaal heerlijk om te praten. In Dennis' ogen waren ze donkerkleurige versies van de jongens met lange haren die bij Dupont Circle rondhingen, aan de andere kant van de stad. Ze speelden soldaatje, maar wilden geen echte oorlog. En zoals altijd het geval was paste hij nergens bij.

Hij probeerde dr. King te volgen, maar vond de dominee veel te vergevingsgezind. Het werd tijd om de handen ineen te slaan. Kings volgelingen geloofden dat vrijheid met pacifisme en woorden van liefde kon worden bereikt. Dennis wist dat Amerika alleen maar zou reageren, echt zou reageren, op het geluid van geweerschoten, het vloeien van bloed en de stank van as.

'En dat is verdomme zo,' zei Dennis, die het effect van het stickie en de ingenomen pil meteen voelde.

'Wat zeg je?' zei Kenneth Willis.

'Niks.'

'Je praat weer in jezelf.'

'Ja, dat weet ik,' zei Dennis. 'Waarschijnlijk omdat ik high ben.'

Willis parkeerde de Monterey voor een in drie appartementen onderverdeeld rijtjeshuis in een woonwijk in LeDroit Park, ten zuidwesten van Howard University.

'Is dat het nieuwe huis van je neef?' vroeg Dennis.

'Van zijn vriendin,' zei Willis. 'En er is ook nog een baby.'

'Van hem?'

'Hij heeft er zelf ook een paar op de wereld gezet. Maar deze is niet van hem.'

Dennis Strange keek naar de trap die omhoog naar het huis liep. En als hij binnen was, moest hij nog een trap op. Al die trappen waren de pest voor zijn rug.

'Je kunt die troep zelf wel bij hem afleveren,' zei Dennis. 'Ik blijf wel in de auto.'

'Ik wil dat je meekomt,' zei Willis.

'Waarom?'

'Alvin zegt dat hij een voorstel voor ons heeft. En hij wil dat jij ook meedoet.'

11

Dominic Martini reed door Longfellow, sloeg bij Georgia Avenue linksaf en reed in noordelijke richting naar Silver Spring. Zijn pols rustte op het stuur van zijn Nova, terwijl een zojuist aangestoken Marlboro tussen zijn lippen hing. Jack Alix, de dj op WPGC, kwam lawaaierig uit de radio toen hij een nieuw nummer aankondigde.

'En dan nu Gary Puckett and the Union Gap met 'Woman, Woman' dat op nummer één binnenkwam.'

De zanger begon gewoon, maar tijdens het refrein klonk zijn stem dramatisch toen hij wilde weten of zijn vriendin van plan was hem te verlaten. De muziek vulde het hele interieur, maar het drong nauwelijks tot Martini door. Hij keek aandachtig naar de straat.

Toen zijn diensttijd erop zat, zag hij meteen dat Georgia Avenue een nieuw wegdek had gekregen. Het witte beton en de tramrails waren verdwenen en vervangen door zwart asfalt. De perrons en de waterbakken waren verdwenen. Alles zag er minder fris uit.

Verder viel hem op dat er veel meer zwarten in de wijk rondliepen, niet alleen in de winkelstraat maar ook in de woonwijken. Soulmuziek klonk uit de radio's van de auto's die over de Avenue reden. Soms klonk het ook door de openstaande deuren van de bars. Makelaars hadden zwarte kopers meegebracht en de blanke blokken waren grijs geworden. Het resultaat was dat veel blanke eigenaars hun huizen goedkoop verkochten en naar de voorsteden van Maryland verhuisden. Martini's huis in Longfellow was nog precies zoals hij het had achtergelaten, maar veel buren uit zijn jeugd waren vertrokken. Hij voelde zich een vreemde in zijn eigen woonplaats.

Maar in het huis was er ook iets veranderd. Zijn vader was aan een leverkwaal overleden. Angelo was vertrokken. Zijn moeder was in een voortdurende staat van rouw en altijd in het zwart gekleed. De geur van de pasta, die in de keuken stond te pruttelen, herinnerde Martini eraan dat hij thuis was. Maar nu was het een dood huis geworden. De ramen bleven gesloten. Het was er duf en op de meubels lag een dunne laag stof. 's Avonds hoorde hij zijn moeder vaak in haar kamer snikken.

Hij had maar een paar vrienden. Hij had de middelbare school niet afgemaakt en voelde geen enkele band meer met de jongens die hun diploma wel gehaald hadden. Sommige jongens met wie hij was opgegroeid gingen studeren en in de ogen van de achterblijvers kon hij net zo goed dood zijn. Hij had bij zijn terugkeer uit Vietnam geen heldenwelkom verwacht. Maar hij had wel op respect gehoopt.

Hij kreeg het van de ouwe hap, vooral van de veteranen, maar met de jongeren was het heel anders. Voor velen van hen was hij een zonderling. In bars sprak hij niet meer over Vietnam. Bij de vrouwen hielp het hem niet verder, en van de mannen kreeg hij ongewenst commentaar. Toen hij vertelde dat hij in Vietnam had gediend, scheen dat nergens toe te leiden.

Nu was hij vijfentwintig, werkte weer bij het benzinestation als pompbediende en maakte de ruiten schoon, hetzelfde werk dat hij deed toen hij zestien was. De uitkering na zijn diensttijd was voldoende om naar de universiteit te gaan, maar eerst moest hij het diploma van de middelbare school halen. Hij dacht dat hij dat diploma wel zou kunnen halen als hij zijn best ervoor deed, maar hij wist dat hij niet slim of ambitieus genoeg was om de volgende stap te nemen.

Hij trok met Buzz Stewart op. Stewart pestte hem soms, maar als hij ooit een vriend had, dan was Buzz het. En er was nog iets met Buzz, iets dat moeilijk voor hem was om toe te geven. Martini was er gewend aan geraakt om bevelen te krijgen. Hij voelde zich prettig als hij 's morgens bevelen kreeg en iemand hem vertelde wat hij moest doen. Als Dominic Martini naar Stewarts mouwen keek, zag hij strepen.

Stewart had gevraagd of hij meedeed. Voor Martini klonk het als een bevel.

Martini reed onder de spoorbrug door in het centrum van Silver Spring. Hij passeerde Fay and Andy's, een kroeg in Selim, waar hij soms iets met Buzz en Walter Hess dronk. Bij de volgende hoek, waar Gifford's ijssalon stond, sloeg hij rechtsaf. Hij reed door Sligo Avenue naar Stewarts huis in Mississippi. Hij nam een laatste trekje van zijn sigaret en gooide het peukje uit het raampje.

Zolang Stewart nuchter was, was hij oké. Maar Hess was meestal tegen de draad in. Als het erom spande, dan waren ze beiden puur slecht. Martini luisterde naar hun van haat vervulde praatjes, maar deed niet mee. Ze waren het in een heleboel eens met elkaar, maar nu niet. Martini was het grootste deel van zijn leven ook zo geweest, maar nu niet meer. Toen hij opgroeide, had hij naar zijn meestal dronken vader geluisterd die steeds over nikkers sprak en dat had hem beïnvloed. Zijn diensttijd in Vietnam was ervoor nodig geweest om dat gif uit zijn systeem te verwijderen.

Het was van het begin af aan duidelijk dat de mannen van zijn peloton meer met elkaar gemeen hadden dan ze ooit hadden gedacht. Niemand van hen had rijke ouders. Niemand begreep ten volle wat de omstandigheden waren geweest, die hen naar Zuidoost-Azië hadden gevoerd en hen in de vuurlinie deden belanden. Iedereen beschermde de ander. Als je het zo bekeek, en nog op vele andere manieren, dan waren ze broeders.

Hij was zeer goed bevriend geraakt met zwarten én blanken. Hij had gedacht dat het banden voor altijd waren. Maar na zijn ontslag uit het leger was het contact verloren gegaan. Hij was te verlegen om een brief te schrijven, bovendien kon hij niet goed spellen. Trouwens, wat moest hij zeggen? Mijn leven is naar de kloten. Ik ben pompbediende en sta op het punt een overval te plegen. En hoe gaat het met jou?

Terug in D.C. merkte hij teleurgesteld dat het oude wantrouwen nog steeds bestond. He leek wel of de diepe kloof tussen blanken en zwarten breder was dan ooit tevoren. Hij probeerde vrienden te worden met een paar zwarten, maar kreeg een flauwe handdruk en ijskoude blikken als antwoord. Stewart en Hess hadden hierom gelachen. Ze hadden hem Martini Luther King, Lady Bird en dergelijke bijnamen gegeven. Ze hadden hem verteld dat een kerel moest kiezen aan welke kant hij van plan was te gaan staan. Dat zelfs nikkers geen respect hadden voor een vent die van partij veranderde. Maar hij had geen zin meer in dit soort conflicten. Hij haatte de zwarten niet. Hij wilde niemand meer haten.

Martini parkeerde zijn Nova in Mississippi, achter Stewarts Belvedere en Hess' auto. Hij liep langs een klein stenen huis naar een vrijstaande garage, naast een groot stuk onlangs omgeploegd land. Buzz deed dit iedere lente voor zijn moeder; hij had het zelfs gedaan toen zijn vader nog leefde. Toen Buzz in Vietnam was, overleed Albert Stewart aan keelkanker.

Stewart en Hess stonden in de garage bij Stewarts motor, een oude Triumph Bonneville met een 24-inch breed stuur. Beiden rookten een Boro en dronken Schlitz uit een blikje. Beiden droegen een Levi-spijkerbroek en motorlaarzen. Op een plank onder een oud Esso-bord stond een radio die was meegenomen uit het benzinestation. '7 Rooms of Gloom' klonk uit de luidspreker.

Een looplamp, waarvan het snoer tussen de dakspanten was getrokken, hing boven de twee mannen. Het wierp een geel licht op hen.

Hess gooide zijn hoofd naar achteren om zijn blikje leeg te drinken. Hij kneep het blikje in elkaar met zijn vuist en smeet het in een reeds halfvolle afvalbak in een hoek van de garage. Martini stapte naar binnen.

Hij zei: 'Buzz,' en knikte naar Hess.

'Mooie jongen,' zei Hess.

'Shorty,' zei Martini.

'Laat die deur zakken,' zei Stewart.

Martini trok de garagedeur omlaag tot hij de betonnen vloer raakte. Hess pakte nog een blikje en trok aan de ring. Hij liet de ring in de opening vallen die hij zojuist aan de bovenzijde van het blikje gemaakt had.

Stewart maakte een hoofdbeweging naar een werkbank die tegen een van de muren stond. 'Controleer dat eens even.'

Martini volgde Stewart naar een uiteinde van de werkbank. Stewart trok een kleed weg dat iets bedekte. Een Italiaans dubbelloops jachtgeweer met twee trekkers zat klem in een bankschroef. Van de loop en de kolf was een stuk afgezaagd. Een zaag lag ernaast in een dikke laag metaalvijlsel.

Martini had na het inleveren van zijn geweer geen wapen meer in zijn handen gehad. En nu verlangde hij er totaal niet naar om er weer een aan te raken.

'Wat vind je ervan?'

'Dat ding is minstens vijftig jaar oud. Werd gebruikt om op vogels te schieten.' Martini wist niets anders te verzinnen.

'Het doel ervan is duidelijk. Een man die in twee lopen staart, geeft alles waar je om vraagt.' Stewart nam een trekje van zijn sigaret. 'Ga je gang, haal hem uit de bankschroef en kijk hoe het aanvoelt.'

'Dat wil ik niet,' zei Martini.

'Dat wil ik niet,' zei Hess met een hoog stemmetje.

'Hou je kop, Shorty,' zei Stewart.

'Wat?' zei Hess. 'Laat je hem er nu zomaar vandoor gaan?'

Martini schudde zijn hoofd. 'Dat bedoel ik niet.'

'Wat dan?' vroeg Stewart.

'Ik heb het je al eens eerder gezegd. Ik wil niet dat er iemand gewond raakt.'

'Shit,' zei Hess, 'je had er toch geen moeite mee om die spleetogen daar over de kling te jagen, hè?'

Martini keek Stewart strak aan. 'Ik probeer alleen maar duidelijk te maken dat ik geen bloed wil laten vloeien.'

'Maar je hebt er toch niets op tegen om rijk te worden, hè?' zei Stewart.

'Natuurlijk niet.'

'Nou, dan hoef je je geen zorgen te maken,' zei Stewart. 'Ik pleeg de overval. Jij hoeft alleen maar te rijden. Zoals ik beloofd heb krijgt iedereen hetzelfde bedrag. Vanzelfsprekend moet je wel een wapen dragen, voor het geval dat. Allen voor één. Maar het zal niet nodig zijn om er gebruik van te maken.'

'Wanneer?' vroeg Martini.

'Gauw.'

Stewart keek Martini aan. Martini sloeg zijn ogen neer.

Hess rookte zijn sigaret tot aan de filter op en trapte hem onder zijn laars uit. Hij keek met iets van haat in zijn ogen naar de radio op de plank. 'Buzz?'

'Wat?'

'Verdomme, waar zingt die klootzak in vredesnaam over?'

Stewart keek Hess aan. 'Dat is Levi Stubbs, stomme zak.'

'Nou en?'

'Nou, dat betekent dat je er geen zak verstand van hebt.'

'Ik dacht dat we vanavond zouden uitgaan. Ik ben niet gekomen om naar muziek te luisteren.'

Stewart zei: 'Laten we gaan.'

Martini greep een blikje Schlitz en trok het open. Hess pakte nonchalant een pil uit zijn zak, stak hem in zijn mond en spoelde hem weg met een slok bier. Stewart pakte een kleine, zwarte doos uit een kast, zette de doos op de werkbank en haalde de deksel eraf. Hij pakte zijn derringer uit de rode fluwelen doos. Het was een Amerikaanse éénschots, roestvrijstalen .38 met een kolf van palissanderhout. Hij zette een voet op de kruk en stak de derringer in zijn laars.

'Ik zie jullie voor het huis,' zei Stewart. 'Ik moet mijn moeder nog even gedag zeggen.'

'Waar is je vriendin, Alvin?' vroeg Kenneth Willis.

'Die is in de achterkamer bij haar kind.'

'Maar die is daar toch niet de hele dag geweest?'

'Waarom zeg je dat?'

'Omdat het ruikt alsof Charlie de Tonijn hier rondgezwommen heeft.'

'Ja, nou, daar weet *jij* alles van.'

Alvin Jones en Kenneth Willis lachten en stootten elkaar even aan.

Jones zat in een grote, gestoffeerde stoel. Hij rook naar whisky, maar had Willis of Dennis Strange niets te drinken aangeboden. Beiden stonden in de kleine woonkamer van het appartement van Lula Bacon.

Dennis keek naar de gedrongen Jones met zijn sproeten en gelige huidskleur. Hij droeg een goudkleurig Ban-lon-overhemd met brede, verticale zwarte strepen, een zwarte pantalon en stevige schoenen van bewerkt imitatiekrokodillenleer. Dennis kon zijn sokken zien, glad met dikke, evenwijdige lijnen die door de stof liepen. De gladde broeders noemden deze sokken 'Thick 'n Thins'. Deze knaap hier was een heel gladde jongen.

'Wat sta je daar te kijken, jongen?' zei Jones. Zijn ogen waren net zo goudkleurig als zijn overhemd.

'Niks,' zei Dennis.

'O, maar je stond echt wel te kijken. Je staat altijd te kijken. Jij ziet alle kleine bijzonderheden, dat kan ik je wel vertellen. Ik heb deze kleren bij Cavalier in Seventh gekocht, als je het soms wilt weten.' Jones bewoog een voet heen en weer. 'Ik zie dat je mijn schoenen van krokodillenleer ook mooi vindt. Die zag ik in de etalage van Flagg Brothers. Ik zou mijn schoenen nergens anders willen kopen.'

Maar dat is geen echt krokodillenleer, dacht Dennis. Mij hou je niet voor de gek.

'De volgende keer neem ik je mee naar F Street, dan kopen we voor jou ook een paar,' ging Jones verder, hoewel Dennis niet had gereageerd. 'Dan kiezen we iets anders dan de Kinneys die je nu aanhebt.'

'Ik heb jouw hulp niet nodig om mijn schoenen te kiezen.'

Jones lachte. 'Nou, volgens mij is het verdomde duidelijk dat je wel degelijk iemands hulp kunt gebruiken.'

'Waarom luisteren we naar het nieuws?' vroeg Willis. Hij stond bij de stereo en wilde een andere zender kiezen.

'Afblijven,' zei Jones.

'Ik wilde hem op O-L zetten,' zei Willis. 'Dit is een echte praatzender.'

'Nee, man, laat hem op O-O-K staan. Daar luister ik naar.'

'Ze zijn beide hetzelfde.'

'K komt voor de L,' zei Jones. 'Of weet je dat niet?'

Willis keek hem met open mond aan en liep bij het apparaat vandaan. 'Vertel op, man, welke nummers ben je van plan om morgen te spelen?'

'Nou, dat is het probleem,' zei Jones. 'Ik koos Frank Howard voor het eerste cijfer, maar Howard speelt in het linkerveld. En van die plaats kun je geen honk kiezen...'

'Zeven,' zei Dennis Strange.

'Wat zeg je?'

'Het linkerveld is positie zeven. Dat doet de man die de statistieken bijhoudt ook als hij alles opschrijft.'

Jones knipoogde. 'Verdomme, jongen, jij bent ook slim. Dat komt zeker door al die boeken die je hebt gelezen.'

'Ik probeer alleen maar te helpen.'

'Nee, je bent een slimme jongen, dat zie ik zo.' Jones glimlachte met blikkerende tanden naar Dennis. 'Een man met oog voor details.'

Dennis kende Alvin Jones nu negen jaar via Kenneth, maar eigenlijk kende hij dergelijke types al jaren. Jones had die krokodillengrijns en die ik-snij-je-zomaar-voor-de-lol-open-ogen, die Dennis zijn hele leven bij bepaalde griezels in zijn buurt had gezien. Na zijn ontslag uit de marine was Dennis vastbesloten geweest om nooit met dergelijke types om te gaan, die tegen hun eigen mensen gewelddadig optraden en hun vrouwen als beesten behandelden.

Het was Willis die hen weer bij elkaar had gebracht. Willis, die dom was en niet glad, maar evenzogoed wel van plan om het verkeerde pad te bewandelen. En hier stond Dennis, die marihuana verkocht voor een dealer uit Park View, die een invaliditeitsuitkering van de staat ontving, overdag high was en geen baan had. Precies zoals zij. Dennis' vader noemden hen nietsnutten. Nu was hij er ook een.

'Wil je je marihuana?' vroeg Dennis en keek ergens anders heen.

'Heb je het bij je?'

Dennis klopte op zijn broekzak. 'Hier.'

'Laat me eens zien.'

Dennis haalde een zakje tevoorschijn en overhandigde de gevraagde hoeveelheid aan Jones. Die opende het zakje en rook aan de inhoud. Hij probeerde het gewicht te schatten.

'Het klopt precies,' zei Dennis.

'Hoeveel?'

'Dertig.'

'Voor dit beetje?'

'Het groeit niet in een steeg.'

'Oké. Maar vanavond zit ik een beetje krap bij kas. Ik heb het volledige bedrag niet bij me, snap je?'

'Nu heb je het geld niet, hè. Maar je krijgt het wel, hè?'

'Wat? Vertrouw je een broeder niet? Jij, die het altijd over eenheid hebt, ga je nu zo beginnen?'

'Ik vertrouw je,' zei Dennis die zijn zwakheid en de leugen haatte.

'Luister.' Jones keek op een overdreven manier om zich heen, om er zeker van te zijn dat Lula niet binnen gehoorsafstand was. 'Een vriendin van mij staat borg voor mij.'

'Wanneer?'

'We gaan er nu meteen heen. Maar ze gaat wel een cheque voor je uitschrijven.'

'Mijn opdrachtgever accepteert geen cheques.'

'Vanavond zal hij er eentje moeten accepteren. Het is zondag, man. Wat denk je nou? Dat de banken speciaal voor deze vrouw geopend zullen zijn?'

'Als die cheque maar gedekt is.'

'Dit meisje kun je vertrouwen,' zei Jones. 'Daar kun je van op aan.'

Dennis keek Jones even strak aan, maar wendde ten slotte zijn ogen af.

'Is er iets waar je met Dennis over wilde praten?' zei Willis.

'Dat doen we onderweg.'

Jones stond op en pakte een hoed van de kapstok bij de deur. Het was een zwart, sportief exemplaar met een brede gouden band. Hij zette de hoed op en schoof hem net zo lang heen en weer tot hij goed stond.

'Ik dacht dat je vanavond bij Lula zou blijven,' zei Willis.

'Ik heb al met die slet geneukt,' zei Jones. 'Er is nu geen enkele reden meer om thuis te blijven.'

12

'Zeg, wie was nu de Slechte?'
  'Van Cleef. De kerel die ze Angel Eyes noemden.'
  'Luister, ik dacht dat die kleine Mexicaan eveneens de Slechte had kunnen zijn. Hoe heet hij?'
  'Tuco.' Strange glimlachte. 'Ook bekend als de Rat.'
  'Ja,' zei de vrouw. 'Hij.'
  'Tuco was de Lelijke.'
  'Maar hij was ook slecht.'
  'Niet echt,' zei Strange. 'Hij vertegenwoordigde meer de donkere zijde van Blondie. Ergens tussen de Slechte en de Goede in.'
  'Ik vind het prettiger als je meteen kunt zien wie de goede is en wie de slechte.'
  'Je bedoelt zoals: witte hoed, zwarte hoed. John Wayne en zo.'
  'Nou, ja.'
  'Dat is voorbij, lieverd. Eindelijk hebben ze in de films in de gaten hoe de wereld echt is. Gecompliceerd.'
  'Dat begrijp ik niet.'
  Ik weet dat je dat niet begrijpt, dacht Strange. Dat is een van de redenen waarom het uiteindelijk niets tussen ons beiden zal worden.
  Ze reden in oostelijke richting door Irving. Ze waren naar het Tivoli Theater geweest, op de hoek van 14th en Park. Strange zat achter het stuur van een Impala uit 1965, een blauwe, onopvallende V8 die hij tweedehands bij Curtis Chevrolet had gekocht. Hij vond het een prettige auto, maar het was geen Cadillac. Evenals zijn vader had hij altijd een Caddy willen hebben. En evenals zijn vader wist hij niet of hij ooit zoveel geld zou hebben om er een te kopen.
  'We gaan altijd naar de film,' zei de vrouw.
  'Dat brengt me tot rust. Als ik in een donker theater zit, dan vergeet ik wat ik hier elke dag zie.'
  'We gaan altijd naar de film en die films zijn altijd westerns.'
  'Nou, luister,' zei Strange. 'Je vindt die Coburn goed, hè?'
  'Je bedoelt Flint?'
  'Ja, die.'
  'Nou, dat is pas een sexy man.'

'Hij speelt in die nieuwe film die in Atlas draait; ik vind dat we daar aan het einde van de week maar eens heen moesten gaan.'

De vrouw keek hem met opgetrokken wenkbrauwen sceptisch aan. 'Hoe heet die film?'

'*Waterhole #3.*'

De donkere, knappe vrouw, Darla Harris, een meisje uit het noordoostelijk deel gaf Strange een tikje op zijn arm en lachte. 'Nu draaf je een beetje door.'

'Kom hier,' zei Strange en klopte op de voorbank. Darla kroop naar hem toe zodat haar dijbeen onder haar korte rok zijn dijbeen raakte. Het was een mooie dij, stevig zoals de rest van haar figuur. Strange stak zijn hand tussen haar dijen en begon zachtjes te wrijven.

Ze gingen nu een paar maanden met elkaar om. Strange hield niet van haar, maar ze hadden hetzelfde karakter en pasten in bed goed bij elkaar. Hij had nooit beloofd haar trouw te blijven en zij had hem er nooit naar gevraagd. Als ze dat had gedaan, dan was hij hem gesmeerd. Strange dacht dikwijls aan andere vrouwen; en er was er één in het bijzonder die hem maar niet met rust liet. Nou ja, hij en Darla hadden het goed samen. Ze wilde niet dat hij voor haar bloemen ging plukken of een nummer componeerde of iets dergelijks. Wat ze samen hadden was gewoon goed.

'Mijn moeder is met haar vriend uit,' zei Darla.

'Is ze de hele nacht weg?'

'Dat verwacht ik wel.'

'Ik zet je thuis af en kom later terug als je dat goedvindt.'

'Heb je nog plannen dan?'

'Je weet dat ik zondagavond altijd bij mijn ouders eet.'

'Oké.' Ze kuste hem achter zijn oor. 'Kom maar langs als je genoeg gegeten hebt.'

'Ga je gang en zoek een leuke radiozender op,' zei Strange. Hij sloeg zijn rechterarm om Darla's schouder en ging gemakkelijk zitten.

Ze zette de radio aan. Op WWDC hoorde ze een klassiek instrumentaal nummer en herkende het thema.

'Dat is uit die film.'

'Die kloteversie,' zei Strange.

Darla draaide 1260 weg. Op de nieuwszender WAVA meldde de omroeper dat president Johnson die avond de natie zou toespreken. Ze zocht verder, bleef een moment hangen bij een rock-'n-rollmelodie, waarna ze even naar WOOK luisterde. Strange ving een paar regels van een nummer van Otis Redding op. Hij herkende het als 'Chained and Bound'. Darla zocht verder. Ze kwam bij WOL terecht op 1450, trok haar hand terug en leunde naar achteren.

'Nou meisje, dat heb je vlug gedaan.'

'Ik heb geen zin meer om naar dat Bama te luisteren.'

'Hij kwam uit Georgia.'

'Voor mij is dat hetzelfde. Trouwens, als je zin hebt dan kun je daar de hele tijd thuis naar luisteren.' Darla glimlachte toen 'Love is Here and Now You're Gone' uit de luidspreker klonk. 'Dit is een stuk beter.'

Weer een goede reden om haar op een gegeven moment te verlaten, dacht Strange. Een vrouw die Otis wegdraait om naar de Supremes te luisteren.

'Nou zeg, stel je niet zo aan,' zei Darla toen ze de uitdrukking op Stranges gezicht zag.

'Motown,' zei Strange minachtend.

'Nou en?'

'Als je het mij vraagt is het niets anders dan soulmuziek voor blanken.'

Alvin Jones, Kenneth Willis en Dennis Strange zaten in de groene Monterey die tegenover een supermarkt op de hoek onder een lantaarn stond geparkeerd. De schemering was gevallen. De kinderen uit de buurt en de meeste volwassenen waren naar binnen gegaan. De mannen hadden daar al een hele tijd gestaan en al die tijd hadden ze heftig gediscussieerd.

'Ga naar binnen, man,' zei Jones.

'Ik heb je toch gezegd dat ik niets nodig heb.'

'Ga nu maar.'

'Wat moet ik daar doen?'

'Jij bent de man van de details. Gebruik je ogen. En als je terugkomt vertel je ons wat je allemaal gezien hebt.'

'Waarom zou ik dat doen?'

'Omdat ik en Kenneth van plan zijn om die klootzak te beroven,' zei Jones. 'Wat denk je nou?'

Ze stonden in een straat met een laag nummer, het was een zijstraat van Rhode Island Avenue in LeDroit Park. De supermarkt zag eruit als alle andere supermarkten die de inwoners van de stad bevoorraadden. Bij afwezigheid van een grotere zaak zorgde de winkel voor de behoeften van de directe omgeving. Een goudgroen uithangbord hing boven de deur. De deur werd opengehouden met een stuk touw. Binnen brandde een lamp.

'Ga dan zelf naar binnen,' zei Dennis.

'Dat kan niet,' zei Jones. 'Dat zou de verrassing verknallen die ik in petto heb.'

'Nou, je zult toch iemand anders moeten vinden om het te doen,' zei Dennis Strange. 'Want dit is niks voor mij.'

'Je kunt het geld toch wel gebruiken, hè?' Jones, die op de passagiersstoel zat, keek in de achteruitkijkspiegel naar Dennis op de achterbank met het boek in zijn hand. Jones' ogen glimlachten. 'Want je ziet er echt naar uit dat je wel het een en ander kan gebruiken.'

Dennis negeerde de belediging. In gedachten zag hij zijn vader en moeder en zijn broer in uniform. Hij zei: 'Het is niks voor mij.'

Jones veranderde van houding, keek naar Willis achter het stuur en toen weer via de achteruitkijkspiegel naar Dennis. 'Je bent dus alleen maar een prater.'

'Wat bedoel je?'

'Zolang als ik je ken heb ik je horen praten. Dat de blanke de zwarte uitbuit en zo. Dat die armoedzaaiers tussen ons kwamen wonen en hun zaken openden. Ze zuigen al het geld uit onze mensen en storten het nooit terug in onze gemeenschap.'

'Wat wil je nu eigenlijk?'

'Ik durf erom te wedden dat je, als je naar binnengaat, een joodse klootzak achter de toonbank ziet staan. En die doet daar precies wat jij beweert. Ik zeg je alleen maar dat ik en Kenneth daar gewoon naar binnen gaan en terugpakken wat die klootzakken van ons *allemaal* gestolen hebben, namelijk ons leven. Maar jij gaat je gang maar en blijft er maar over doorpraten. En wat gaan Kenneth en ik intussen doen? Wij gaan er iets aan *doen.*'

'Ja,' zei Dennis hoofdschuddend, 'jullie zijn een paar echte revolutionairen.'

'Meer dan jíj.'

'En wat gaan jullie met al die centen doen die jullie daar weghalen? Zijn die bestemd voor de goede zaak?'

'Het zal heel wat meer zijn dan centen,' zei Jones.

'Dat heb ik ook gehoord,' zei Willis.

'Mag ik je iets vragen, man?' vroeg Jones die Dennis nog steeds aankeek. 'Welke dag is het vandaag?'

'De laatste dag van maart,' antwoordde Dennis.

'En wat gebeurt er in de hele stad in dit soort zaken op de eerste van de maand? Ik weet zeker dat jullie in Park View ook zo'n zaak hebben, dus dat móet je dan weten.'

'De eigenaar int alle schulden,' zei Dennis. Hij antwoordde zonder er verder bij na te hoeven denken. Meteen wist hij dat dit de reden was.

'Ik zeg alleen maar: de mensen in de buurt moeten hun schuld op die dag betalen, anders krijgen ze geen krediet meer. Dus praten we niet meer over centen. We moeten het doen voordat de man 's middags naar de bank gaat. Verdomme, misschien halen we wel meer dan duizend dollar op. Als je dat nu voor ons doet, dan zit er voor jou ook iets bij.'

'En je hoeft niets te doen, alleen maar goed uit je doppen kijken,' zei Willis.

'Dat moet iets heel anders voor je zijn,' zei Jones. 'Iets meer doen dan alleen maar praten.'

Dennis zei hoofdschuddend: 'Verdomme, ik ga niemand beroven.'

'Niemand vraagt dat van je,' zei Jones. 'Dat probeer ik je nu de hele tijd te vertellen.'

'Je moet nu gaan, broeder,' zei Willis. 'Als we hier blijven zitten praten, dan gaat straks de zaak dicht.'

Dennis legde het boek naast zich op de bank. Hij stak zijn hand uit om het portier te openen en trok zich eraan omhoog. Hij was doodmoe geworden van hun stemmen. Hij was niet langer high. Ook de tranquillizer was uitgewerkt die hij eerder die dag had ingenomen. Hij wilde uit de buurt van die twee zijn en weer een beetje helder worden.

'Neem meteen een pakje dubbele O's mee als je er toch heengaat,' zei Jones.

'Heb je geld?' zei Dennis.

Jones maakte een wegwuivend gebaar. 'Dat krijg je als we bij mijn vriendin zijn geweest.'

Dennis stapte uit de auto en stak een beetje mank lopend de straat over. Jones en Willes zagen hem door de openstaande deur de supermarkt inlopen.

'Verdomme,' zei Willis, 'wat ben jij goed, zeg. Al dat geouwehoer over uitbuiting van onze mensen, dat hij gewoon een praatjesmaker is... je hebt hem wel op stang gejaagd.'

'Ik kan best wel goed ouwehoeren, hè?'

'Maar wat gebeurt er als hij van gedachten verandert?'

'Hij is toch naar binnen gegaan?' zei Jones. 'Nu kan hij geen kant meer op.'

Toen Dennis Strange de supermarkt binnenliep, was het interieur precies zoals hij had verwacht. Verscheidene planken met rijen blikken en textiel en kleding. Een koelkast voor frisdrank en melkproducten, een beperkte selectie verse groenten, een vrieskast voor ijs, een mand met snoepjes, nog veel meer duurder snoepgoed en pocketboeken in een carrouselstandaard. Een blanke, waarschijnlijk de eigenaar, en een zwarte, die de werknemer moest zijn, zaten achter een lange toonbank langs een van de muren van de zaak. De blanke zat op een kruk achter een kassa. De zwarte zat eveneens op een kruk, hij leunde tegen de toonbank en er lag een opengeslagen krant voor hem.

Een zwart-wit Philco met 12-inch beeldbuis stond aan het einde van de toonbank, een gestalte in smoking was flikkerend zichtbaar in het besneeuwde beeld. Ondanks de slechte ontvangst herkende Dennis de opgetrokken schouders, het vissengezicht en de ouderwetse radiostem van gastheer Ed Sullivan.

'Vanavond hebben we een uitstekend programma voor u... Charlton Heston, Peter Genarro, een populaire zanggroep The Young Americans, Frankie Laine, Lana Cantrell, komiek Myron

Cohen, Smokey Robinson and the Miracles en een jonge komiek, die u ongetwijfeld leuk zult vinden, Richard Pryor!'

De blanke knikte naar Dennis. 'Hoe gaat het vanavond, vriend?'

'Goed,' zei Dennis.

De zwarte man was volgens Dennis de vakkenvuller die met de steekwagen rondliep, het zware werk deed en fysiek ingreep als dat nodig was. De man keek hem aandachtig aan, maar knikte of groette hem niet. Hij was niet onvriendelijk, maar deed gewoon zijn werk. Dit was een zaak waar de werknemers bijna iedereen herkenden die door de deur naar binnenkwam. Dennis was van mening dat hij, als hij daarvoor betaald werd, een jongeman als hijzelf ook aandachtig zou opnemen.

Dennis liep naar de pocketboeken, draaide de carrousel nonchalant rond en bekeek de omslagen, titels en schrijvers van de boeken. Er stonden verschillende Coffin Ed-Gravedigger Jones-boeken van Chester Himes tussen, een paar boeken van Harold Robbins, *The Autobiography of Malcolm X* en een exemplaar van *Nigger*, geschreven door Dick Gregory. Verder nog boeken van John D. MacDonald met kleurige titels, boeken van Ian Fleming en uitgegeven door Avon, een paar exemplaren van Matt Helms, *Valley of the Dolls* en een exemplaar van *Rosemary's Baby,* uitgegeven door Dell, dat slechts 95 cent kostte. Op de omslag van dit boek stond dat het 'Amerika's #1 Bestseller' was. Dennis' moeder had gezegd dat al haar vriendinnen het boek gelezen hadden, maar zij zou er niet aan beginnen omdat ze zelf twee kinderen van de duivel had opgevoed. Maar toen ze deze woorden sprak, twinkelden haar ogen. Ze stond in de keuken de afwas te doen en naar de kleine vogeltjes te kijken. Toen Dennis hier aan dacht, moest hij even glimlachen.

'Kunnen we je helpen?' vroeg de zwarte man achter de toonbank. 'We staan op het punt de zaak te sluiten.'

'Ik kijk alleen even naar deze boeken,' zei Dennis. Hij liep bij het rek vandaan en begaf zich naar de kassa waar de blanke man zat. Hij zag dat de zwarte man nonchalant een hand onder de toonbank stak. 'Maar ik wil wel graag een pakje mentholsigaretten.'

'Welk merk?' vroeg de blanke man. Hij stond op van zijn kruk en stak zijn hand uit naar het afgesloten kastje met de verschillende sigarettenmerken boven de kassa.

'Kools,' zei Dennis.

Hij merkte dat de blanke man het pakje al in zijn hand had, voordat hij het merk uit Dennis' mond vernam. Vanzelfsprekend wist de man welk merk hij zou kiezen. Iedere mentholrokende broeder die hier binnenliep, koos Kool, Newport of Salem. Maar als je graag wilden wedden, dan was Kool dé sigaret, speciaal voor een jonge knul als hij.

'Als u het mij vraagt, beschikt u over intuïtie,' zei Dennis.

'Hoor je dat, John?' zei de blanke man tegen de zwarte man, die eventjes glimlachte. 'Ik ben de Uri Geller van de kruideniers.'

'U zit in de verkeerde branche, meneer Ludvig.'

'Alstublieft,' zei Dennis en schoof een biljet van één dollar over de toonbank.

Deze meneer Ludvig deed Dennis aan de oude Meyer denken, van de DGS-supermarkt op de hoek, in de wijk waar hij opgroeide. Dezelfde manier van optreden, hetzelfde gevoel voor humor en altijd vol zelfspot. Waarschijnlijk kende hij de naam van ieder kind dat in zijn zaak kwam. Waarschijnlijk wist hij van tevoren ook dat ze voor één cent snoep kwamen kopen, zoals meneer Meyer wist dat hij altijd voor toverballen, Bazooka's en zo kwam.

En de zwarte man John in zijn dichtgeknoopte sweater, hoewel het helemaal niet zo koud was, kon best zijn vader zijn. Ongeveer dezelfde leeftijd, dezelfde sterke gestalte en dezelfde uitdrukking van gelatenheid op zijn gezicht om wie en wat hij was. Op een bepaalde manier eerlijk tegenover zijn baas. Zoals zijn vader Darius tegenover Mike Georgelakos, de Griek in Kennedy. Grinnikend om grapjes die eigenlijk helemaal niet leuk waren, knikkend bij iedere slijmbaluitdrukking, ook al hoorde hij hem tienmaal per dag. Omdat hij uit hetzelfde tijdperk afkomstig was. Een tijdperk dat op het punt stond om afgesloten te worden, maar toch. Welke keuze hadden ze eigenlijk? Ze moesten hun gezinnen toch voeden? Voor je kinderen zorgen en hopen dat die en hún kinderen het beter zouden hebben dan jij. Anders was je een onbetrouwbare, waardeloze zak, een nul die niemand zich zou herinneren, zelfs je kinderen niet. Deze man, John, en zijn vader Darius hadden de juiste keuze gemaakt. Twee mannen die ervoor gekozen hadden om *mannen* te zijn, maar lang geleden hadden ze tijdens dit proces hun trots opgegeven. Want dat was in *hun* tijd de enige drijfveer geweest.

'Gaat het wel goed met je?' vroeg meneer Ludvig.

'Prima,' zei Dennis die voor zich uit had staan staren.

'Alsjeblieft, vriend,' zei Ludvig en gaf hem het wisselgeld.

'Prima,' zei Dennis. Hij keek de beide mannen beurtelings aan. 'Nog een prettige avond verder.'

'Jij ook, jongeman,' zei John.

Dennis liep de zaak uit. De zwarte man, wiens volledige naam John Thomas was, liep achter de toonbank vandaan en begaf zich naar de voorruit van de supermarkt. Hij zag Dennis de straat oversteken.

Dennis liep naar de Monterey en liet zich op de achterbank zakken. Hij gaf de Kools aan Jones die het pakje tegen de rug van zijn andere hand drukte, het cellofaan verwijderde en een gat in de bodem van het pakje maakte.

'Nou?' vroeg Jones.

'Je zult een paar problemen tegenkomen,' antwoordde Dennis.
'Hoezo?'

'Om te beginnen is de zaak ondermijnd. Bovendien zitten er overal sluipschutters in de bomen.'

Jones stak zijn sigaret aan. Hij blies de lucifer uit, draaide zijn hoofd om en keek Dennis aan. 'Ben je klaar?'

'Nee, want er is nog meer. Ik zal het voor je uittekenen, dan weet je het tenminste. Precies zoals je vroeg.'

Jones' ogen verloren iedere uitdrukking. 'Ga je gang.'

'Je weet dat de kassa in die supermarkten altijd op dezelfde plek staat? Dat is hier ook het geval. Maar hier hebben ze er een gracht omheen gegraven. Ze hebben er een paar cobra's in gegooid, en een paar krokodillen om hen gezelschap te houden.'

'Is dat zo?'

'Ja. En je had gelijk wat het geld betreft. Er liggen daar tonnen. Er staat een grote brandkast in die zaak, precies zoals in Fort Knox, zodat ze er alles in kunnen bewaren. En Odd Job is de bewaker.'

'Slimme nikker,' zei Jones.

'Mocht ik soms nog iets vergeten hebben,' zei Dennis, 'dan laat ik je het weten zodra ik me alles weer herinner.'

Jones' gezicht vertrok even. 'Is dit een spelletje voor jou?'

'Ik heb van het begin af aan gezegd dat ik niet mee wilde doen.'

'Dan zul je dit niet moeten vergeten. Als ik hoor dat je er ook maar met iemand over spreekt en dan bedoel ik vooral met die broer van je, de agent, dan kom ik je opzoeken. En nog iets: als ik om wat voor reden ook gearresteerd word, dan zal ik jouw naam als eerste noemen. Want jij bent daarbinnen geweest, jongen, dat kan niemand ontkennen. En de mensen met wie je gesproken hebt, zullen zich ongetwijfeld je gezicht herinneren.'

'Je maakt me bang, broeder,' zei Dennis. 'Ik meen het, ik zit gewoon te trillen.'

'Als je denkt dat ik een geintje maak,' zei Jones, 'dan moet je het maar eens proberen.'

'Zijn we klaar?'

Jones haalde langzaam adem. 'Zet deze klootzak ergens af, Kenneth, voordat ik mijn geduld verlies.'

'Voordat je me ergens afzet, moeten we nog even bij je vriendin langs,' zei Dennis.

'Wat bedoel je?' zei Jones.

'Je bent me nog steeds dertig dollar schuldig. Voor de marihuana.'

Willis startte de motor van de Monterey en reed weg. Het was donker geworden in de straten.

13

'Gaat het, lieverd?'
'Prima,' zei Frank Vaughn.
'Je keek een beetje vreemd uit je ogen.'
'Jij ook. Een minuut geleden dacht ik dat ze zo uit je hoofd zouden ploppen.'
'Hou op.'
'Maak je geen zorgen om mij. Ik ben gewoon een beetje duizelig. Maar het gaf toch een prettig gevoel, schat.'

Frank Vaughn trok zich los uit de vrouw die in haar bed onder hem lag. Haar naam was Linda Allen. Ze hield even haar adem in toen hij zich terugtrok en op zijn rug ging liggen. Hij legde een vlezige hand onder zijn hoofd. De geur van Linda, van hun zweet, van de sterkedrank die ze gedronken hadden en van de sigaretten die ze gerookt hadden waren duidelijk aanwezig in de kamer.

'Ik ga me even wassen,' zei Linda. 'Wil jij nog iets?'

Vaughn keek op zijn Hamilton-horloge hoe laat het was. Grijze en bruine haren staken door de schakels van de roestvrijstalen band. 'Ik denk dat ik nog wel even tijd voor een borrel heb.'

Linda Allen stond naakt en trots met kaarsrechte rug op uit haar bed. Toen ze wegliep, schudde ze de lange haren van haar schouders. Dat was voor hem bedoeld. Vaughn keek haar vol bewondering na. Ze was een brunette met lange benen en begin veertig nu, een gescheiden vrouw die nooit kinderen had gehad en daarom haar figuur had behouden. Haar zware borsten hadden roze tepels en stonden recht vooruit. Vaughn keek naar haar gespierde dijen, haar mooie, ronde achterwerk en die warme spleet die hem altijd stevig omklemde. Mijn god, dit was pas een vrouw. Ze deed hem aan Julie London denken in haar goede jaren. Hij was nu al bijna tien jaar bij Linda.

Hij beschouwde dit appartement met één slaapkamer in The Woodner, vlak bij de brug met de leeuwen in 16th Street, als zijn oase. Tijdens zijn nachtdienst bezocht hij Linda meestal een- of tweemaal. Soms kwam hij langs om te doen wat hij vanavond had gedaan. Soms kwam hij gewoon om uit te rusten.

Hij hoorde het toilet in de badkamer lopen, gevolgd door het geluid van stromend water uit een openstaande kraan. Hij draaide zich om naar het nachtkastje, schudde een L&M uit het pakje en stak hem aan met zijn Zippo, met het met de hand geschilderde kaartje van Okinawa. Hij nam een diepe trek, hoestte even en ging weer met zijn hoofd op het kussen liggen.

Zijn vrouw Olga was even oud als Linda, maar daar hield de gelijkenis dan ook mee op. Olga's figuur was de moeite van het bekijken niet meer waard. Haar achterwerk was plat geworden, evenals haar borsten. Linda zei weinig, terwijl Olga aan één stuk door praatte. Vaughns ejaculaties bij Olga verschaften hem evenveel sensatie als urineren. Maar bij Linda kwam hij klaar als een hengst.

Maar het leuke was dat Vaughn, als hij met zijn vrouw de liefde bedreef, emoties meemaakte die hij nooit voelde als hij met Linda neukte. En hij wist dat het verschil heel eenvoudig te verklaren was: bij de eerste was het liefde en bij de andere was het gewoon neuken. Een man die geluk had kreeg beide van zijn vrouw, maar Vaughn had dat geluk niet. Het was niets om over te huilen. Dit arrangement werkte ook prima.

Vaughn hoorde Linda's zware voetstappen in de woonkamer. Hij hoorde dat ze het deksel van haar stereo optilde. Hij hoorde een nummer van Chris Connor uit de luidsprekers. Dat was nog iets dat Linda had, ze deelde zijn muzieksmaak. Artiesten die zich goed kleedden, musici die hadden geleerd hun instrument te bespelen en zangers die zongen in plaats van schreeuwden. Niets van die rock-'n-rollshit waar zijn zoon, nu een eenentwintigjarige student aan de universiteit van Maryland, in zijn kamer naar luisterde.

Linda liep de slaapkamer weer in met een schoon, vochtig washandje in de ene hand en een glas Beam en water met ijs in de andere. Vaughn legde zijn sigaret in de asbak op het nachtkastje. Ze legde het washandje in zijn hand en ging op de rand van het bed zitten. Vaughn wreef ermee over zijn onbesneden lid, perste er de laatste zaadresten uit en verwijderde Linda's geur uit zijn schaamhaar. Hij ging rechtop zitten, leunde met zijn rug tegen het hoofdeind en liet het washandje op de grond vallen. Linda nam een slok en gaf het glas aan Vaughn. Hij schudde de ijsblokjes heen en weer en nam een klein slokje koele, sterke whisky.

Vaughn slikte het langzaam door. 'Waar kijk je naar, lieverd?'

'Grote, oude hond. Ik kijk naar jou.' Ze wreef met haar hand over zijn platte buik. 'Voor het geluk,' zei ze.

'Dat kan ik best gebruiken.'

Linda wreef met haar vingers over Vaughns schouder. Ze raakte onbewust de tatoeage van de naam van zijn vrouw aan, dat in een hart zweefde. 'Denk je dat we vanavond nog naar een live optreden kunnen gaan? We zijn al een hele tijd niet uitgeweest.'

111

'Waar zou je heen willen gaan?'

'Ik vind dat meisje goed dat boven Mr. Henry's zingt, in het zuid-oostelijk deel. Weet je wie ik bedoel?'

'Die zwarte zangeres met het trio?'

'Roberta Flack,' zei Linda die zich de naam van de zangeres herinnerde.

'Ja, oké.'

'Wanneer kunnen we?'

'Binnenkort,' zei Vaughn.

Vaughn raakte haar linkerborst aan, kneep in het puntje van haar roze tepel en voelde hem keihard worden.

'Als je zo door blijft gaan, dan zul je moeten blijven.'

'Dat kan niet,' zei hij. 'Ik moet de straat weer op.'

Buzz Stewart, Dominic Martini en Walter Hess reden naar het centrum in Walters 1/2 Galaxie uit 1963, een rood met zwarte schoonheid. Onderweg dronken ze de hele tijd bier. Van een medegevangene had Hess over de Ford gehoord. Na zijn vrijlating had hij de auto van een monteur in King of Prussia, Pennsylvania, gekocht. Er zat een 427 onder de motorkap, een vierversnellingsbak, kleine kuipstoelen, achterspoilers en een verchroomde sierstripset, rechtstreeks afkomstig van de fabriek. Het was in zijn soort de mooiste auto die er rondreed.

Hess werkte als machinebankwerker in een zaak in Brookeville Road en gaf al zijn extra verdiende geld uit aan de auto. Verder gaf hij weinig geld uit. Alles ging op aan bier, sigaretten, amfetaminen die hij regelmatig kocht, en de Ford. Hij woonde bij zijn ouders in een bungalow in het 700-blok van Silver Spring Avenue. Hij kocht zijn speed van motorrijders die samen een huis in hetzelfde blok bewoonden. De door hem gekozen pillen waren Black Beauties. Als de motorrijders geen Beauties meer hadden, kocht hij White Crosses waarvan hij er dan tweemaal zoveel innam. Alles wat maar nodig was om hem aan de gang te krijgen.

Hess had het gevoel dat hij na zijn verblijf in de gevangenis volwassen was geworden. In ieder geval had hij nog niemand zo serieus toegetakeld als tijdens die laatste vechtpartij, de laatste van verscheidene vechtpartijen met een minder fatale afloop. Maar deze deed hem ten slotte in de gevangenis belanden. Hij had in Cameron Street gestaan, een zijstraat van Georgia. Hij had voor Eddie Leonard's-broodjeszaak een sigaret staan roken, toen een groep jongemannen in een nieuwe Chevelle voorbijreden en door het open raampje naar hem schreeuwden en hem uitlachten. Ze hadden hem een 'kleine vetkuif' genoemd en zo. Hij was pisnijdig geworden en had 'studentenflikkers' teruggeschreeuwd, want hij had een sticker van Maryland U op de achterruit van hun auto gezien. Ze stopten pardoes in het midden van Cameron. Een van hen, een grote kerel in een leren jack met een football boven de M, stapte uit. Hess trok zijn jachtmes met roestvrijstalen, getand lemmet van vijftien centimeter uit het foedraal in zijn laars, en drukte het stevig tegen zijn dijbeen. Toen de footballspeler vlak bij hem was, bracht Hess zijn mes omhoog en stak hem in zijn gezicht, precies onder zijn oog. Daarna haalde hij hem open vanaf de wang tot aan het sleutelbeen. Het was een en al bloed. Een van de studenten vond het zo erg dat hij zijn lunch uitbraakte. Op hetzelfde moment wist Walter Hess dat hij voor dit geintje de gevangenis in zou gaan. Te veel getuigen, en dan waren er ook nog eerdere veroordelingen voor geweld.

Hij verwachtte dat men hem zou laten kiezen. Sommige vrienden van hem hadden een aanbod gekregen. Teken bij de mariniers en wij trekken de aanklacht in. Hij stelde dit voor aan zijn advocaat, maar die mooie meneer schudde slechts het hoofd. 'Ze willen geen mensen zoals jij,' had de advocaat gezegd. Die avond in zijn cel dacht Walter er nog eens over na, maar hij snapte er niets van. Het leger trainde toch mensen om te doden, of niet? Hij had zelfs geen training nodig, want bij hem was het zijn tweede natuur. En als ze zo'n mooie jongen, een mietje zoals Dominic Martini, aannamen, waarom dan niet een man als hij?

'Zet de auto hier maar neer,' zei Stewart. 'Het maakt niet uit waar.'

'Nog niet,' zei Hess.

Hess reed voorbij het busstation waar mensen op het trottoir stonden te wachten en een sigaret rookten. Martini keek naar de ogen van de jonge zwarten en probeerde de uitdrukking te zien. Hij en zijn kornuiten betekenden moeilijkheden, vermoedde hij. Moeilijkheden en haat.

'Hier,' zei Stewart toen hij een open plaats zag. Ze bevonden zich in het 1200-blok van New York Avenue en reden in de richting van The Famous.

'Ik moet een plaats dichter bij de club hebben,' zei Hess. 'Ik wil niet dat iemand van deze klootzakken hier aan mijn auto zit.'

'Hier,' zei Stewart. 'Shit, Shorty, ben je van plan hem in de bar te parkeren?'

Hess lachte kakelend als een heks. 'Denk je dat ze me toestemming geven?'

Ze parkeerden de auto en liepen naar binnen. Onmiddellijk zagen ze bekenden tussen de blanke fabrieksarbeiders. Motorrijders van verschillende benden mengden zich tussen vechtersbazen, bouwvakkers, elektriciens, loodgieters, serveersters en secretaressen en jongelui van goede komaf die hier niets te zoeken hadden, maar graag wilden laten zien dat ze niet bang waren. Sommigen van de vrouwen hadden een tatoeage, maar die hadden ze in een winkel gekocht en thuis aangebracht. Een meisje, dat zich Danny liet noemen en als bewijs een tatoeage had, was tijdens een vechtpartij met haar echtgenoot een tand kwijtgeraakt. Maar dat liet ze maar zo, zei ze, want het was een goede plek om haar sigaar tussen te steken. Toen hij haar zag, bestelde Stewart meteen een CC en Seven voor haar. Hij had dat een jaar geleden ook gedaan, waarna haar vriend haar gezicht had bewerkt. Na die tijd vond hij altijd dat hij haar een borrel schuldig was. Stewart voelde zich prima. Hij voelde zich gelukkig tussen zijn mensen.

Martini beperkte zich tot bier. Toen Link Wray en zijn laatste versie van de Raymen op het toneel verschenen, stapten Stewart en Hess over op steviger drankjes. Tussen de Britse invasie, de revival van de blanke blues, Dylan, psychedelische rock en soulrevolutie had men Wrays muziek de laatste paar jaar niet veel over de radio gehoord, maar hij was nog steeds populair bij de lokale bevolking. Zijn keuze bestond nu uit zijn vroegere successen, afgewisseld met covers van Elvis-nummers. Hij begon met 'Jack the Ripper', zijn laatste grote hit uit '63. De aanwezigen begonnen meteen mee te dansen. Stewart leunde met zijn rug tegen de bar. Hij zag Dominic glimlachen en met zijn voet op de maat meetikken. Verdomme, als Wray het geluid van de versterkers opvoerde en tekeerging, had zelfs de grootste klootzak het naar zijn zin.

Stewart vroeg zich af waarom het in de wereld niet altijd was zoals hier.

'Buzz,' zei Hess die naast hem stond met een glas Jack Daniel's in de ene hand en een glas tapbier in de andere.

'Ja.'

'Zie je die verdomde *griet* daar in de hoek?'

Stewart keek in de aangegeven richting. Hij zag een kerel die grinnikend zijn bier dronk, naar de muziek luisterde en niemand lastigviel. Stewart keek naar Shorty met zijn ietwat schele ogen. Hij knikte met zijn hoofd in een tempo dat de speed hem opdroeg.

'Nou en?'

Hess dronk zijn glas in één teug leeg en zette het lege glas op de bar. 'Ik heb een hekel aan de manier waarop hij lacht.'

'Shit, hij lacht toch niet naar jou.'

Hess deed een stap naar voren. Stewart greep hem bij zijn leren jack en trok hem terug.

'Laat hem z'n gang gaan, Shorty. Hij heeft het gewoon naar z'n zin.'

Stewart voelde de spierbundels van Hess' arm zich ontspannen.

'Bestel nog eens een borrel voor me, wil je, Buzz? En ook nog een biertje. Man, ik verrek van de dorst.'

Natuurlijk, dacht Stewart. Met al die speed kan dat ook niet anders.

Ze namen nog twee rondjes. Na het optreden bestelde Stewart nog iets voor onderweg bij de barkeeper en gaf Hess en Martini een seintje om te vertrekken. Tijdens hun rit naar de stad dronken ze nog een sixpack leeg.

Derek Strange had zijn Impala onder een lantaarn in Princeton Place geparkeerd. Toen hij de wagen afsloot, zag hij Kenneth Willis' groene Monterey komen aanrijden. Willis verminderde vaart en parkeerde de Mercury achter de Impala langs de stoeprand. Strange zag Alvin Jones, een onderkruiper die nooit had gedeugd of iets had uitgevoerd, naast zijn jongere neef zitten. Dennis zat op de achterbank.

Strange wachtte tot zijn broer was uitgestapt. Jones leunde uit het open raampje en stak zijn linkerarm naar buiten om de as van zijn sigaret te tikken. Uit gewoonte nam Strange de fysieke bijzonderheden in zich op: Jones had een lichte huid en sproeten en was klein van stuk. Hij droeg een goudkleurig Ban-lon-overhemd en een zwarte hoed met een felle, goudkleurige band. Hij glimlachte toen hij Strange bekeek.

Strange ging rechtop staan en toonde Jones zijn volle gewicht en gestalte. Het was kinderachtig, wist hij. Maar toch waren er dingen die een man ondanks alles toch deed, ongeacht zijn leeftijd. Een ervan was de andere man te laten weten dat hij in staat was hem te grazen te nemen, tenminste als de ander iets van plan was.

'Wetsdienaar,' zei Jones. 'Je zult je wel naakt en zwak voelen zonder uniform. Waar zit je wapen?'

Onder mijn shirt, dacht Strange. In mijn holster.

'Broeder, als je blijft zwijgen dan beledig je mijn gevoelens.'

Strange zei niets. Door de voorruit zag hij de rij paardentanden van de glimlachende Willis. Willis had een poosje in de gevangenis gezeten en werkte nu als conciërge. Hij woonde boven een slijterij in H en dacht dat hij een dekhengst was. Hij zag dat Jones en Willis elkaar aanstootten.

'Mijn man,' zei Jones. Hij glimlachte niet meer en keek Strange met koude ogen strak aan. 'Hij zorgt ervoor dat meneer Charlie in een veilige wereld kan leven.' Jones nam een trekje van zijn Kool en liet de rook uit zijn mond kringelen.

Dennis stapte langzaam uit de Mercury. Hij sloot het portier en liep naar Strange, terwijl hij een pocketboek in zijn hand klemde en een pijnlijk gezicht trok toen hij zijn voet verkeerd neerzette.

'Vergeet niet wat ik je gezegd heb, jongen,' zei Jones, 'heb je me gehoord?' Maar Dennis reageerde niet.

Dennis ging bij Strange staan naast de Impala. Samen liepen ze over het trottoir weg en beklommen het stoepje naar het rijtjeshuis waar ze beiden waren opgegroeid. Ze hoorden nog meer commentaar achter hun rug. Jones zei iets over de politie en daarna iets over Darius' auto. 'Nog een wrak,' zei hij waarom Willis moest lachen. De broers reageerden op geen enkele manier op hen. Weldra hoorden ze het geluid van de wegrijdende Mercury die in de richting van Georgia verdween.

'Waar ben jij geweest, man?' vroeg Dennis.

'Ik heb vandaag gewerkt. En met een meisje naar de film geweest. En jij?'

'Een beetje rondgereden.'

'Met die twee?'

'Ja.'

'Waar zijn jullie geweest?'

Dennis raakte even de cheque in zijn broekzak aan. 'Jones kende een vrouw. Daar zijn we gewoon even langs geweest, snap je.'

Of ik het snap, dacht Strange. Wat jullie daar gedaan hebben, was vast niet pluis. Dat was altijd het geval als Jones en Willis erbij betrokken waren. Verboden spullen kopen of verkopen. Misschien iets in opdracht van de dealer Hayes die in Otis woonde.

'Wat moesten jullie allemaal bij die *vrouw* doen?'

'Verdomme, jongen, ga je me nu arresteren?'

'Ik ben alleen nieuwsgierig.'

'Gewoon een beetje high worden. Ben je nu tevreden?'

Strange keek zijn broer teleurgesteld aan. Dennis kende die blik en sloeg zijn ogen neer.

'En nu wil je voor het avondeten ook high worden,' zei Strange.

'Je doet net alsof jij nooit gebruikt hebt.'

'Ja, maar ik laat het niet de baas over me worden.'

'Vader Derek,' zei Dennis hoofdschuddend.

'Die vrouw waar jullie zijn geweest,' zei Strange die niet wilde opgeven. 'Is zij dat meisje Bacon in LeDroit Park, bij wie Jones inwoont?'

'Hoe weet jij dat?'

'Dat heb je me zelf verteld. Zo'n naam vergeet je niet makkelijk.'

'Dit was een ander meisje en die heeft een kind van hem. Ze woont bij jou in de buurt.'

'Precies wat we hier nodig hebben, nog meer kinderen van nietsnutten zoals Jones.'

'Wat is dat nou? Raak je je kleur kwijt als je dat uniform aanhebt?'

'Bullshit.'

'Nu zit je hoog op je paard en kijk je ook al op de zwarte neer.'

'Dat is bullshit, Dennis. Ik wil er alleen maar op wijzen dat deze kerel nergens voor deugt.'

'Ik ben niet blind. Je hoeft me geen dingen te vertellen die ik met mijn eigen ogen ook kan zien.'

116

Ze stonden bij de voordeur. Strange legde een hand op Dennis' arm. 'Luister, ik zeg je alleen maar dat je niet met hen hoeft op te trekken. Als je mij m'n gang laat gaan, kan ik je een baantje bezorgen. Ik kom tijdens mijn dienst allerlei mensen tegen, die een eigen zaak hebben en zo. Ze zijn blij als ze een agent een wederdienst kunnen bewijzen door een familielid van hem aan een baan te helpen, begrijp je? Ze werkt het nu eenmaal.'

'Het systeem, bedoel je.'

'Ja. En daar is niets verkeerds mee.'

'Ik ben niet geïnteresseerd.'

'Wat ben je dan van plan, een professioneel slachtoffer te zijn. Alles op te geven vanwege de blanke onderdrukking, waar je het altijd over hebt? Zodat al die racistische klootzakken naar een werkloze nikker kunnen wijzen en zeggen dat ze gelijk hadden?'

'Houd je kop, man.'

'Of verkeer je liever in het gezelschap van uitschot zoals Jones, tot er iets onherroepelijks gebeurt?'

'Ik zei dat je je kop moest houden.'

'Maar zo zijn jij en ik niet opgevoed.'

Dennis trok zijn arm los. 'Ik denk dat het eten klaarstaat.'

'Je bent veel beter dan je zelf denkt.'

'Ik ben moe, man.' Dennis sloeg zijn ogen neer. 'Doe me een plezier, Derek. Laat me nou.'

14

'Daar heb je Julia,' zei Dennis Strange en wees naar het scherm van de kleuren-tv van het gezin.

'Diahann Carroll,' zei Derek Strange. 'Nou, dat is pas een knappe vrouw.'

'Doet me aan je moeder denken,' zei Darius Strange.

'Maar ze praat als een blank meisje,' zei Dennis.

'Dat is geen misdrijf,' zei Darius.

'En ze maakt afspraakjes met blanke mannen,' zei Dennis. 'Ik heb haar in een blad gezien aan de arm van een of andere Engelse kerel, die interviewer van kanaal Vijf.'

'Maar *toch* is het een knappe vrouw,' zei Strange.

'Ze heeft de ogen van je moeder,' zei Darius Strange.

Darius zat is zijn groene leunstoel met het opengeslagen sportkatern van de *Washington Post* op zijn schoot. Zijn wangen werden al een beetje slap en zijn gewicht had het zwaartepunt bij zijn middel gevonden.

Zijn zoons zaten op gewone stoelen naast hem. Alethea Strange had de eettafel afgeruimd en stopte de afwas in een gootsteen vol warm water.

Het appartement zag eruit zoals het altijd geweest was. Het meubilair was hetzelfde meubilair waarop Dennis en Derek hun hele leven geragd hadden. De stereo van hun vader werd tegenwoordig af en toe gebruikt en fungeerde nu voornamelijk als plaats voor Alethea's planten en Kaapse viooltjes. Darius had al lange tijd geen platen meer gekocht. Eerst ging Ray Charles country zingen en vervolgens werd Sam Cooke in '64 door die vrouw doodgeschoten. Daarna had hij iedere interesse verloren. Trouwens, hij was nu achter in de vijftig. De nieuwe soulmuziek was iets voor de jeugd. Hij had zijn platen aan Derek gegeven die een echte rhythm and bluesfan was geworden, precies zoals hij jaren geleden was geweest.

De mannen keken naar de *Hollywood Palace*-show op ABC. *Bonanza* was geweest en op de andere kanalen was niet veel te zien. Ze wachtten om de president te horen, wiens toespraak ieder moment uitgezonden kon worden. Er waren geruchten dat hij op het punt stond een belangrijke verklaring af te leggen over de oorlog in Vietnam.

Diahann Carroll besloot haar nummer, een song uit *Camelot*. De gastheer van de show, Don Adams, kwam weer opdraven en begon de volgende gast te introduceren.

'"Sorry about that, chief",' zei Dennis met nasale stem. 'Ja, het spijt je zeker. Jij en je vermoeide ouwe moppen.'

'Die man trad vroeger in D.C. op als conferencier,' zei Darius.

'Was hij toen wel grappig? Want hij heeft me nooit één keer aan het lachen gekregen. Als ze graag willen dat ik naar deze show kijk, kunnen ze beter Agent 99 laten opdraven.'

'En nu uw applaus voor Diana Quarry en haar broer, bokser Jerry Quarry, die vanavond iets speciaals voor u zullen zingen.'

'Gaat hij nu zingen?' vroeg Strange.

'Hij moet toch wat,' zei Dennis. 'Want je wéét dat hij niet kan boksen.'

'Hij heeft Floyd Patterson op punten verslagen,' zei Darius.

'Een oude Floyd,' meende Dennis.

'Als de regering besluit Ali zijn handschoenen terug te geven,' zei Strange, 'maakt hij gehakt van deze vent.'

Terwijl de zwaargewicht en zijn zus probeerden een rock-'n-roll-duet te zingen, las Darius Strange hardop voor uit de krant. 'Elgin Baylor scoorde zevenendertig punten voor de Lakers, nou breekt mijn klomp. Nu staat LA in het westen aan de kop. Die elimineerde in z'n eentje de Bulls.'

'Baylor?' zei Strange en keek zijn broer grinnikend aan. 'Wie is dat?'

'Een jongen uit Washington, hè?' zei Dennis en knipoogde naar Derek.

'Hij komt uit Spingarn,' zei Darius.

'Je houdt me toch niet voor de gek, hè?' zei Dennis. 'Ik dacht dat het Dunbar was.'

Dennis en Derek stootten elkaar lachend aan achter hun vaders rug.

'Hou daarmee op,' zei Darius. Hij probeerde niet te lachen, maar bleef gewoon de krant lezen.

Alethea kwam de kamer inlopen terwijl ze haar handen aan de theedoek droogde. Ze droeg een jasschort met bloemenmotief, en een roos van stof in haar grijze haar die precies leek op de rozen in haar schort. Op de grijze haren, de kraaienpootjes en haar gerimpelde handen na, die door het jarenlange gebruik van schoonmaakmiddelen waren aangetast, was ze een fitte vrouw van eenenvijftig jaar. Af en toen had ze last van haar benen en rug. Dat was de prijs van het vele huishoudelijke werk dat ze had verricht. Onlangs had ze besloten niet meer dan vijf dagen per week te werken. Maar afgezien van die pijntjes voelde ze zich prima.

'Tevreden?' zei ze, terwijl ze liefdevol naar haar mannen keek die rond de Sylvania in de woonkamer zaten.

'Ja, moeder,' zei Strange. 'Die kip was prima. En de boontjes waren gelukkig stevig.'

'Ik ben blij dat je het lekker vond.'

'Maar we hadden er best wel een fles wijn of zo bij kunnen gebruiken,' zei Dennis. Hij glimlachte naar zijn moeder en bedoelde eigenlijk niets met die opmerking.

'Moeten we die ook al voor je kopen, jongen?' vroeg Darius.

'Darius,' zei Alethea.

'Maar we betalen toch alles voor hem, of niet?'

'Hij maakt gewoon een grapje met me,' zei Alethea.

'Als u wilt, ga ik wel verhuizen, pa,' zei Dennis.

'Ik wil dat je gaat werken,' zei Darius. 'Dat hoort een man te doen. Je broer doet tenminste zijn best. Hij heeft een auto en een eigen appartement. Dat is iets waar je ook naar moet streven.'

Strange durfde niet naar Dennis te kijken. Omdat hij in hem bleef geloven en dacht dat hij zijn leven kon beteren, had hij hem buiten al hard aangepakt. Maar hij zou dat nooit doen waar zijn ouders bij waren. Hij wenste dat hij hier geen getuige van was.

De stilte in de kamer werd verbroken door een omroeper die de show onderbrak om aan te kondigen dat de president zijn toespraak ging houden. Strange stond op en liet zijn moeder op zijn stoel plaatsnemen. Hij pakte een andere stoel en sleepte die tot dicht bij het toestel.

'Die man lijkt sprekend op een van zijn beagles,' zei Dennis.

'Stil,' zei Darius.

President Johnson begon over de oorlog in Zuidoost-Azië. Hij zei dat hij met onmiddellijke ingang bevel had gegeven tot het stoppen van alle luchtaanvallen en bombardementen van de marine op Noord-Vietnam, behalve in een gebied ten noorden van de Gedemilitariseerde Zone. Hij vervolgde met een verklaring wat dit betekende in termen van de geschiedenis van het conflict en de voortgang daarvan. Daarna gaf hij aan dat hij nog iets anders wilde zeggen. Zijn gezicht was somber, maar meer relaxed dan de meeste Amerikanen de laatste tijd van hem gewend waren.

'Ik stel me geen kandidaat en accepteer ook geen benoeming tot kandidaat van mijn partij...'

'Verdomme,' zei Dennis.

'Niet te geloven,' zei Alethea.

'De man geeft het op,' zei Strange. 'Maar je zag het al aan zijn gezicht. Hij heeft er genoeg van.'

'En welke dwaas krijgen we nu?' zei Dennis. 'Nixon?'

'Dat zal niet gebeuren,' zei Darius. 'Als het eropaan komt dan zijn de mensen in dit land slimmer. Als ze eenmaal in het stemhokje staan, dan stemmen ze niet op die man.'

120

'Tenzij ze bang zijn,' zei Dennis.

'Voor wie moeten ze bang zijn?' vroeg Darius.

'Alles,' zei Dennis. 'Voor ons.'

Strange wreef over zijn gezicht. 'Bobby Kennedy doet nu een stap naar voren. Let maar op.'

'Dat zou pas goed zijn,' zei Darius. 'Hij is net als de rest politicus, maar zijn hart zit op de goede plaats.'

Alethea knikte. 'In ieder geval is er dan hoop.'

Ze zaten in de gloed van het tv-scherm naar hun president te luisteren. Maar algauw keerden hun gedachten terug naar de kleinere, meer grijpbare conflicten in hun eigen leven. Strange dacht aan zijn baan. Dennis concentreerde zich op zijn verkeerde vrienden en hun plannen én de volgende keer dat hij weer high zou worden. Alethea maakte zich zorgen over de toekomst van haar oudste zoon. Darius vertrok zijn gezicht bij een plotselinge, scherpe pijnscheut onder in zijn lichaam.

De laatste tijd had hij veel last van die pijnscheuten, soms voelde hij ze in zijn voeten, soms terwijl hij ontspannen in zijn stoel zat. Een paar dagen geleden zag hij op een ochtend dat er bloed in zijn ontlasting zat. Het was zeker dat hij iets mankeerde. Maar wat kon hij doen? Hij moest nog steeds voor het geld zorgen. Zijn vrouw kon niet harder werken dan ze nu deed. En ze hadden schulden, zoals ze die altijd hadden gehad. Hij kon het zich niet veroorloven ziek te worden, dus had het geen zin om er zich zorgen om te maken.

'Ik ga weg,' zei Dennis en stond op.

'Waar ga je heen?' vroeg Darius.

'Uit,' zei Dennis en begaf zich naar de slaapkamer die hij en Derek ooit gedeeld hadden. 'Ik ben zevenentwintig en nog steeds vraag je ernaar.'

'Als je je als een man van zevenentwintig gaat gedragen in plaats van als een zevenjarig jongetje,' zei Darius, 'dan zal ik er niet meer naar vragen.'

'Darius,' zei Alethea.

'Die jongen is altijd een kind gebleven.'

Dennis liep naar zijn slaapkamer, vond een flesje dat hij onder zijn sokken in de bovenste lade van zijn kastje had verstopt, naast een gehavende honkbal die sinds zijn achtste in zijn bezit was. Hij en zijn vader hadden met die bal tijdens zomeravonden in de steeg vangbal gespeeld. Misschien was het wel in '48 geweest. Hij staarde heel even naar de bal en schoof de lade weer dicht.

Dennis schudde een rode pil uit het flesje, maakte zijn mond nat met speeksel en slikte de pil in. Hij verliet het appartement zonder iets tegen een van de anderen te zeggen. Hij ging op weg naar de man om hem het geld voor de geleverde marihuana te geven. Misschien was er verder nog iets te beleven.

In de keuken waste Alethea de borden af en gaf ze aan Strange die ze afdroogde. Alethea neuriede een gospelsong. Terwijl hij het natte bord van haar overnam, herkende hij die song. Hij droogde het bord vlug af en zette het nog vochtige bord in een afdruiprek.

'Heb je haast?' vroeg Alethea.

'Ik heb een afspraak,' zei Strange.

'Dat meisje uit het noordoostelijk deel? Ze werkt toch in die schoonheidssalon?'

'Ja.'

'Wat is er met Carmen gebeurd?'

'Die woont nog steeds hier in de buurt. Ze is bijna afgestudeerd op Howard.'

'Zie je haar nog wel eens?'

'De laatste tijd niet.'

'Jammer. Ik heb Carmen altijd leuk gevonden. Komt uit een goed nest en het is een meisje uit de buurt.'

'Ja, ze is leuk.'

'Zo'n leuk meisje, dat bijna naast de deur opgroeit. Soms zie je de goede dingen niet, omdat ze direct onder je neus liggen. Zoals dat verhaal over de man die de hele wereld doorreisde op zoek naar een schat. Maar toen hij weer thuis was, vond hij – '

'Edelstenen in zijn achtertuin,' zei Strange. 'Dat weet ik.'

'Ik vermoed dat ik dat al eens eerder heb verteld.'

'Dat zou best kunnen,' zei Strange. Hij keek zijn moeder glimlachend aan terwijl hij haar eventjes met zijn heup aanstootte.

'Nou, ik hoop dat je al die jaren naar me geluisterd hebt.'

'Zijn broer is degene die doof is,' zei Darius. Hij kwam de keuken binnenlopen, begaf zich naar de oude Frigidaire en pakte een flesje bier uit het onderste vak.

'Hij komt er wel,' zei Strange.

'Dan zou ik maar beginnen, als ik hem was. Want tot nu toe merk ik er nog niet veel van.'

Darius vond een opener in een lade en haalde de dop eraf. Hij nam een slok bier. Strange zette het laatste bord in het rek. Alethea droogde intussen haar handen. Ze stonden met z'n drieën in de kleine keuken, een ruimte die klein en slecht verlicht was, maar voor hun gevoel was het zo comfortabel als een warme handschoen.

'Gaat het goed met je?' vroeg Darius.

'Prima,' zei Strange, maar het klonk niet overtuigend.

'Moeilijk, hè?'

'Af en toe.'

'Ik vermoed dat je niet de liefde ontvangt waar je op gerekend had.'

'Ik win er zeker geen populariteitswedstrijd mee.'

'Onthoud goed, de goede mensen hebben er geen probleem mee

dat je in hun straat verschijnt. Het zijn de misdadigers en de niets-nutten die jou met haat in hun ogen aankijken. Eindelijk krijgt deze stad een politiekorps dat een afspiegeling van haar bevolking vormt, dus wat je doet is noodzakelijk en goed. En daar moet je trots op zijn.'

'Het is alleen zo moeilijk.'

'Als het belangrijk is,' zei Darius, 'dan is dat meestal zo. Je zult het goed doen, in ieder geval zolang je het juiste pad bewandelt. Tenzij je op zoek bent naar macht, zoals sommige agenten doen. Die zijn vergeten waarom ze indertijd bij het korps zijn gegaan.'

'Ik ben eerlijk,' zei Strange.

'Ik weet dat je dat bent, zoon,' zei Darius.

'Maar je moet goed op jezelf passen, hoor,' zei Alethea.

'Ja, moeder.'

Darius keek vol trots naar zijn zoon. Hij hoefde niet te zeggen wat hij op dat moment voelde. Strange wist het. Stilzwijgend kreeg hij wat iedere zoon van zijn vader verlangde, maar wat zeer weinig jon-gens kregen: bevestiging en respect. Het was allemaal in zijn ogen te lezen.

'Als we erin slagen je grote broer ook op het rechte pad te krij-gen,' zei Darius, 'dan hebben we het goed.'

'Bestel nog een biertje voor me,' zei Walter Hess.

'Ze hebben het licht al aangedaan,' zei Buzz Stewart.

'Dat komt goed uit,' zei Hess. 'Dan kan ik tenminste zien wat ik drink.'

'Hij bedoelt dat ze gaan sluiten,' zei Dominic Martini.

'Verdomme, ik weet wat hij bedoelt, stomme spaghettivreter,' zei Hess. Hij draaide zich om en keek Stewart met troebele ogen aan. 'Bestel nog een biertje voor me, man.'

Ze stonden in een blanke bar in een zwarte wijk in 14th. De man-nen droegen leren jacks, Macs en motorlaarzen. De vrouwen droe-gen Peters-jacks en Ban-lon-shirts. Muziek van Mitch Ryder klonk uit de luidsprekers. Tijdens de laatste bestellingen ging de halfdron-ken menigte in het heldere licht tegen elkaar tekeer. Een wolk siga-rettenrook hing boven de mensen.

'Kom op, Shorty,' zei Stewart. Hij greep Hess bij zijn jack en trok hem in de richting van de deur.

Op weg naar de deur rukte Hess zich los. Hij bleef bij een vrouw staan die hij niet kende. Ze stond naast een kerel die een Schlitz dronk. De vrouw had een pokdalig gezicht en een geblondeerde haarlok. Hess gaf haar een zoen. Ze stond met haar rug tegen de muur en liet haar armen hulpeloos langs haar lichaam zakken. Hess duwde zijn tong in haar mond en likte haar lippen nadrukkelijk, voordat hij haar losliet.

'Nou, zeg,' zei de knul die bij haar was. Hij deed een stap naar voren.

'Nauw is niet wijd, *flikker*,' zei een scheelkijkende Hess grinnikend.

De man deed niets en zei verder niets. Dale, een uitsmijter en een vriend van Stewart en Hess, kwam snel achter de bar vandaan. Hij liep direct naar de knul die zijn meisje wilde verdedigen en drukte hem tegen de muur. Met zijn linkerhand greep Dale hem bij de kraag van zijn shirt, zodat hij zich niet kon bewegen. Met zijn rechtervuist trof hij de knul vol op de neus. De neus werd ingedrukt en bloed liep over de bovenlip in de mond van de knul. Hij liet zijn flesje vallen en keek wazig uit zijn ogen. Dale sloeg hem opnieuw. De mensen in de bar dronken het laatste bier uit hun flesje.

Met een kakelend gelach verliet Hess de bar met Stewart en Martini op zijn hielen. Op weg naar Hess' auto staken ze alledrie een sigaret aan.

Ze reden door 14th. Hess en Stewart waren ladderzat en dat gold ook voor Martini. Stewart klooide net zo lang met de radio tot hij een nummer van Marvin en Tammi had gevonden dat hij leuk vond. Hij zette het geluid harder. Hess gaf opeens een dot gas, zodat Martini tegen de achterbank werd gedrukt.

'Langzaam,' zei Martini.

'Langzaam,' zei Hess met een meisjesstem. Hij gaf nog meer gas.

'Ik meen het,' zei Martini.

'Hou toch je rotkop,' zei Hess.

Na de helling, in een gedeelte van 14th waar huizen stonden, ongeveer tussen Park en Arkansas, zagen ze een blok voor hen uit een jonge zwarte man over het trottoir lopen. Hess haalde zijn voet van het gaspedaal, keek in de achteruitkijkspiegel, keek om zich heen en zag verder niemand op straat. Op die ene zwart man na was er geen enkele voetganger. Hess doofde de koplampen en ging nog langzamer rijden.

'Buzz,' zei Martini. 'Zeg tegen hem dat hij ophoudt met die flauwekul.'

Hess en Stewart keken niet op of om. De zwarte man keek over zijn schouder en begon iets sneller te lopen.

'Hij heeft ons gehoord,' zei Stewart.

'Natuurlijk heeft hij ons gehoord,' zei Hess, 'dat komt omdat die boerenmuziek van jou zo hard staat.'

'Het is de uitlaat van deze brik die zoveel lawaai maakt.'

'Als jij pruttelen lawaai noemt,' zei Hess met samengeknepen ogen, 'hoe komt het dan dat hij er nog niet vandoor gaat?'

'Ze rennen niet meer weg, dat weet je toch? Hij vindt je gewoon aardig, man.'

'Ik zou die nikker vast moeten pinnen, Stubie.'

'Maak hem bang,' zei Stewart. 'Ga je gang.'

'Niet doen,' zei Martini. Maar zijn stem was nauwelijks hoorbaar boven de muziek uit de luidsprekers.

Hess vond een open ruimte tussen de geparkeerde auto's. Hij reed voorzichtig de stoeprand op en even later reed de Ford over het trottoir. Hij reed heel langzaam de helling af. De zwarte man keek nogmaals achterom, keek nog eens en begon opeens te rennen. Hess lachte en gaf gas.

'Hoeveel punten?' vroeg Hess.

'Maak er tien van.'

Ze haalden hem snel in. De zwarte man sprong van het trottoir en rende over straat verder.

'Moet je eens kijken,' zei Hess.

'Alsof hij een alligator heeft gezien,' zei Stewart.

Met gillende banden sprong de Ford van het trottoir en reed over straat verder. Hess schakelde terug en het rubber slipte over het asfalt om grip te krijgen. Hij drukte het gaspedaal weer in en verkleinde de afstand tussen man en auto. Op de achterbank drukte Martini zijn nagels in het rode vinyl.

De jonge man zwenkte opeens naar rechts en rende in de richting van een open plek tussen twee geparkeerde auto's, een donkerrode Chevy en een witte Dodge. Hess volgde hem. De Ford slipte even, maar reed toen door.

Stewart keek opzij naar zijn vriend. 'Hé, Shorty.'

Ze waren verrassend snel bij de jongeman. Hess duwde uit alle macht het middelste pedaal in, maar de snelheid was voor de remmen te hoog. De Ford raakte in een slip. De jongeman draaide zijn hoofd om. Verdomme, dacht Stewart, zijn ogen zijn nog witter dan ik dacht. Intussen tilde de Galaxie de jongeman op en drukte hem tegen het voorste gedeelte van de witte Dodge. Door de botsing werden alle inzittenden van de Ford naar voren gesmeten. Stewart en Hess kwamen tegen het dashboard terecht. Martini's hoofd sloeg tegen de bank. Verdoofd bleven ze zitten, de wereld draaide langzaam om hen heen, de harde muziek en nog iets anders klonken luid in hun oren.

Hess slikte wat bloed door. Hij was met zijn mond tegen het stuur geklapt, het gevolg was een gespleten bovenlip. Stewart raakte een diepe snee aan in zijn wenkbrauw, voelde dat het vochtig was, trok zijn vinger terug en zag dat deze onder het bloed zat. Met trillende rechterhand zette hij de radio af.

Langzaam kwamen ze weer bij hun positieven. Ze keken door de voorruit. Ze zagen de jongeman met verdraaide armen en verwrongen bovenlichaam op de motorkap liggen. Hij lag in een onnatuurlijke hoek in een snel groter wordende plas bloed tegen de Dodge. Lampen werden aangestoken in de rijtjeshuizen waar het even tevoren nog donker was geweest.

'We moeten ervandoor, Shorty,' zei Stewart. Hij zag dat Hess de versnelling heen en weer bewoog, maar verder niets deed.

'Wat?'

'*Smeer 'm.*'

Toen Hess de Ford achteruitreed, gleed het lichaam van de jongeman van de motorkap. Hess deed de koplampen aan. Eén koplamp deed het nog maar. Toen ze nog verder achteruitreden en naar het schouwspel keken, zagen ze brokstukken, glasscherven en delen van de grille op straat liggen. Toen de jongeman op zijn zij rolde, kwam er een klein straaltje bloed uit zijn mond. Hij stak een hand uit alsof hij iets wilde grijpen. De hand viel omlaag. Het lichaam schokte heel even en bewoog toen helemaal niet meer.

Hess gaf gas. Hij reed verder door 14th, terwijl in de verte het geluid van sirenes steeds sterker werd. Martini kneep zijn ogen dicht. Stewart stak een Marlboro tussen zijn lippen en drukte de aansteker in het dashboard in. Hess gaf gas en schakelde naar een hogere versnelling. Hij zat aan een stuk door te mompelen. Hij vroeg zich af hoeveel schade hij aan zijn auto had veroorzaakt.

Vaughn reed in zijn ongemarkeerde patrouilleauto door 16th. Hij had net een nummertje gemaakt en voelde zich ontspannen na zijn laatste borrel. Hij luisterde naar de radio, zijn zend- en ontvangstinstallatie had hij zachtjes gezet. Toen hoorde hij het nieuws over LBJ's besluit. De nieuwslezer op WWDC zei dat de reactie in Washington vlug was geweest.

'Grote aantallen studenten, van wie sommige blootsvoets, dansten uitgelaten in de regen om het nieuws te vieren. Ze bevonden zich in Lafayette Park tegenover het Witte Huis en zongen 'We Shall Overcome'. Velen droegen bumperstickers van McCarthy op hun rug...'

'Jezus,' zei Vaughn. Hij hoopte alleen dat zijn zoon zich niet tussen de feestvierenden bevond. Met dat lange haar tot op zijn schouders paste hij precies bij die lui.

Er kwam een oproep door van het bureau. Vaughn pakte de microfoon uit de houder en gaf antwoord. Het betrof een geval van doorrijden na een aanrijding ter hoogte van een woonblok in 14th. Hij verhoogde zijn snelheid. Toen hij op de plek van het ongeluk arriveerde, waren agenten in uniform, lijkschouwers en een ambulance reeds aanwezig.

In het flitslicht van een politiefotograaf en de knipperlichten van de politieauto's zag Vaughn het verwrongen lichaam in een plas bloed op straat liggen. De jongeman, Vernon Wilson, zeventien jaar oud, was geïdentificeerd aan de hand van zijn papieren in zijn portemonnee. Agenten in uniform waren al begonnen met een buurtonderzoek, maar tot nu toen had zich nog geen getuige gemeld, hoewel één man zei dat hij door een openstaand raam het geluid van gillende banden, luide muziek en een botsing had gehoord. Dat was omstreeks het tijdstip van de dood van het slachtoffer geweest. Glas van koplampen, stukken van een grille en het Ford-embleem met de vleugels had men vlak bij het lichaam gevonden. In het licht van een zaklantaarn ontdekte men op de plaats van het delict rode verf waar de witte Dodge was ingedeukt.

Vaughn liet alle brokstukken in plasticzakken verzamelen als bewijs. Intussen liep hij langs het blok op en neer om een algehele indruk te krijgen. Morgen zou hij het type Ford laten bepalen door iemand van het lab. Die wist bijna alles van auto's en zou aan de hand van de grille, het embleem en de stukken glas tot een bepaalde conclusie komen. Vaughn zou alle bekende plaatwerkers informeren over de schade aan de bumper, koplampen, motorkap en spatborden van een rode Ford. Hij zou bij bepaalde garages langsgaan, die een reputatie hadden opgebouwd in het omkitten en repareren van voertuigen die misdadigers hadden gebruikt of bij een misdaad waren betrokken.

Als men tot de conclusie was gekomen dat het geen moord was, hoefde hij zich hier niet meer mee te bemoeien. Misschien dat een ladderzatte kerel de jongen had aangereden, in paniek was geraakt en ervandoor was gegaan. Als dat het geval was, bestond de hoop dat de chauffeur weer nuchter wakker werd, Jezus zag, de politie belde en zichzelf aangaf. Maar Vaughn was er bijna zeker van dat dit een zaakje voor hem was.

Ten noorden van de plaats delict zag men in de grasstroken aan beide kanten van het voetpad sporen van stukken weggeslagen gras. Toen werd het Vaughn duidelijk dat de chauffeur van de Ford met opzet het trottoir was opgereden. Bovendien had de auto slip- en remsporen op de plaats delict achtergelaten, een duidelijk bewijs van gas geven en roekeloos rijden. Het was alsof Vernon Wilson was opgejaagd. De luide muziek betekende dat de chauffeur of inzittenden nog jong waren en in zekere mate ook nog van de jacht hadden genoten.

Het was hoogst twijfelachtig dat Wilson in politiek opzicht belangrijke connecties had, zodat er geen haast bij was om de zaak op te lossen. Uiteindelijk was het een zwarte knul met een gebroken nek, en daar werd een lage prioriteit aan toegekend. Maar toch zou Vaughn zijn plicht doen.

Dennis Strange stond in de steeg die evenwijdig tussen Princeton en Otis liep. Hij stak een lucifer aan en hield zijn hand om de vlam. Hij schermde de vlam af, stak de joint aan die hij zojuist had gerold, nam een trekje en liet de zoete rook in zijn longen hangen.

Een hond blafte vlak bij de noordelijke T-kruising van de steeg, vlak bij Park View Elementary. Hij herkende het diepe geluid en wist dat het de hond, een langharige Duitse herder, van de familie Broadnax was die onlangs een zoon in de oorlog had verloren. Ze hadden het beest al meer dan vijftien jaar. Hij herkende bijna iedere hond in deze buurt aan de manier waarop ze blaften. Dat gebeurde als je zo lang op dezelfde plek bleef wonen. In zijn geval te lang. Hij wist dat het onnatuurlijk was voor een man om na een bepaalde leeftijd nog bij zijn ouders te wonen. Maar dat had hij niet zo gepland. Het probleem was dat hij nog nooit iets gepland had. Dennis blies de rook uit en nam weer een trekje.

In de keuken van het appartement van zijn ouders brandde de ronde tl-buis aan het plafond niet meer. Hij zag het flikkerende licht van de tv op de muren. Waarschijnlijk keek zijn vader in de woonkamer nog naar een western. En als dat niet het geval was, naar een of andere politieserie.

Dennis had de cheque aan James Hayes gegeven, zijn jarenlange dealer die in Otis woonde, en er in ruil marihuana voor teruggekregen. Hayes was een al wat oudere, onopvallende man en hij droeg nette kleren die niet duur waren. Hij woonde alleen en kreeg af en toe bezoek van een vriendin. Iedere buurt scheen zo'n dealer te hebben, één voor marihuana en één voor heroïne. Soms, maar niet dikwijls, verkocht dezelfde man beide producten. Veel volwassenen die vlak bij hem woonden, wisten wat de man voor de kost deed. En de opgroeiende kinderen wisten het ook. Meestal besloten de mensen zich met hun eigen zaken te bemoeien en hem zijn gang te laten gaan.

Dennis nam een stevige trek van zijn joint en kreeg het gevoel alsof hij zachtjes gekust werd.

Je sprak niet met de politie. Dat was de regel. Tenzij men iets met een oudere persoon of een kind uithaalde. In de ogen van velen was een verklikker nog erger dan een misdadiger. Zo ging het nu eenmaal. Zelfs zijn vader dacht er zo over, en een eerlijker man dan hij bestond niet.

Niet dat zijn vader Derek in zijn uniform niet bewonderde. Het was vanzelfsprekend dat hij dat deed. Maar van je zoon de agent houden was iets anders dan van de politie houden. Om naar de politie te gaan voor iets dat zich vanzelf oploste of op een andere manier buiten de wet om geregeld kon worden, nou, dat was verkeerd. Dat wist Dennis absoluut zeker. Vanzelfsprekend leverde dat wel eens problemen op. Zoals, wat ze morgenavond van plan waren te doen, met Alvin en Kenneth. Als zijn vader zoiets van tevoren wist, en een van hen was zijn vriend, wat zou hij dan doen?

De joint begon zijn werk te doen in Dennis' hoofd. Zijn gedachten werden groots en stoutmoedig.

Oké, hij zou niet werkeloos blijven toekijken als ze die supermarkt gingen beroven. Maar zoals Alvin zich gedroeg. Als alles niet volgens plan verliep zou hij de oudere broeder achter de toonbank vermoorden. En dan zou alles op Dennis' hoofd terechtkomen. Opnieuw iets om zich voor te schamen.

Maar hij kon er iets aan doen. Iets dat ervoor zou zorgen dat zijn vader op dezelfde manier naar hem zou kijken als naar Derek. Zoals hij in gedachten dikwijls zelf naar Derek keek.

'O, shit,' zei Dennis. Hij grinnikte bij die gedachte en staarde naar de gloeiende joint tussen zijn vingers. Hij koesterde die gedachte nog even.

Misschien moet ik deze high maar eens goed op me laten inwerken, dacht hij. Even rondlopen en een plan bedenken.

Dat zou voor de verandering iets bijzonders zijn, dacht Dennis Strange. Een plan.

15

Maandag lag in Memphis het lichaam van de zestienjarige Larry Payne in de Clayborn Temple African Methodist Episcopal Church opgebaard. Hij was door een blanke agent doodgeschoten. De kerk was het beginpunt van de mars die de week daarvoor onder leiding van dr. Martin Luther King Jr. gelopen was. Onder het toeziend oog van troepen van de Nationale Garde kwamen honderden zwarten naar de kerk om hun deelneming te betuigen. King zou de volgende dag naar Memphis terugkeren om er vrijdag een nieuwe mars te leiden.

Maandag leverden politici in het openbaar commentaar op de terugtrekking van LBJ uit de race en zijn nieuwe, relatief vredelievende standpunt over de oorlog in Vietnam. Voormalig vice-president Nixon, de voornaamste Republikeinse kandidaat, zei dat 'een stopzetten van de bombardementen op zichzelf geen stap op weg naar vrede was'. De gouverneur van Californië, Ronald Reagan, verklaarde dat 'beperkingen meestal de dood van meer Amerikanen tot gevolg hadden'. Hij voegde eraantoe dat hij 'voor het opvoeren van de oorlog was'. Robert Kennedy, Eugene McCarthy en vice-president Hubert Humphrey verklaarden openlijk dat ze Johnson steunden, terwijl ze achter de schermen hun uiterste best deden om een zo goed mogelijke uitgangspositie voor de komende race te bemachtigen. Johnson zelf zei in een ongewoon openhartige en ontspannen rede voor NBA dat er 'dingen waren waarmee een president geen populariteit kon kopen', en gaf toe 'dat hij communicatief dikwijls tekort was geschoten'.

Maandag gingen arbeiders in D.C. naar hun dagelijkse werk. Derek Strange en Troy Peters patrouilleerden door hun wijk. Buzz Stewart reed achter Walter Hess aan naar een garage in Hyattsville, Maryland, waar Hess zijn Galaxie achterliet om gerepareerd te worden. Vervolgens bracht Stewart eerst Hess naar zijn werkplaats, waarna hij naar het Esso-station reed om te gaan werken. Daar was Dominic Martini al bezig de pompen te bedienen. Binnen de Three Star in Kennedy Street stond Darius Strange over een hete grill gebogen en probeerde niet aan de pijn in zijn rug te denken. Intussen liep Mike Georgelakos door de zaak, bediende de kassa en sprak met de klanten. Ella Lockheart bediende de klanten. Kenneth Willis maakte een lagere school schoon in een zijstraat van Kansas Avenue in het noordwestelijk deel. Alethea Strange maakte een huis schoon in Caddington Avenue in Silver Spring, Maryland. Haar oudste zoon Dennis reed in een bus van D.C. Transit door 7th Street.

Dennis Strange, met in zijn hand een boek waarin hij had zitten lezen, stapte uit tussen Florida en Rhode Island en liep in oostelijke richting naar de straten met de lage nummers in LeDroit Park. Hij zag de supermarkt met het goudgroene uithangbord boven de deur en liep naar binnen.

De oude jood, meneer Ludvig, zat achter de toonbank met een opengeslagen *Post* voor hem. De zwartwit-tv van de zaak stond op kanaal 5. Dat kanaal zond op dat moment de plaatselijke interview-show uit, *Panorama*. Daarin trad die jonge knul, de zoon van de sportjournalist Shirly Povich, als gastheer op.

Meneer Ludvig keek op toen Dennis de zaak binnenliep. Een blijk van negatieve herinnering verscheen in zijn waterige ogen. Daarna glimlachte hij geforceerd. 'Jij bent mijn pakje Kools. Heb ik gelijk of niet?'

'Dat klopt,' zei Dennis, 'maar vandaag niet. Ik ben op zoek naar de man die hier werkt, John.'

'Meneer Thomas is in het magazijn.'

'Kan ik hem even spreken?'

Ludvig keek nog eens aandachtig naar Dennis, vervolgens kwam hij van zijn kruk af, gromde iets en liep naar het magazijn. Dennis hoorde gedempte stemmen, en even later kwam Ludvig terug.

'Loop om de zaak heen naar de steeg. John staat op het punt om een rookpauze te nemen. Hij zal achter de zaak staan.'

De steeg liep tussen twee huizenblokken door. De supermarkt was de enige zaak in het blok. Zwerfkatten en hun jongen schoten alle kanten op toen Dennis over het gebarsten beton kwam aanlopen. Voor hem gooide een jongen een bal tegen een stenen muur. De jongen keek naar Dennis, maar hield de bal even vast om hem te laten passeren.

'Jonge broeder,' zei Dennis. De jongen knikte even als groet. 'Niet naar school vandaag?'

'Ik heb tegen mijn moeder gezegd dat ik ziek ben.'

'Als je echt zo ziek bent, kun je niet buiten spelen.'

'Ja, nou.'

'Kennis is macht,' zei Dennis, terwijl hij het boek omhooghield. 'Je moet echt naar school gaan.'

'Dat zegt mijn moeder ook,' zei de jongen. 'Maar nu werkt ze.'

'Pas goed op jezelf, hè?'

Dennis liep verder. John Thomas zat naast het stoepje van de supermarkt op een omgekeerd melkkratje te roken. Zijn ogen namen Dennis nauwkeurig op toen deze kwam aanlopen. Hoewel het die dag koel was, lag er toch een laagje zweet op Thomas' gezicht. Hij toonde ouder dan de avond daarvoor in het kunstlicht van de supermarkt. Het daglicht toonde de diepe lijnen die hard werken en de tijd in zijn gezicht hadden geëtst.

'Jongeman,' zei Thomas.

'Hoe gaat het?'

'Prima.' Thomas keek naar het boek onder Dennis' arm. 'Vind je het mooi?'

Dennis keek naar de omslag van het pas verschenen *Soul on Ice* alsof hij vergeten was dat hij het bij zich had. Overal in de stad bespraken jonge mensen van verschillende rassen en uit alle kringen dit boek. Het boek had sommige mensen razend gemaakt en anderen nieuwe energie gegeven. Maar iedereen die het las, had er wel een mening over. Dennis las het nu voor de tweede keer.

'Eldridge Cleaver spreekt de waarheid.'

'In sommige opzichten wel,' zei Thomas. 'Dat moet ik hem nageven. Maar nog nooit heeft iemand het op de manier uitgelegd als hij nu, hoewel ik mijn hele leven op deze manier geleefd heb. Mijn zoon, een jongeman van jouw leeftijd, heeft het aan mij geleend. Je moet begrijpen dat het voor mij niet meevalt om hem goed te begrijpen. En nog meer moeite heb ik met de man zelf.'

'Wat mag je niet in hem?'

'Om te beginnen is hij een verkrachter. Ik bedoel dat feit alleen al. Het gaat rechtstreeks tegen mijn christelijke opvoeding in om zo'n man als hij te volgen.'

'Hij heeft ervoor in de gevangenis gezeten.'

'En dat moest hij ook. Maar dat type geweld tegenover een medemens… ik zie niet hoe iemand dat kan negeren. Neem nu een man als King, nou, dat is pas een leider. De dominee komt als vredestichter. Vanzelfsprekend, als je zo oud bent als jij, dan ben je daar waarschijnlijk te ongeduldig voor.'

'Ik respecteer de man. Hij is goed, daar bestaat geen enkele twijfel over. Maar sommige jonge zwarte mannen en vrouwen zijn van mening dat passieve tegenstand nergens toe leidt.'

'Wat werkt volgens jou dan wel? Vuur? Je ziet wat er in Watts is gebeurd. Jonge zwarte mannen en vrouwen brandden de samenleving plat, en wat hadden jullie klaarstaan om die plaats op te vullen? Als deze supermarkt in de as wordt gelegd, verliezen zwarte *mensen* zoals ik hun baan. Als deze supermarkt in de as wordt gelegd, kunnen zwarte *mensen* nergens meer terecht om hun boodschappen te doen en hun kinderen te voeden. Begrijp je wat ik bedoel? Voordat je iets afbreekt, moet je iets opgebouwd hebben.'

'Ik snap het. En ik weet dat u het niet prettig vindt. Misschien snapt u het helemaal niet. Maar toch staat het te gebeuren.'

'Om het probleem te onderkennen was het voor mij niet nodig om het boek te lezen,' zei Thomas. 'We hebben alleen maar een oplossing nodig die onze eigen mensen niet beschadigt.'

'Mensen worden altijd beschadigd in een revolutie. Er is nog nooit een makkelijke geweest, hè?'

Ludvig verscheen in de deuropening van het magazijn en schraapte zijn keel. 'Alles oké hier?'

'Jazeker, meneer Ludvig,' zei Thomas.

Ludvig keek van Thomas naar Dennis en verdween weer in de winkel.

Thomas maakte een beweging met zijn hoofd. 'Kom op, wat wilde je zeggen. Het is duidelijk dat je iets op je lever hebt.'

'Is dat zo duidelijk te zien?'

'In ieder geval gisteravond. Volgens mij wilde je gisteravond al iets tegen me zeggen.' Thomas nam een trekje van zijn sigaret en tikte de as op het beton. 'Je kunt het net zo goed nu doen.'

Dennis knikte langzaam. 'Een paar jongens die ik ken, zijn van plan om de zaak te overvallen.'

'Zeker die knullen die in de groene Monterey zaten te wachten tot jij weer naar buiten kwam?'

Dennis keek hem verbaasd aan. 'Ja.'

'Kijk niet zo verbaasd. Vanaf het eerste moment dat ik je in de zaak zag, wist ik dat je niet deugde. Jullie hadden meteen weg moeten rijden, in plaats van daar te blijven staan om het plan door te nemen of wat jullie daar ook deden. Bovendien stonden jullie ook nog onder een lantaarn. Ik hield jullie door het winkelraam in de gaten. Mijn ogen hebben me nog niet in de steek gelaten. Ik kon de chauffeur goed opnemen, een donkere knul met vreemde tanden, en die andere knul met zijn hoed. Jullie gaven me zelfs de gelegenheid om het kenteken te noteren. Maar iedereen die zo laf is om iets dergelijks te proberen is natuurlijk niet erg slim.'

'Dat denk ik ook niet.'

'Dat denk je. Hm.' Thomas nam een trekje van zijn sigaret, blies langzaam de rook uit en keek Dennis strak aan. 'Wanneer?'

'Vanmiddag.'

'Ik zeg het steeds weer tegen Ludvig. Iedereen die in deze stad is opgegroeid, weet dat deze supermarkten veel geld in kas hebben op de dag dat er afgerekend moet worden. Ik zeg hem al jaren dat hij daar verandering in moet brengen.'

'Dat was hun plan. Ze willen jullie overvallen voordat je het geld gestort hebt.'

'En wat was jouw aandeel hierin?'

'Ik moest van hen de zaak verkennen. Maar ik heb niets verteld, man.'

'Niets, hè?'

'Ik heb zelfs niet verteld dat u een wapen onder de toonbank verbergt.'

'Je hebt goede ogen.'

'Sommigen beweren dat dat inderdaad zo is. Sommigen zeggen dat ik goed in details ben.'

'Dan ben je slimmer dan je vrienden, en je hebt talent. En ook nog een geweten. De vraag is alleen, waarom trek je met dat soort jongens op?'

'Dat weet ik niet,' zei Dennis. 'Zo lang ik me kan herinneren ben ik op het slechte pad. Ik denk dat het moeilijk is om van richting te veranderen.'

'Dat heb je zojuist gedaan. In ieder geval wijzen je voeten in de juiste richting.' Thomas nam een laatste trekje van zijn sigaret en trapte hem onder zijn schoen uit. 'Hoe heet je, jongen?'

'Dennis Strange.'

Thomas glimlachte even. Hij miste een paar tanden. 'Juist. Oké. Ik heb ooit ene Strange gekend, zijn voornaam begon ook met een D. Een veteraan. Ik zag hem meestal tijdens zo'n banket in de Republic Gardens, in the Blue Room in U. Maar ik ben er tien jaar geleden voor het laatst geweest.'

'Zijn bijeenkomsten van the American Legion,' zei Dennis. Hij herinnerde zich die gebeurtenissen levendig en zag in gedachten zijn vader in smoking en strik het huis verlaten.

'Post nummer Vijf,' zei Thomas. 'Dat is dus familie van je?'

'Mijn vader. Hij heet Darius.'

'Darius, juist. Staat achter de grill. Woont hij nog steeds in Park View?'

'Princeton Place,' antwoordde Dennis. 'Een zijstraat van Georgia.'

'Een beste kerel,' zei Thomas.

'Ja,' zei Dennis, 'mijn hele familie is prima.' Hij wendde zijn blik af en leek een beetje verlegen met zijn trots. 'Luister – '

'Ik weet het. We hebben elkaar nooit gesproken.'

'Dat is niet alles. Een van die jongens, de chauffeur die u zag… Die ken ik al jaren.'

'Je hebt gekozen,' zei Thomas. 'En het was de juiste keuze.'

'Ik wil alleen niet dat hij neergeschoten wordt of zo.'

'Wat er met die jongen gebeurt, gaat toch gebeuren, of hij nú de prijs betaalt of over een jaar. Hij gaat gewoon de verkeerde kant op. Maar je hoeft niet bezorgd te zijn dat hem iets overkomt. Wat dacht jij dat ik onder de toonbank wilde grijpen? Dat was geen vuurwapen. Het was alleen maar een met lood gevulde knuppel. Verrek, ik heb sinds de oorlog toen ik bij de intendancetroepen zat geen geweer meer aangeraakt.'

'Wat bent u dan van plan?'

'Ik ga mijn plicht doen,' zei Thomas. 'Volgens mij wil je de namen van die twee maten van je niet geven?'

'Dat kan ik niet.'

'Dat verwachtte ik al. Maar dat maakt niet uit. We redden het wel. Zoals ik al zei, je hebt er goed aan gedaan.'

'Ik ben hier niet geweest. Wat er ook gebeurt, ik ben hier niet geweest.'

'Afgesproken.' Thomas stak zijn hand uit die Dennis schudde. 'Je blijft op het rechte pad, hè?'

'Ik zal mijn best doen.'

Dennis draaide zich om en verliet de steeg langs dezelfde weg als hij gekomen was. John Thomas zag dat hij de jongen voorbijliep, die de bal al urenlang tegen de stenen muur gooide. Vervolgens stond hij op van het melkkratje en verdween door de achterdeur. Hij liep door het magazijn naar de winkel waar Ira Ludvig weer op zijn kruk was gaan zitten.

'Het is beter dat u het geld nú op de bank stort, meneer L.'

'Het is nog te vroeg.'

'Ik vind dat het beter is om het nú te doen,' zei Thomas nadrukkelijk.

Ludvig keek op. Thomas sprak zelden op een dergelijke toon tegen hem. Maar als hij dat deed, dan luisterde Ludvig.

'Oké. Let jij ondertussen op de zaak?'

'Prima,' zei Thomas.

Nadat Ludvig de zaak verlaten had met de groene geldzak onder zijn arm, belde John Thomas en liet een boodschap voor William Davis achter. Hij kende Davis al zijn hele leven, al sinds hun jeugd in Foggy Bottom. Brigadier Davis, nu een man van middelbare leeftijd, was een van de eerste zwarte agenten in het korps geweest. Normaal gesproken verwachtte Thomas geen reactie op zo'n telefoontje. Tenslotte beschikte de politie niet over zoveel tijd om mannen in de gaten te houden die van een nog te plegen misdrijf werden verdacht. Maar Bill Davis zou zeker in actie komen als John Thomas iets aan hem vroeg.

Tien minuten later werd Thomas teruggebeld. Hij vertelde William Davis alles wat hij wist, plus de dingen die hij vermoedde. Davis vroeg hoe hij aan deze informatie gekomen was, maar Thomas zei dat hij het meeste wist omdat hij de avond tevoren alles geobserveerd had, en dat het deels intuïtie was. Maar de naam van de jongeman, Dennis Strange, noemde hij niet.

'John, weet je het zeker?'

'Heb ik je ooit eerder met zoiets lastiggevallen?'

'Nou, gewoonlijk maak je me niet blij met een dode mus.'

'Nou dan.'

'Maar je begrijpt dat het wel gevaarlijk is.'

'Die knul gaat ons overvallen, hij móet wel gewapend zijn. De kans bestaat dat als hij het vandaag doet, hij het eerder gedaan heeft. Die knul is al eens eerder veroordeeld. Dus als hij bij zijn arrestatie een wapen draagt, is dat een goede reden om hem weer achter de tralies te zetten.'

'Ga je me nu ook vertellen hoe ik mijn werk moet doen?'

'Dat zou ik nooit durven.'

'Oké dan,' zei Davis. 'Ik zal het regelen. En ik stuur een paar agenten in uniform om de rest van de dag voor de zaak te posten. Wat denk je daarvan?'

Toen Ludvig weer in de winkel terugkeerde, stond er al een patrouilleauto met twee agenten op de hoek van de straat. Ludvig stopte de lege geldzak in een lade onder de kassa waar hij hem altijd bewaarde. Hij liep naar het raam en keek de straat in.

'Staan die agenten daar al lang?' vroeg Ludvig.

'Nog niet zo lang.'

'Ik vraag me af wat er aan de hand is.'

'Ik zou het niet weten. Maar het kan geen kwaad dat ze in de buurt zijn.'

Ludvig staarde naar zijn jarenlange medewerker. Buiten hun werk hadden ze elkaar nooit ontmoet, maar toch beschouwde hij hem als zijn vriend. Ludvig wist niet hoe hij het zonder hem zou moeten redden. Soms vroeg hij zich af wie er in werkelijkheid de zaak runde. Maar hij was geen man met een groot ego, dus uiteindelijk vond hij de vraag totaal onbelangrijk.

'John?'

'Ja, meneer.'

'Waarom moest ik dat geld van jou vandaag zo vroeg storten?'

'Weet u nog dat ik u ooit gezegd heb dat u uw routine moest veranderen? Vandaag vond ik dat het de juiste dag was om ermee te beginnen. Weet u, ik had gewoon dat voorgevoel.'

'Dat voorgevoel heeft toch niets te maken met die knul die je vandaag kwam opzoeken, hè?'

'Totaal niet,' antwoordde Thomas. 'We hadden gewoon een gesprek. Het blijkt dat ik zijn vader ken.'

'Ik vertrouwde hem niet, dat is de reden waarom ik het vraag.'

'U weet hoe het is nu we oud en wijs genoeg zijn. De meeste jongemannen die hier binnenlopen, zijn in onze ogen herrieschoppers. Tenzij we hen kennen.'

'Dat is zo,' zei Ludvig.

'Maar dit is een goede jongen,' zei Thomas.

Een jongen met problemen, dacht Thomas. Maar een goede jongen.

16

Pat Millikins garage stond aan een zijweg van Agar Road in West Hyattsville, in Marylands Prince George's County. De garage bevond zich in een uit B-2-blokken opgetrokken gebouw aan een grindpad, achter een rij zaken waar men onderdelen en opvoersets verkocht. Er hing geen bord zodat je niet wist waar de zaak was, maar bepaalde klanten wisten waar ze moesten zijn, en Millikin zat dan ook nooit zonder werk. Daarnaast sloopte hij auto's en dan vooral huurauto's. Voor vijftig dollar kon iemand een keuringsbewijs voor zijn voertuig krijgen. Op zijn diensten en producten na verkocht Millikin eigenlijk een gegarandeerd stilzwijgen.

Millikins broer Sean, een mislukkeling, had wegens doodslag in de gevangenis gezeten. In de gevangenis van West Maryland was Walter Hess zijn celmaat geweest. Hess was bepaald geen fan van de Ieren, maar Sean was een blanke en daarom zocht je elkaar automatisch op in de gevangenis. Sean vertelde Hess over zijn broer Pat en wat hij voor hem kon betekenen, als hij ooit in de problemen kwam. Hess had Pats naam een paar keer genoemd, bovendien hadden hij en Stewart vroeger voor een paar kleinigheden van zijn diensten gebruiktgemaakt. Nu had Hess Pat nodig.

Buzz Stewart reed in zijn Belvedere door Agar Road. Hij luisterde naar 'Jimmy Mack' op de radio en genoot van Martha and the Vandellas. Zijn linkerarm hing uit het raam met een brandende Marlboro tussen zijn vingers. Hij volgde Hess die achter het stuur van zijn Galaxie zat. Die hield zich keurig aan de maximumsnelheid. Hess wilde onder geen enkele voorwaarde voor iets onbenulligs aangehouden worden, en zeker hier niet. De agenten van PG County hadden de reputatie dat ze van niemand geintjes accepteerden. Hess vond het beter om maar langzaam te rijden, nergens door het rode licht te rijden en zo gauw mogelijk de Ford naar Pat te brengen.

Als dat eenmaal was gebeurd, was hij veilig.

Stewart en Hess bereikten Hamilton. Stewart zag het grote bord van Queen's Chapel Drive-in, waar ze soms naar de film gingen en een dubbele afspraak met meisjes maakten. Op de luifel stond dat er drie films van Lee Marvin draaiden. Die werden over een paar dagen door andere films vervangen. Stewart en Shorty hadden vorige week in het gezelschap van een paar barhoertjes alledrie de films gezien.

Ze waren er in Stewarts Belvedere heengereden. Ze waren al dronken toen ze een open plek vonden, het raampje halfopen zetten en de speaker aan de rand ophingen. Stewarts vriendin miste een voortand en zat naast hem op de voorbank. Hess zat met zijn meisje op de achterbank. De eerste film was een oude, *The Killers*, waarin die knappe griet Angie Dickinson meespeelde, zodat deze best wel te verteren was. De tweede film heette *Sergeant Ryker*, een rechtbankdrama waarbij ze zowat in slaap vielen. Het leek wel een film die speciaal voor tv was gemaakt. Tijdens die film rookten ze een paar sigaretten en dronken nog wat. Tegen de tijd dat *The Professionals* werd vertoond, was Shorty straalbezopen. Hij lachte om een paar zwarte kinderen die bij de schommels speelden. Vlakbij waren de onoverdekte zitplaatsen waar de gezinnen zaten. Hij schold de kinderen uit voor nikkertjes en zo. Daarna begon Shorty het meisje op de achterbank te mishandelen, hij greep haar zo stevig vast dat vingerafdrukken op haar gezicht te zien waren. Stewart vond er niets meer aan toen hij haar hoorde huilen en ze zich begon te verweren. En dat gebeurde juist op het moment dat de film pas echt goed begon te worden. Eén ding viel hem op. De manier waarop Lee Marvin de kolf van zijn jachtgeweer tegen zijn dij hield. Dat had hij vast en zeker bij de mariniers geleerd, want het leek zo natuurlijk. Verdomme, alles aan Marvin was natuurlijk. Die klootzak had een echt krankzinnige blik in zijn ogen.

Ze kregen de kans niet om de film af te zien, want nadat Shorty gekregen had wat hij wilde, zei hij dat het tijd werd om te gaan. Toen ze het terrein van de drive-in verlieten, begon het meisje weer te huilen. Voordat hij de hoertjes liet uitstappen, had Stewart zich door zijn hoertje laten aftrekken zodat het toch niet helemaal een verloren avond was. De volgende dag had hij een barstende koppijn van al het bier.

Dat was onschuldig vermaak vergeleken bij wat er gisteravond gebeurde. Verdomme, soms ging Shorty veel te ver. Er was geen enkele reden geweest om die kleurling aan te rijden, maar ja, het was gebeurd. Je liet de auto repareren en probeerde er niet meer aan te denken, dat was het enige wat je kon doen. Dominic Martini met al dat katholieke schuldgevoel was de zwakke schakel. Zoals hij na het incident reageerde leek het wel alsof hij wilde gaan biechten. Stewart moest Martini duidelijk maken dat hij kon biechten wat hij wilde, maar er was niemand, geen priester of de almachtige God zelf, die in staat was die kleurling weer levend terug te brengen. Maar Stewart verwachtte niet dat Martini een probleem zou gaan vormen.

Het moest hem alleen duidelijk gemaakt worden. Martini was een meeloper en dat zou hij altijd blijven.

Ze bereikten Pat Millikins garage. Hess reed de plek in die Millikin voor de Ford had opengelaten en zette de motor af. Stewart parkeerde zijn Belvedere buiten achter een donkerrode Dart GT. Hij stapte uit en sloot de Plymouth af.

Een nors kijkende, forsgebouwde neger zat op een stoel voor de garage een sigaret te roken. Hij bekeek de Belvedere en toen hij dat deed, verscheen er een flauwe glimlach op zijn gezicht. Stewart nam aan dat hij de auto bewonderde, dus knikte hij naar hem in de verwachting een reactie terug te krijgen. Maar er gebeurde niets. Stewart dacht: waar je ook komt, overal is het hetzelfde.

Hij liep de garage in waar een radio 'Cherish' speelde. Millikin, bleek, sproeten en gespierde armen, liep om de Ford en nam de schade op. Hij droeg een overall waar de mouwen van waren afgeknipt. Een sigaret hing tussen zijn lippen. Hess volgde hem op de hielen.

'Nou,' zei Millikin,' je hebt in ieder geval niet gelogen.'

'Het is mijn schuld,' zei Hess. 'Ik heb het goed verknald.'

'Wat heb je geraakt, een eland?'

'Nee, een aap,' zei Hess en keek Stewart even grinnikend aan.

'We hadden gewoon een ongeluk,' zei Stewart, terwijl hij Hess met zijn ogen tot kalmte maande. 'Te veel gedronken, dat is alles. Maar weet je, we hebben geen bericht met informatie over onze verzekering onder de ruitenwissers van die andere kerel achtergelaten.'

'Je hoeft niets meer te zeggen,' zei Millikin.

Op dat ogenblik zag Hess de kleurling, die buiten zat toen zij kwamen aanrijden. Hij was achter Stewart de garage binnengelopen. Hess vroeg zich af of hij de opmerking over de aap had gehoord. En toen vroeg hij zich af waarom hij zich daar druk over maakte. Hem maakte dat niets uit.

'Lawrence, kom eens even,' zei Millikin.

Hess en Stewart zagen de nors kijkende kleurling naderbij komen en naar de Ford kijken. Hij keek er zorgvuldig naar. Hij zei 'Ja' en 'Hm' en nam de schade nogmaals op. Hij stak zijn handen in zijn zak en keek Millikin aan.

'Nou?' zei Millikin.

'Dat is een behoorlijk karweitje,' zei Lawrence.

'Ga weg,' zei Hess. Hij wendde zich tot Millikin. 'De vraag is: wanneer en hoeveel?'

'Ik moet eerst naar Brandywine,' zei Lawrence. Hij sprak nog steeds met Millikin en negeerde Hess alsof hij niet bestond. 'Ik zal zien of ik onderdelen bij de sloperij kan krijgen. Anders moet ik ze bij de fabriek bestellen. Met andere woorden, ik laat het je nog weten.'

'Je hebt hem gehoord, Shorty,' zei Millikin. 'Ik kan nog geen prijs noemen. Over een paar dagen weten we meer.'

'Ja, oké.'

'Pat,' zei Stewart. 'Heb je even?'

'Hij is te vertrouwen,' zei Millikin, die Lawrence bedoelde.

'Even maar,' zei Stewart.

Lawrence liep zonder iets te zeggen de garage uit.

'Ik wil een auto huren,' zei Stewart. 'Met kenteken. Een snelle auto, maar geen opgevoerde.'

'Wanneer?'

'Gauw.'

'Ik vind wel iets voor je,' zei Millikin.

'Vroeger werkte je hier alleen,' zei Hess.

'Ik had meer hulp nodig. Ik heb nog een zaak en daar doe ik ook dergelijke karweitjes. Deze plek is een beetje te opvallend, begrijp je? Daarom heb ik nog iemand anders nodig.'

'Ja, nou, ik ken *Lawrence* van Kingfish niet. Ik voel me bij hem niet op m'n gemak.'

'Lawrence heeft net als jij in de gevangenis gezeten. En net als jij praat hij niet met de politie.' Er verscheen een spottende uitdruk-king in Millikins ogen. 'Nu je het er toch over hebt, jullie lijken in veel opzichten op elkaar.'

'Laat me niet lachen,' zei Hess.

Millikin schoot zijn peukje door de deuropening naar buiten. 'Ik waarschuw je wel wanneer je die auto kunt ophalen.'

Hess en Stewart verlieten de garage. Lawrence Houston zat weer op zijn stoel recht voor zich uit te staren en te roken.

Nadat ze waren weggereden, schudde Hess zijn hoofd.

'Heb je gemerkt dat ze altijd van die dure voornamen hebben?' zei Hess. 'Het kon weer niet gewoon Larry zijn. Het moest weer *Lawrence* zijn.'

'Jouw moeder heeft jou toch Walter genoemd?' zei Stewart en keek Hess een beetje schuin aan. 'En niemand heeft jou toch ooit Wally genoemd, hè?'

'Dat is niet hetzelfde.'

'Ik vermoed dat Pat gelijk had. Die nikker is precies zoals jij.'

'Ach, *flikker toch op,* Buzz.'

Stewart glimlachte en zette de radio aan.

Kenneth Willis nam de laatste afvalbak mee uit de kantine en bracht hem naar de afvalcontainers achter de school. Willis droeg de afval-bak nonchalant op zijn schouder zoals sommige mannen een sport-jack droegen. Bovendien was hij er sterk genoeg voor. In tegenstel-ling tot zijn chef Samuel, een oude man, die Willis in gedachten Sambo noemde. Altijd met neergeslagen ogen tegen iedereen 'ja meneer' zeggen en op zijn hoofd lopen krabben.

Als hij een volle afvalbak op die manier droeg, kwamen zijn arm-spieren heel goed uit. Tijdens zijn werk rolde hij zijn mouwen zover op dat de dames precies wisten wat ze aan hem hadden. Om dezelfde reden droeg hij altijd een strakke broek. Hij voelde de blikken van de onderwijzeressen die hem nakeken als hij door de gang liep. Sommige meisjes, die daar naar school gingen, keken soms ook naar hem. Hoewel ze veel te jong waren om te weten waarom ze zo'n warm gevoel vanbinnen kregen.

Hij verliet het gebouw door de achterdeur, stortte het afval in de grote, oude, groene container en zette de bak op de grond. Hij stak zijn hand in zijn borstzakje, haalde er een Kool uit en stak hem aan. Hij nam een trek en keek naar de kinderen, wat hij altijd graag deed. Ze hadden geluncht en stonden aan de rand van de speelplaats. Op een onverzorgd grasveld schopten ze een rubberbal naar elkaar.

Er was één meisje naar wie Willis regelmatig moest kijken. Ze had vlechtjes in haar haar en droeg als ze naar school ging bijna altijd een rokje. Ze droeg witte sokjes aan haar voeten. Het meisje was pas tien, maar ze had een kontje van een meisje van dertien. Toen de school uitging en de moeder het kind kwam ophalen, wilde Willis nagaan wie ze was. Als de moeder model stond voor de toekomst van het meisje, nou, dan zag die toekomst van het meisje er zonnig uit.

Niet dat hij in kleine meisjes of iets dergelijks was geïnteresseerd. Maar af en toe had hij iets met een paar jonge meisjes, het laatste met dat veertienjarige grietje dat ervoor gezorgd had dat hij achter de tralies belandde. Veertien? Shit, de manier waarop dat meisje haar heupen bewoog? Slechts een volwassen vrouw wist hoe je die moest laten draaien. Maar dat lag nu achter hem. Als hij nu naar iets op zoek was, moest hij voorzichtig zijn. Ondanks zijn strafblad had hij toch deze baan gekregen. Dat kwam omdat iemand te lui was geweest om in zijn verleden te duiken. En deze baan wilde hij niet kwijtraken, nog niet.

Maar dat zou niet lang meer duren. Eerst die supermarkt, en dan nog een paar hotels die Alvin op het oog had. Willis moest het shirt weggooien waar zijn naam op stond. Alsof ze dachten dat hij zijn eigen naam zou vergeten. En die vieze broek, die altijd naar het door de kinderen weggegooide voedsel stonk, hoe dikwijls hij hem ook waste. Dit was geen baantje voor hem. Hij moest nodig een ander leven gaan leiden. De moeders die hun kinderen kwam opha-len en de onderwijzers en sommigen van de kinderen, allemaal wendden ze hun blik af als hij naar hen glimlachte. Dat kwam natuurlijk omdat hij conciërge was. Na die kraken met Alvin zou hij in zijn burgerkloffie terugkomen. In een nieuwe auto, misschien wel een Lincoln, en dan zou hij hun blikken wel eens willen zien.

Willis liet de sigaret op de grond vallen en trapte hem uit. Hij keek nog één keer naar het meisje. Hij vroeg zich af wat voor kleur slipje ze onder die rok droeg.

Hij draaide zich om en verdween weer in de school. Hij liep naar de conciërgekamer waar Samuel zat te lunchen. Het werd tijd om weer aan het werk te gaan. Niet dit klotebaantje hier, maar het werk van een mán.

Willis stapte in het kleine, slechts door één lamp verlichte vertrek. Samuel zat aan tafel. Hij at een boterham die zijn vrouw voor hem had klaargemaakt en dronk uit een klein melkpak dat hij uit de kantine had meegenomen. Dit was zijn dagelijkse routine. Samuel, met zijn veel te ruime kleren en die clowneske grijze plukjes haar op zijn kale kop.

'Ik voel me niet lekker,' zei Willis en wreef over zijn maag.

'O ja?' zei Samuel.

'Ik zeg je dat ik ziek ben.'

'Hm.'

'Ik kom net van het toilet, man. Ik wist niet dat een man in één keer zoveel kon kakken.'

'Misschien heb je wel wormen.'

'Of iets dergelijks, dat moet wel, verdomme.'

'Dan kun je beter maar naar huis gaan,' zei Samuel vermoeid.

'Bedankt, chef.'

'Vergeet niet te klokken.'

Oké, dacht Willis. Dat zal ik meteen gaan doen. Blijf jij maar gewoon zitten om je domme boterham te eten, maar laat mij maar gaan. Verdomme, zelfs een blinde kon nog zien dat hij niet ziek was. Zo sterk als hij was? Nou, Samuel zou wel blijven om zijn grijpstuiver te verdienen, terwijl hij, Willis, met zijn neef op stap zou gaan om het grote geld te incasseren. Bovendien kostte het geen enkele moeite om vrij te krijgen. Die dwaas kon je elke dag weer belazeren.

Samuel Rogers zag dat Kenneth Willis klokte en vervolgens de kamer verliet. Hij grinnikte stil. Die knul dacht dat hij hem voor de gek kon houden. Hij vond het niet erg om Willis die middag vrijaf te geven, ook al betekende dat meer werk voor hem. Maar Rogers had niet zoveel op met Willis. Met zijn opgerolde mouwen om zijn spieren te laten zien, en dan die geile blikken waarmee hij naar vrouwen en zelfs meisjes keek. Met zijn vieze blaadjes achter de kastjes en dan verwachtte dat hij dat ongestraft kon doen. Die vent kende zichzelf niet goed genoeg om toe te geven wat hij werkelijk was.

Samuel Rogers had in de loop der jaren veel van die gladde jongemannen meegemaakt. Die dachten dat ze te slim waren om te werken. Die dachten dat hij dwaas was om hier te blijven werken. Die altijd haast hadden om een WW-uitkering te krijgen. Samuel trok niet graag op met types zoals hij.

Bovendien zat zijn broek veel te strak.

Olga Vaughn stond naast haar echtgenoot Frank. Die zat aan de keukentafel koffie te drinken en een sigaret te roken. Ze hadden zojuist geluncht. Olga was naar hun slaapkamer gelopen en kwam met een paar nieuwe laarzen aan haar voeten terug. Die leken wel uit de jaren dertig. Ze had een sigaret uit Franks pakje genomen en deed alsof ze rookte. Ze hield haar vrije hand langs haar heup, alsof ze een tommygun vasthield.

'Hoe vind je me, Frank?'

'Wie moet dat voorstellen?'

'Faye Dunaway!'

'Zij is blond. En jouw haar is zo zwart als schoppenaas.'

'Ik heb het over mijn uiterlijk.' Olga keek naar haar voeten, zodat Franks ogen er ook naartoe getrokken werden. 'Ik heb ze bij de Bootery in Connecticut gekocht. Ze worden Gunboots genoemd.'

'Je meent het.'

'Ze passen goed bij mijn Capone-streepjes. Je weet toch, dat broekpakje dat ik vorige week bij Franklin Simon heb gekocht?'

'Dat pakje met die hoed?'

'Dat is een baret. Weet je het verschil niet?'

'Natuurlijk. Die dragen schilders altijd.'

Olga bewoog een voet. 'Leukie?'

'Nie begrijp nie,' zei Vaughn en tikte de as van zijn sigaret. Hij zou blij zijn als die Bonnie en Clyde-gekte voorbij was.

'O, Frank,' zei Olga wanhopig.

Olga deed een schort om haar middel, liep naar de gootsteen en begon de afwas te doen. Frank keek vol genegenheid naar haar.

Van boven kwam het dreunende geluid van een bas uit Ricky's stereo. Als hij er gek van werd, dan was het zijn eigen schuld. Hij had de installatie zelf voor Ricky gekocht, een verjaardagscadeau en tegelijkertijd iets om het begin van zijn studie te markeren. Het was uit Zenith-componenten opgezet, had tachtig watt vermogen en was voorzien van wat ze een 'Circle of Sound' noemden. De verkoper bij George's aan Queen's Chapel Road had gezegd dat het een mooi 'apparaat' was, waarna hij vertelde dat de prijs 'slechts' honderdnegenenzestig was. Toen Vaughn de prijs hoorde kreeg hij zin om in zijn kruis te grijpen en tegen die kerel te zeggen: Draai je om, dan heb ik hier een mooi apparaat voor jou. Maar hij glimlachte beleefd en zei dat hij nog terug zou komen. Daarna ging hij naar zijn vriend, de heler in een zijstraat van 14th, en vond daar precies dezelfde Zenith, of in ieder geval eentje die er veel op leek. En die kostte hem geen honderdnegenenzestig dollar. Want er zat een luchtje aan. Deze werd alleen niet in een doos geleverd en er zat geen garantie op. Maar voor vijfentwintig dollar hoefde je er geen karton omheen te hebben en geen serienummer.

Vaughn voelde zich niet zo prettig dat de jongen thuis woonde, terwijl sommigen van zijn vrienden ergens buiten de stad op school

143

gingen. Daarom was de koop voor hem, hoe noemde je dat ook weer, een troostprijs geweest. Maar nu was het Vaughn die de prijs moest betalen.

En als Ricky niet naar de muziek luisterde, dan ouwehoerde hij er wel met zijn vrienden over. Dan spraken ze over een groep, Flavor, die in the Rabbit's Foot in Wisconsin speelde. Of zoals vorig jaar de hele zomer over een knul, Hendrix, die in de Ambassador speelde. Vervolgens ging hij met een andere knul, Roy, naar een zaak, de Silver Dollar, en zo ging dat maar door. Die knul kon telefoneren. In dat opzicht leek hij precies op zijn moeder.

'Studeert hij wel eens?' vroeg Vaughn.

'Dat moet wel,' antwoordde Olga. 'Eind vorig jaar had hij behoorlijke cijfers.'

'Driehonderd dollar per semester, en de hele dag zit hij boven naar die rotzooi te luisteren. Hij zou met zijn kop in de boeken moeten zitten.'

'Frank.'

'Daarvoor werk ik me niet uit de naad,' zei Vaughn. 'Zodat hij de hele dag op mijn kosten naar die muziek kan luisteren.'

'Jij hebt die installatie voor hem gekocht,' zei Olga, 'weet je nog? Wacht maar, hij zal het goed doen op de universiteit.'

Nou ja, in ieder geval hoeft hij niet in dienst, dacht Vaughn.

Vaughn doofde zijn sigaret, intussen draaide Olga zich om en droogde haar handen. Ze maakte de schort los, hing hem aan een haak en keek naar Frank. Hij droeg een van zijn Robert Hallkostuums. Het was nog te vroeg voor hem om naar zijn werk te gaan.

'Ga je niet rusten vanmiddag?' vroeg Olga.

Meestal ging hij 's middags na de lunch even slapen, terwijl Olga naar wat zij haar 'middagmenu' op kanaal 7 keek: 'Newlywed Game', 'The Baby Game', 'General Hospital', Dark Shadows' en Mike Douglas. Als ze naar die gekke vampiershow keek, dan kleedde hij zich aan, verliet stiekem het huis en ging naar zijn dienst van vier uur tot middernacht.

'Vandaag niet,' zei Vaughn, 'Ik ga vandaag wat vroeger weg. Ik wil voor sluitingstijd een paar garages met een bezoek vereren.'

'Waarvoor?'

'Gisteravond was een jonge knul bij een aanrijding betrokken. De chauffeur is doorgereden. Ik ben met die zaak bezig.'

'Is hij dood?'

Vaughn knikte. 'De auto die daarbij betrokken was, moet behoorlijk beschadigd zijn. Hij moet gerepareerd worden.'

'Maar je krijgt toch nooit dodelijke ongelukken toegewezen?'

'Het wordt als moord beschouwd, tot het tegendeel is bewezen. Volgens mij was het een rassenmoord. Wie het deed, deed alsof hij aan het joyriden was. Je weet wel, gewoon voor de lol. Die jongen was een kleurling.'

'Frank.'
'Wat?'
'Wat voor kleur had hij?'
'Wat?'
'Hij was zwart, hè?'
'Oké.'
'Zeg dan dat hij zwart was.'
'Jezus, Olga.'
Nu moest hij zijn kop houden. Olga en haar vriendinnen. Ik durf te wedden dat ze haar gezegd hebben dat ze dat tegen hem moest zeggen als hij iemand een kleurling noemde. *Wat voor kleur had hij?* Slim. Zij hadden géén zwarte vrienden. Zij hadden slechts contact met hun zwarte dienstmeisjes en met de zwarte mannen bij A&P, die hun boodschappen achter in hun stationcar zetten. En daar zaten ze dan met hun nagels en hun lidmaatschap van zwembaden en hun mahjongstenen, en dan dachten zij dat ze hem iets konden leren. Terwijl hij iedere dag in de echte wereld verbleef.

'Wat is er?' vroeg Olga.

'Niets, lieverd.' Er verschenen lachrimpeltjes bij Franks ogen. 'Soms maak je me gewoon aan het lachen.'

'Je bent een echte Neanderthaler, Frank, wist je dat?'

'Kom eens hier, schat,' zei Frank en klopte op zijn dijen. 'En neem die gunboats van je mee.'

'Het zijn *gunboots*, domoor,' zei Olga, terwijl ze glimlachend naar hem toe liep.

Olga ging op zijn schoot zitten. Haar gezicht zat onder een dikke laag make-up en haar helm van zwarte haren zat stevig op zijn plaats. Maar haar ogen waren zacht, zoals de avond toen hij haar in '46 voor het eerst ontmoette in de Kavakos-nachtclub in H Street. Ze keken elkaar aan, terwijl de bas de keukenmuren deed trillen. Vaughn kuste haar op haar lippen.

Olga bewoog haar onderlijf heen en weer en probeerde zoveel mogelijk zijn lichaam te volgen. Hij voelde dat hij onder haar een stijve kreeg.

'Wat is dat?' vroeg Olga met een ondeugende glimlach.

'Je zei dat ik een holbewoner was,' zei Vaughn. 'Nou, dan is dit mijn knots.'

Onder zijn volgende kus voelde hij haar glimlach.

Strange en Peters reden in hun patrouilleauto door Georgia. Hun dienst van acht tot vier zat er zowat op. Hun dag bestond uit buurtonderzoek, het opmaken van een proces-verbaal voor een inbraak, een diefstal, burenruzie en de normale, ontelbare aanhoudingen in het verkeer: overtreding van de maximumsnelheid, rijden door het rode licht, het niet stoppen bij een stopbord en zo. Niets waar geweld bij was betrokken, of van hun kant het gebruiken van geweld.

Peters zat weer eens op zijn praatstoel. Hij sprak over LBJ, wie hem zou opvolgen, over Kings geplande terugkeer naar Memphis en wat daar nu stond te gebeuren. Meestal knikte Strange alleen maar of schudde zijn hoofd.

Sinds ze op het bureau waren geweest en hij het commentaar van een paar blanke agenten op de parkeerplaats had gehoord, was hij stil. Toen hij en Peters naar hun auto liepen, noemde een van hen Peters 'Golden Boy'. Een andere zei 'het Dynamische Duo', waaraan hij toevoegde: 'liever Peters dan ik'. Het was dezelfde agent, Sullivan, die een paar weken geleden zijn knuppel een 'nikkerklopper' noemde. Dat zei hij zo luid dat Strange het wel had moeten horen. Nadat hij deze woorden had gezegd, glimlachte hij nerveus en zei. 'Ik bedoel er niets mee, jonkie, tenslotte zijn we allemaal broeders in het blauw, hè?' Strange knikte, maar deed geen enkele poging om de haat in zijn ogen te verbergen. Hij kon veel hebben en dat was ook zo, maar er was iets met Sullivans gezicht. Als hij die Mr. Ed-tanden uit die dunne lippen zag steken, kreeg Strange echt zin om hem een enorme schop onder zijn kont te geven.

'Derek, heb jij nog plannen voor vanavond?'

'Waarom?'

'Ik dacht dat je het misschien wel leuk zou vinden om vanavond bij Patty en mij te komen eten.'

'Bedankt. Maar ik heb al een afspraak met Lydell. We waren van plan om naar een party te gaan in de buurt van Howard. Daar had hij het een en ander over gehoord.'

'Een andere keer dan, hè?'

Strange dacht van niet, maar hij zei: 'Dat klinkt goed.'

Ze staken het kruispunt met Piney Branch over en naderden het Esso-benzinestation. Bij de pompen stond een grote, blanke knul met opgerolde mouwen om zijn armen te showen. Hij scheen iets tegen een andere knul te zeggen. Die had gitzwart haar en was stevig gebouwd. Beiden droegen een uniformachtig shirt. De grootste van de twee sprak nadrukkelijk tegen de ander. Peters herkende de kleinere knul als de pompbediende die hij de dag ervoor had gezien, toen ze daar stopten om even met Hound Dog Vaughn te praten.

'Dat ziet er verdacht uit,' zei Peters.

'Volgens mij niet,' zei Strange.

'Misschien moeten we even stoppen.'

'Die knul met het zwarte haar zal weglopen. Toen hij nog jong was, vocht hij altijd graag. Maar volgens mij doet hij dat niet meer.'

'Ken je hem?'

'Toen ik nog jong was, trok ik wel eens met hem op. Lang geleden waren we beiden nog bij een winkeldiefstal betrokken.'

'En zijn jullie betrapt?'
'Ik werd gegrepen. Hij niet.'
'Dan had hij die dag geluk,' zei Peters.
'Nee,' zei Strange. 'Dat was míjn geluksdag.'

17

Alvin Jones had de laatste zes maanden in een groene Buick Special rondgereden. Het was een standaardmodel, een vierdeurs met radio en verwarming, voorbank, automatische versnelling en verder onopvallend. Ondanks de naam had hij niets speciaals. Je zou eerder zeggen dat het de auto van een oud dametje was dat met witte handschoenen in de tien-voor-twee-positie op een kussen zat om over het stuur te kunnen kijken.

De Buick was een model '63. Voordat hij de sleutels kreeg, moest hij het hele bedrag contant op tafel leggen. Vierhonderd dollar, het was niet veel, maar toch was hij niet gewend om alles contant te betalen. In tegenstelling tot wat hij Lula Bacon had verteld, kwam er ooit een moment dat de mensen je echt geen krediet meer gaven, en zijn krediet was zo waardeloos als wat.

In ieder geval was de prijs goed en de wagen van hem. Zodra het geluk hem toelachte, en dat zou heel gauw gebeuren, zou alles weer goed komen. Onlangs had hij die witte, '67 El Dorado met rode bekleding gezien, met airco, vinylkap, elektrisch bediende raampjes en kuipstoelen. Hij stond in de showroom van Capitol Cadillac-Olds in 22nd aan de andere kant van de stad. Dat zou zijn volgende auto worden. Als je eenmaal je zinnen op een auto had gezet, was het alsof je een meisje in een club zag en wist dat je aan het einde van de avond met haar naar bed zou gaan. Hij wist dat hij op dezelfde manier die Caddy zou krijgen. Maar wat hem pijn deed was het feit dat hij negen jaar geleden op tweeëntwintigjarige leeftijd een Cadillac bezat, en nu was hij een volwassen vent die in een Buick rondreed. Het leek de laatste tijd wel alsof hij achteruit door zijn leven wandelde en zichzelf onderweg voorbijliep.

Maar nu voelde Jones zich prima. Hij droeg een nieuw overhemd met knoopjes dat hij in de National Shirt Shop had gekocht, zijn Flagg Brothers en zijn favoriete hoed, zwart met gouden band, waardoor zijn ogen beter uitkwamen. Een .38 zat direct naast zijn pik tussen zijn benen geklemd. 'Funky Broadway' klonk op WOOK en Wicked Wilson zong luidkeels mee. Broadway. Daar zou hij ooit nog eens naartoe gaan om te laten zien hoe ze dat in D.C. deden. Vanzelfsprekend in zijn Cadillac. Tegen die tijd had hij er spaakwielen onder laten zetten.

Jones reed in oostelijke richting door H, langs het winkelcentrum van het noordoostelijk deel, naar 8th waar zijn neef Kenneth in een appartement boven de slijterij woonde. Daar woonde hij nu al een tijdje. Er liepen veel volwassenen en kinderen over het trottoir, sommigen droegen zakken met boodschappen en anderen slenterden gewoon heen en weer. Buiten voor de slijterij stond een dronkelap te bedelen. Jones reed voorbij Willis' schuin geparkeerde Monterey en zocht naar een plek om zijn Buick te parkeren. Ze zouden met de Mercury gaan, want ze vonden hem betrouwbaarder en hij had meer motorvermogen. Jones was helemaal niet zenuwachtig voor de overval. Bovendien had hij een paar borrels op.

Jones zag in zijn achteruitkijkspiegel een patrouilleauto en uit pure gewoonte greep hij het stuur steviger beet. Even later stopte de politieauto langs het trottoir, even voorbij de slijterij. Uit westelijke richting kwam van de andere kant nog een patrouilleauto. Die reed hem voorbij, hij zag dat die auto eveneens in de buurt van de slijterij langzamer ging rijden en uiteindelijk stopte, direct achter de andere politieauto. Alvin reed 9th in, vond een open plek en zette de motor af. Hij verstopte het pistool onder de voorbank, stapte uit de Buick, deed hem op slot en jogde toen naar H.

Toen hij daar op de hoek aankwam, waren de politieauto's doorgereden. Maar hij zag wel een paar blanken in burger. Aan de manier waarop ze zich snel over het terrein van de slijterij bewogen en aan hun postuur vermoedde hij dat het agenten waren. Een van hen dook de hal van een supermarkt in en een ander ging met zijn rug tegen de stenen muur naast het trappenhuis staan, dat toegang gaf tot de appartementen op de eerste verdieping. De dronkelap was verdwenen.

Jones liep naar een telefooncel op de hoek, stopte een munt in de gleuf en draaide het nummer van zijn neef. De telefoon ging over en bleef over gaan. Het geluid klonk als een schreeuw in Alvin Jones' hoofd. Het werd hem duidelijk dat hij Broadway nooit zou zien of in die witte El D zou rijden.

'Kom nou, Kenneth,' zei Jones. 'Neem die verdomde telefoon op.'

Kenneth Willis had donkere kleren aangetrokken en zocht nu in de lade van zijn kastje om te proberen een paar kousen te vinden die dat grote mokkel had achtergelaten. Als het zover was, zou hij een van die kousen over zijn hoofd trekken, zoals zijn neef Alvin hem had voorgedaan. 'Funky Broadway' klonk uit de speaker die hij bij de plaatselijke Sears had gekocht. Hij voelde zich erg gespannen. Wilson zong 'shake shake shake' en gromde 'Lord have mercy', wat hem nog meer opwond.

Hij vond een paar kousen, maar het waren wel netkousen. Nou ja, Alvin had kousen gezegd en niet wat voor soort.

Willis pakte er eentje. Hij kon het niet helpen, maar voordat hij hem in zijn borstzak stopte, rook hij er even aan. Hij was een grote kerel met een brede borstkas en een paar enorm gespierde armen. Als ze hem goed bekeken, zou niemand in die supermarkt aarzelen om het gevraagde aan hem te geven. Bovendien had hij een wapen.

Willis verliet de slaapkamer en liep naar het kleine woongedeelte van zijn appartement. Hij stapte over een paar pornoblaadjes die hij op de grond had laten liggen. Zoals altijd was het een enorme troep in het appartement. Overvolle asbakken en bierflesjes op de eettafel. In de gootsteen stonden nog borden van de vorige week. Er lag nog steeds voedsel op en het ongedierte kroop over de borden. Zelfs Willis wist dat deze dump nodig eens opgeruimd moest worden. Als hij het geld ervoor had, zou hij misschien een vrouw betalen om het schoon te maken.

Hij trok de slip van zijn overhemd over het pistool, dat hij tussen zijn broekriem had gestoken. Het was een goedkoop pistool, maar het zag er wel degelijk uit als een pistool als het naar je gezicht wees. Het was een klein model .32 met zes kogels in het magazijn. Nu drukte het tegen zijn rug. Als hij eenmaal in de auto zat, zou hij het ergens anders neerleggen. Zijn neef had hem gezegd dat ze elkaar buiten voor de slijterij zouden ontmoeten. Willis hoopte dat hij niet te laat was.

Nu werd er een reclame van Earl Scheib uitgezonden. Willis zette de radio af. Hij verliet het appartement, deed de deur op slot en liep de trap af. Hij zag een blanke met brede schouders de hal onder aan de trap binnenlopen, waar de postbussen aan de muur hingen. Opeens hoorde hij bij hem binnen de telefoon overgaan. Hij bleef even staan. De blanke man keek alsof hij nog nooit eerder een zwarte had gezien, want hij draaide zich om en liep naar buiten. Het was waarschijnlijk een van die lui die voor de huisbaas werkten en iets kwam ophalen. Hij had geen huurachterstand, dus hij maakte er zich niet druk om... *verdomme,* die telefoon. Willis keek omhoog en vroeg zich af of hij terug zou gaan om op te nemen. Het kon zijn neef zijn die hem belde om te vertellen dat de plannen waren veranderd. Maar hij wist dat Alvin al onderweg was, want Alvin had gezegd dat ze elkaar voor de slijterij zouden ontmoeten en Alvin kwam nooit te laat. Dus hij kon het niet zijn.

Maar wie het ook was, ze probeerden hem om een of andere reden te bereiken. En ze bleven het maar proberen.

Willis liep de trap af. Hij wilde Alvin niet langer laten wachten.

De zon scheen fel toen hij door de voordeur naar buiten liep. Een mooie dag. Maar er liepen niet veel mensen op straat, zelfs die dronkelap niet die Cricket werd genoemd en meestal voor de slijterij stond. Willis keek naar links en zag de blanke man die hij eerder had gezien snel in zijn richting rennen. Hij hield een revolver in zijn gestrekte hand. Willis stak zijn hand tussen de achterzijde van zijn broek. Hij voelde zijn rug kraken en een ruk om zijn nek toen hij van achteren door sterke armen werd vastgegrepen. Tegelijkertijd sloeg hij met zijn gezicht en borst tegen het trottoir. Hij zei 'o' en proefde bloed in zijn mond. Hij hoorde piepende banden van remmende auto's. Blanke stemmen schreeuwden naar hem dat hij zich niet mocht bewegen. Sommige mensen uit de buurt scholden de agenten uit, die hem op de grond hadden gesmeten. Hij voelde het harde staal van de handboeien om zijn polsen sluiten.

'Wat hebben we hier?' zei de blanke agent die hem had getackeld. De knie van de man drukte in zijn rug. Willis voelde dat de .32 werd losgetrokken en de kolf van het automatische wapen langs zijn huid schaafde.

'Klootzak,' zei Willis en spuugde bloed op het trottoir.

'Blijf praten, nikker,' zei een zachte stem in zijn oor.

Door de manier waarop hij van het trottoir omhoog werd gesjord, kreeg hij het gevoel dat zijn armen uit de kom werden getrokken.

Aan de overkant van de straat, vlak bij 9th, stapte Alvin Jones uit de telefooncel en zag dat zijn neef precies voor diens appartement werd gearresteerd. Hij zag dat ze hem de handboeien omdeden en hem overeind trokken. Zoals de gewoonte was, gingen ze hierbij niet zachtzinnig te werk. Vervolgens begeleidden ze hem naar een patrouilleauto. Hij moest op de achterbank gaan zitten. Ze duwden hem de auto in. Hij hoopte dat Kenneth hem ondanks alle tumult had gezien. Om hem eraan te herinneren dat hij er nog was en op hem wachten zou, dat alles weer goed zou komen.

Kenneth was cool. Kenneth zou hem niet verraden. Daar maakte Jones zich geen zorgen over.

Maar het wás verdomd jammer. Al dat geld dat voor het oprapen lag, maar nu buiten bereik was. Door omstandigheden liepen ze een grote kans mis. En er was geen enkele garantie dat ze ooit nog eens zo'n kans zouden krijgen.

Hij liep terug naar zijn auto. Zijn lippen bewogen nerveus en zijn gezicht was vertrokken. Hij liep de hele weg terug te vloeken.

Iemand had hun plan verraden. De arrestatie van zijn neef kwam niet uit de lucht vallen.

Jones arriveerde bij zijn Buick. Hij keek ernaar en wist dat hij moest instappen. Hij haatte het om nu in die auto te stappen, want hij verdiende een betere auto dan dit ding.

Waarom iemand dit hem en Kenneth wilde flikken, wist hij niet. Maar wie het ook was, die persoon zou hij eens dringend moeten spreken.

Derek Strange had een appartement met één slaapkamer in een gebouw op de noordoostelijk hoek van 13th en Clifton, net voorbij Cardozo High School, een paar blokken van het centrum van Shaw. Het was dicht bij zijn ouders, Howard University, U Street en alles wat een zwarte jongeman zich in een stad kon wensen. Het gebouw stond precies op de rand van de vlakte van Piedmont. Vanaf dit punt liep het steil omlaag, zodat de skyline van het centrum met alle monumenten aan zijn voeten lag. Het appartement stelde niet veel voor en de buurt was zozo, maar Strange had een uitzicht dat wel een miljoen dollar waard was.

En dat uitzicht was niet geheim. Het gevolg was dat de bewoners van dit gebouw zelden verhuisden. Als er een leeg kwam te staan, moest Strange de nieuwe kandidaten beoordelen. Dat gebeurde nadat de eigenaar wist dat Strange agent was. Toen hij zich aanmeldde als nieuwe bewoner, had Strange daar de nadruk opgelegd. Hoewel hij het niet van plan was, had hij tegen de man gezegd dat hij erop zou letten dat er geen criminele activiteiten zouden plaatsvinden in en om het gebouw. Om dit appartement te bemachtigen, had hij gewoon van zijn uniform gebruikgemaakt. Nou ja, dat was gewoon een extra voordeeltje van deze baan.

Op het uitzicht na was Stranges appartement onopvallend. Een vrijgezellenwoning die met het ene oog dicht en met het andere open zo economisch was ingericht. Zijn bank, eettafel en stoelen waren tweedehands. Hij interesseerde zich toch niet voor die dingen. En als hij wist dat een vrouw bij hem op bezoek zou komen, dan wist hij binnen een paar minuten alles vrij netjes op te ruimen. Om de kamer een beetje op te fleuren, had hij een paar posters opgehangen. Aan de ene wand The Man With No Name, met poncho en het stompje sigaar bungelend tussen zijn lippen. Aan de andere wand Jim Brown in *The Dirty Dozen*. Hij stond met granaten in zijn hand gereed om het kasteelplein over te rennen. Toen de film pas uit was, had hij de film tweemaal in het Town-theater gezien, op de hoek van 13th en New York. Ook bezat hij nog vergeelde krantenknipsels van Brown in het tenue van Cleveland. Hij had ze in een goedkope lijst gestopt en ze hier en daar opgehangen. Hij had een tv die hij bijna nooit aanzette. Hij voelde zich hier gelukkig en had geen plannen om te verhuizen. Het enige minpuntje aan dit gebouw was dat er geen honden werden toegelaten. Hij had in het asiel die boxer gezien, een bruine teef, die er goed uitzag en ook een goed karakter had. Maar dat moest maar even wachten.

Prominent aanwezig in Stranges appartement was zijn stereoapparaat en platen. Hij had hem gekocht bij Star Radio, op de hoek van Connecticut en Jefferson. Vorig jaar had hij de componenten gekocht. De basis werd gevormd door een Marantz-versterker. Aan het einde van '68 had hij alles afbetaald. Zijn salaris in aanmerking genomen, was de aanschaf een uitspatting geweest, maar voor Strange was het dé reden om iedere avond thuis te komen.

Naast de stereo stond zijn alfabetisch gerangschikte platenverzameling. Van zijn vader had Strange lp's gekregen van Ray Charles, Sam Cooke, Jackie Wilson en anderen, met een paar gospelplaten van groepen waarvan de leden later een carrière in r&b hadden gemaakt. Maar Strange bewaarde die platen vooral omdat hij ze van zijn vader had gekregen. Tegenwoordig haalde hij ze zelden uit hun hoes. Strange was gek op de nieuwe soul. Juister gezegd, hij was gek op soul uit het zuiden. Er waren uitzonderingen, zoals de Impressions die uit Chicago kwamen en prachtige, politiek moedige muziek maakten, en sommige artiesten die opnamen voor de Blue Rock- en Loma-labels maakten. Maar meestal koos hij voor de sound uit het zuiden.

Otis Redding, de grootste zanger die ooit had geleefd, was zijn man en zou voor altijd zijn man blijven, daar bestond geen enkele twijfel over. Maar er waren ook anderen van wie hij hield. Vooral James Carr vond hij goed, die was de belichaming van de echte soul, een vocalist die alle liefdesverdriet en pijn had meegemaakt en je tot in je ziel raakte. En O.V. Wright, die zich 'Ace of Spades' noemde en zich in iedere opname volledig gaf. En Solomon Burke, een doordouwer die altijd weer verraste, zich opzweepte als geen ander en in zijn nummers altijd naar een opwindende climax werkte.

Maar op zoek naar een bonus bezocht Strange kleine platenzaken in Shaw en Petworth. Hij gaf te veel geld uit bij the Soul Shack op de hoek van 12th en G, en bij Super Music City in 7th. Hij kocht alleen lp's van blijvers, artiesten die hij over dertig jaar nog hoopte te beluisteren. *Otis Blue* en *The Great Otis Redding Sings Soul Ballads,* Aretha's *I Never Loved a Man the Way I Loved You*, en de lp die iedere broeder en zuster die hij kende scheen te hebben, James Browns legendarische *Live at the Apollo*.

Maar Strange verzamelde voornamelijk singles. Als het een van 'zijn' labels was, kocht hij bijna iedere single zonder ze te beluisteren. De reden was dat hij het specifieke geluid van ieder label herkende. De verkoper bij de Soul Shack had hem verteld dat de meeste musici op de populairste nummers sessiemuzikanten van Booker T & the MG's waren. Maar zonder dat het hem verteld werd, wist hij dat Atlantic, Atco, Dial, Stax en Volt musici met elkaar deelden. Je hoorde dezelfde ritmesecties en koperblazers in nummers van Wilson Pickett, Otis, Rufus en Carla Thomas, Sam & Dave, Aretha, William Bell, Joe Tex, Johnnie Taylor en vele anderen. Je hoorde dezelfde rauwe sound op platen van kleinere labels, zoals Goldwax en Back Beat. Hij merkte dat de meeste opnamen uit Memphis of Muscle Shoals kwamen. James Brown was een uitzondering. Hij maakte platen voor King en Smash en had een puur eigen geluid, maar JB, een broeder die van een andere planeet leek te komen, was totaal iets bijzonders. Er was iets met die artiesten uit het zuiden en de lui die hen begeleidden, dat hen van hun tegenhangers uit Detroit onderscheidde. Sommigen beweerden dat de Motown-machine opzettelijk de seks en het rauwe uit hun opnamen probeerden te halen, zodat ze zoveel mogelijk platen konden verkopen, vooral aan blanke tieners. Sommigen gingen nog verder en beweerden dat Motown je aan kussen deed denken en Stax/Volt aan neuken. Maar dat was niet helemaal eerlijk en waar. Toegegeven, de tekst van de zuiderlingen droop van de seks, maar je hoorde er ook de vreugde en de pijn in die daar altijd mee samengingen. Velen zeiden dat het de combinatie was van blues, country, gospel, r&b en de moeilijke omstandigheden waarin ze leefden, zodat het alleen maar in het gebied ten zuiden van de Mason-Dixonlijn kon groeien. Maar wat het ook was, het had Strange te pakken. Hij begon zelfs de release-nummers van iedere gekochte single te noteren in een boekje dat hij bij de stereo bewaarde. Het was een ziekte van hem, bijna een obsessie. Hij kon er niet over praten of het uitleggen, maar hij wist wel dat de tranen hem in de ogen sprongen als hij naar deze muziek luisterde.

En nu zat hij hier en voelde zich precies zo. Met gesloten ogen zat hij op de bank naar de nieuwe single van James Carr te luisteren, 'A Man Needs a Woman', Goldwax nummer 332.

Hij hoorde iemand op zijn deur kloppen en stond op. Hij keek door het kijkgaatje en trok de deur open.

Dennis stond in de deuropening. Hij had zijn oude kleren aan. Er hing een lucht om hem, de zoete geur van rook en goedkope wijn, die Strange had leren kennen nadat zijn broer uit dienst was gekomen. Hij liep altijd rond met een boek in zijn hand, en ook nu had hij er een bij zich. Alles was zoals het altijd was geweest, behalve zijn ogen. Die stonden vandaag anders, helderder dan de laatste tijd.

'Jonge D.'

'Dennis.'

'Wat is er, laat je een zwarte in de gang staan?'

'Kom binnen,' zei Strange.

Strange sloot de deur achter Dennis. Ze gingen beiden op de bank zitten.

'Wil je soms een Coke?'

'Nee, ik hoef niets.'

Dennis prees de stereo, het mooie geluid en dat de speakers een smak geld gekost moesten hebben. Strange vertelde hem dat de buizen in de versterker en niet de speakers voor het stevige geluid zorgden. En hij legde Dennis voor de zoveelste maal uit wat de verkoper hem verteld had.

'Ik denk dat ik ook maar eens zo'n set moest kopen,' zei Dennis.

'Dat moet je zeker doen.'

'Maar ik denk dat ik dan eerst over een eigen stekkie moet beschikken.'

'Dat moet je zeker ook doen.'

Dennis keek om zich heen en dacht even na. 'Je hebt het helemaal voor elkaar, hè?'

Strange had die opmerkingen van zijn broer wel eens eerder gehoord, maar meestal klonk het anders. Ditmaal klonk er geen enkele jaloezie of rancune in Dennis' stem.

'Ik heb geen rooie cent,' zei Strange. Hij relativeerde de omgeving, maar vertelde wel de waarheid. 'De huur die je betaalt, is weggegooid geld. Ik moet doen wat pa heeft gedaan. In een huis investeren.'

'Dat klinkt goed.'

Ze zwegen beiden. De muziek hield op, waardoor de stilte nadrukkelijker werd. Strange wist niet waarom zijn broer was langsgekomen, of waar ze nu over zouden moeten praten. De laatste tijd was er steeds minder om over te praten.

'Luister, Dennis...'

'Wat?'

'Ik ga zo weg. Lydell en ik gaan naar een party, in de buurt van Howard.'

'Kan ik meekomen?'

'Dat zou geen goed idee zijn,' zei Strange een beetje te vlug. 'Ik bedoel, ik denk niet dat er bekenden van je zullen zijn.'

'Relax. Ik hou je voor de gek, man. Jij en ik gaan nu niet bepaald met dezelfde mensen om.'

Onmiddellijk schaamde Strange zich voor het feit dat hij zijn broer niet mee wilde hebben. Er was ooit een tijd dat hij naar Dennis opkeek. Op zijn vader na was zijn broer altijd zijn grootste held geweest. Vroeger had hij alles voor Dennis overgehad om hem mee naar een party te nemen, of waar dan ook. In die dagen was het gewoon een privilege om naast hem te lopen.

'Je kunt vannacht hier wel blijven,' zei Strange. 'Zodat jij en pa elkaar niet in de haren zitten. Het gaat de laatste tijd helemaal niet goed tussen jullie.'

'Ja, problemen genoeg. Vanuit mijn standpunt gezien is het moeilijk om aan zijn verwachtingen te voldoen. Maar ik kan dat wel hebben. Ik weet dat ik hem teleurgesteld heb.'

Strange zei niets.

'Maar ik denk dat ik een andere richting ben ingeslagen,' zei Dennis.

'Hoe bedoel je?'

'Ik zie alles nu veel duidelijker, meer kan ik niet zeggen.'

'Is er iets gebeurd?'

'Het was niet alsof de bliksem opeens insloeg. Het kwam langzaam bij me op. Maar het belangrijkste is, dat het bij me opkwam. Ik vond opeens dat een man een plan moest hebben.'

'Dat is zo.'

'Het hoeft geen groots plan te zijn.'

'Ik begrijp je.'

'Je vertelde me laatst dat je me aan een baantje wilde helpen. Ik denk dat ik dat aanbod maar eens moest accepteren. Ik bedoel, het stelt toch wel iets voor, hè?'

'Jazeker,' zei Strange. 'In ieder geval is het een begin.'

'Het is toch geen zwaar werk, in verband met mijn rug?'

'Nee.'

'Nou ja,' zei Dennis. 'Ik zat in de bus die door U reed. Ik zag Clifton Street en trok aan het koord. Ik dacht: ik ga even bij jou langs. Voor het geval je je afvraagt waarom ik hier ben.'

'Je bent altijd welkom.'

Dennis pakte zijn boek van de bijzettafel en stond op. 'Nou, dan ga ik maar weer.'

'Je blijft dus niet?'

'Ik denk het niet. Ik ga naar een film of zo en dan weer naar huis. Ik ga met pa op dezelfde manier praten als met jou.'

Strange stond op en gaf Dennis een hand. 'Toen je hier binnenstapte, zag ik al dat je anders was.'

'Ik ben nog steeds dezelfde.'

'Dus we hoeven er niet op te rekenen dat je kaartjes voor het jaarlijkse politiebal wilt hebben, hè?'

'Ik ben boos, man. Ik zal altijd boos zijn over de dingen, zoals ze zijn. En ik zal altijd mijn mond opendoen.'

'Daar is niets verkeerds mee.'

'Ik hoop alleen dat ik ooit nog eens een betere wereld mag meemaken.'

'Dat hoop ik ook.'

'Maar ik wil dat je iets weet, Derek. Ik ben boos geweest, maar ik ben nooit boos op *jou* geweest. Eigenlijk ben ik altijd trots op jou geweest, man. Altijd.'

Strange deed een stap naar Dennis. Dennis omarmde hem en hield hem stevig beet. Ze sloegen elkaar op de rug. Ze lieten elkaar los en Dennis ging rechtop staan.

'Dat voelde ik,' zei Dennis en veegde een traan weg.

'Wat?'

'Je probeerde mijn blaffer te pakken.'

'Nee, dat deed ik niet.'

'Dat deed je verdomme *wel*.'

'Ga nou maar, man.'

'Ik ben al weg,' zei Dennis. Hij glimlachte en ging weg.

Even later stond Derek Strange bij het raam dat uitkeek op het zuiden. Hij zag zijn broer de helling van 13th Street afstrompelen. Strange dacht: ik had hem moeten zeggen dat ik ook trots op hem was.

18

Na het werk begaf Dominic Martini zich naar het 6000-blok van Georgia, liep bij John's Lunch naar binnen en ging op een kruk aan de L-vormige bar zitten. Hij bestelde een Swiss steak en rookte een sigaret. Intussen bereidde de oude Deoudes zijn maaltijd. Er was geen keuken achter in de zaak, zodat Martini wist dat het hier goed was. Dat was een van de weinige, nuttige tips die hij van zijn vader gekregen had: 'Ga eten in een zaak waar de keuken zich voor in de zaak bevindt. Dan kun je meteen zien of het er schoon is.'

John Deoudes' vrouw Evthokia, die door de klanten Mama werd genoemd, stond achter de bar. Hun jongste zoon Logan, die in '65 uit de marine was gekomen, stond achter de grill. Op de krukken en in de zitjes zaten oude bekenden uit de buurt en mensen uit de wijk die van hun werk kwamen. Martini zag dat een van de slagers van Katz's, de koosjere supermarkt aan de overkant van de straat, steaks onder zijn jasje vandaan haalde en aan Mama gaf. Ze legde de ene in de koelkast voor haar gezin en gaf de andere aan Logan om voor de slager te grillen. Martini besefte dat hij iedereen van gezicht of bij naam kende. Sinds zijn jonge jaren was er niets veranderd.

Hij had gegeten, één kop koffie gedronken en nog een sigaret gerookt. Logan Deoudes, klein maar gespierd, liep voorbij en groette hem.

'Hoe gaat het, Dom?'

'Zo'n gangetje. Heb je die hond nog steeds?'

'Greco? Hij leeft nog.'

'Mooie hond.'

Deoudes keek hem oplettend aan. 'Gaat het wel goed met je?'

Martini rekende af, liet een fooi op de bar achter en liep naar buiten. Hij liep in zuidelijke richting door Georgia. Hij was gek op zijn Nova, maar liep meestal van het benzinestation naar het huis van zijn moeder en weer terug. Hij had nooit haast om thuis te komen.

Aan de overkant van de straat verzamelden zich mensen voor het loket van de Sheridan. Toen ze nog tieners waren, namen Martini en zijn broer Angelo de brandtrap naar het dak en klommen stiekem door het raam van een gang vlak bij de projectorruimte. Als de manager Renaldi hen niet meteen te pakken had, verstopten ze zich tot het begin van de voorstelling in het herentoilet, waarna ze in het donker een plaatsje zochten. De bioscoop was heel erg populair in de buurt. Er vonden regelmatig premières plaats en het was een goede plek om te proberen een meisje te versieren. Nu draaiden ze tweedekeus westerns en B-films van Universal, en op woensdagavond Griekse films.

Vanavond draaide *Rough Night in Jericho* met George Peppard en ook Dean Martin. Alle Italo-Amerikanen wisten dat Martins echte naam Martini was. Angie vroeg altijd aan hem: 'Hé, Dom, denk je dat we familie van hem zijn?' Waarna Martini hem een draai om zijn oren gaf en zei: 'Ja, en Nancy Sinatra is ook onze zus.'

Dominic had er nu alles voor over gehad om weer terug in de tijd te gaan toen hij zijn broer sloeg, of hem dom of een mietje noemde. Hij had alleen maar geprobeerd een vent van hem te maken, maar toch. Als hij hem nu nog maar eenmaal stevig kon omhelzen.

Hij liep bij Lou's naar binnen, de poolzaal naast de brandweerkazerne, en speelde een potje. Iemand koos 'The Ballad of the Green Berets' op de jukebox en een paar dronken mannen begonnen mee te zingen. Martini koos een pocket, speelde de achtbal erin en gaf zijn keu aan een kerel die hij niet kende. Een van de dronken mannen stapte opzij toen hij door de poolzaal liep. Martini stond in de buurt bekend als de marinier die in Vietnam gevochten had. Hij vermoedde dat ze bang van hem waren. Maar de dronken mannen en ook de anderen wisten niet dat die tijd voorbij was. Toen hij weer buiten was, liep hij in westelijke richting verder. Hij stak een sigaret aan.

Hij stak het terrein van Fort Steven's over, liep langs de kanonnen. Hij hoorde het klapperen van de vlag en tikken van het koord tegen de mast. Zijn geschiedenis lag in dit park. Hier rookte hij zijn eerste sigaret, werd hij voor het eerst dronken en verborg hij bier en gestolen artikelen in de munitiebunker die in de heuvel was gegraven. Als kind rende hij over het grasveld om uit de handen van agent Pappas te blijven. Schaterend van het lachen en over zijn schouder 'Jacques' schreeuwend holde hij rechtstreeks door naar huis. Hier neukte hij voor het eerst. Hij en een stel vrienden neukten om de beurt Laura, een meisje dat ze naderhand 'Hoertje' noemden. Hij vond het allemaal prachtig en had nooit gedacht dat de dingen die hij toen deed, later zijn handel en wandel als man zouden beïnvloeden. Maar nu leek het wel of dat hem niet verder had gebracht dan waar hij nu was.

Tijdens zijn koffiepauze in het benzinestation had hij de krant gelezen. Buzz had gezegd dat hij zich geen zorgen hoefde te maken, want het doorrijden na het aanrijden van een kleurling zou het nieuws nooit halen. Maar hij had ongelijk. Het waren maar een paar regels in het Stadskatern, maar het stond er wel degelijk. Vernon Wilson was zeventien jaar, had bijna zijn diploma van Roosevelt high school en werkte tot aan zijn dood als bezorger bij Posin's delicatessenzaak. Hij was tot Grambling College toegelaten en zou daar in de herfst gaan studeren. Hij liet een moeder en een broer achter. De politie was met de zaak bezig, maar tot nu toe waren er geen duidelijke aanwijzingen.

Martini vervloekte zichzelf toen hij het park verliet en langs Piney Branch Road verder liep.

Buzz had het helemaal bij het verkeerde einde gehad. Die lui van de kranten en de politie vonden het 'wel belangrijk'. Ze gingen op zoek naar de moordenaars, hoewel het slechts om een 'nikker' ging.

Buzz had tegen hem gezegd dat hij niet moest blijven janken om iets dat toch niet meer teruggedraaid kon worden. Buzz had tegen hem gezegd dat hij zijn kop dicht moest houden. Dat zou hij doen, want hij deed altijd alles wat Buzz hem opdroeg. Maar iets in Martini hoopte stilletjes dat de waarheid aan het licht zou komen. Het belangrijkste voor de mensen was dat ze begrepen dat wat er met Vernon Wilson gebeurd was op geen enkele manier zijn schuld was. Wilsons moeder had er recht op om dat te weten. En zijn broer ook.

Martini betrad het huis in Longfellow. Toen hij de deur opendeed, rook hij de doordringende geur van knoflook en basilicum. De lucht binnen was nog steeds warm. Zijn moeder Angela zat in de oude stoel van zijn vader. Ze keek naar een herhaling van *Hazel* op hun oude RCA-Victor. Ze draaide haar hoofd om en keek hem aan. Haar gezicht was bleek in het licht van de tv.

'Ma.'

'Er staat nog pasta in de keuken.'

'Ik heb al gegeten.'

Zijn moeder keek weer naar de tv. Martini ging naar boven naar zijn kamer en ging op bed liggen.

Ze hadden Kenneth Willis naar een van de kamertjes in het bureau van het Negende District gebracht. Er stond slechts een tafel en een stoel en verder niets. De tafel was met schroeven aan de vloer bevestigd. Onder de tafel zat een ijzeren staaf. Ze hadden een van zijn handen met de handboeien aan die ijzeren staaf vastgemaakt. Zijn gezicht was beschadigd door de val op het trottoir en door het pak slaag dat ze hem in deze kamer hadden gegeven. Hij was brutaal geweest tegen een van die agenten die hem hadden gearresteerd, waarna ze in actie waren gekomen. Ze wisten ook alles over zijn eerdere veroordelingen; de aanklachten wegens verkrachting zorgden altijd voor opgewonden reacties. Willis was er aan gewend om door de politie geslagen te worden; hij verwachtte het zelfs en daarom verraste het hem niet. Maar hij zou best een beetje whisky kunnen gebruiken om zijn tandvlees te masseren. Een blanke knul had een van zijn tanden losgeslagen.

Degene die hem had geslagen, agent James Mahaffie, en de andere, agent William Durkin, waren beiden in burger en bevonden zich nu in de kamer. Ze bogen zich over hem en waren nu echt dichtbij. Dat deden ze nu eenmaal graag.

Willis wist hij hoe deze twee moest bespelen. Je moest op iedere opmerking van hun kant een weerwoord hebben. Op die manier verdiende je hun respect.

'Wat was je dan hiermee van plan te doen?' vroeg Durkin. Hij hielde een kous omhoog die ze in Willis' broekzak hadden gevonden.

'Ik was met een meisje,' zei Willis, 'en die heeft hem bij mij thuis achtergelaten. Ik was van plan geweest hem aan haar terug te geven.'

'Had dat meisje maar één been?'

'Ze had maar één poesje. En dat was voor mij voldoende.'

'Je bent een echte dekhengst. Ik ben gewoon nieuwsgierig: heb je ooit wel eens vrouw gehad die ouder was dan veertien?'

'Jouw moeder,' zei Willis.

Mahaffie, groot en blond, sloeg hem keihard in het gezicht. Willis drukte zijn tong tegen de losse tand, bewoog hem heen en weer en proefde bloed. Hij voelde zich duizelig en warm.

'Een pistool en een kous,' zei Durkin. 'Toen we je op straat arresteerden, was je op weg om ergens een overval te plegen. Dat is toch zo, hè?'

'Wat?'

'Vertel eens alles over je medeplichtige. Waar ging je heen toen we je aanhielden?'

'Ik ging gewoon een eindje wandelen.'

'Leugenaar.'

'Wat zeg je?'

'Je bent een leugenachtig zwart stuk stront.'

'Krijg de klere, bleekscheet.'

Mahaffie haalde uit en beukte Willis op zijn kaak, zodat hij met stoel en al omviel. Zijn arm werd tijdens de val half omgedraaid. Hij voelde een pijnscheut door de pols die aan de ijzeren staaf vastzat. Ergens in zijn schouder was een spier gescheurd. Mahaffie zette de stoel overeind. Willis kwam met veel moeite overeind. Kokhalzend slaagde hij erin weer te gaan zitten. Hij spuugde bloed en een tand op de tafel. Hij keek de beide agenten aan.

'Hé, Jim,' zei Durkin met een wolfachtige grijns. 'Zie je dat?' Hij liet de kous in zijn hand bungelen.

'Ja, ik zie het.'

'Die stomme klootzak was van plan een overval te plegen met een netkous over zijn kop. O, shit.'

Durkin en Mahaffie lachten.

'Wat is de aanklacht?' vroeg Willis.

'De .32 die je bij je had,' zei Durkin. 'Tot onze grote verrassing heeft iemand het nummer weggevijld. Als iemand als jij met zo'n wapen wordt betrapt, wordt dat als een ernstig misdrijf beschouwd.'

'O ja? En hoe komt het dan dat ik nog niet ben voorgeleid?'

'Daar mag je van ons nog even over nadenken.'

'Daar hoef ik helemaal niet over na te denken,' zei Willis. 'Ik accepteer de aanklacht.'

'Dan ga je de gevangenis in,' zei Durkin.

'Ik wil een advocaat.'

'Ja, oké.'

Mahaffie stak zijn vinger in de troep op tafel en schoot de tand tegen Willis' borst. 'Alsjeblieft. Leg hem vanavond onder je hoofdkussen. Voor de toverfee.'

'Ik mag toch één keer bellen, hè?' zei Willis. Mahaffie en Durkin liepen keihard lachend weg. Hij keek hen na toen ze de kamer verlieten.

Even later stond Willis in de gang via een munttelefoon te bellen. Vlakbij stond de wachtcommandant. Hij sprak zachtjes zodat de brigadier niets kon horen.

'Ik zit in de problemen, neef.'

'Je moet niets bekennen,' zei Alvin Jones.

'Je wéét dat ik dat niet doe.'

'Ze zullen proberen je aan het praten te krijgen.'

'Dat probeerden ze al,' zei Willis. Hij was een beetje misselijk van de kopersmaak in zijn mond.

'Heb je een advocaat?'

'Ik denk dat ze me er eentje zullen toewijzen.'

'Die aanklacht wegens wapenbezit stelt niets voor.'

'Ja, maar ze hebben me nog nergens voor aangeklaagd. Ik denk dat ze me hier gewoon een poosje laten zitten.'

'Dat is volgens de wet niet toegestaan.'

'Voor een zwarte klootzak als ik speelt de wet helemaal geen rol.' Willis keek even naar de brigadier, daarna keek hij weer strak naar de muur voor hem. 'Maar het belangrijkste is dat ze alles over onze plannen wisten.'

'Wat zeg je?'

'Die supermarkt,' zei Willis. 'Ze wisten het. Nou, hoe kan dat volgens jou?'

Alvin Jones dacht hier even over na.

'Kenneth.'

'Ja.'

'Als je me hier opzoekt, bestaat de kans dat ik niet thuis ben, begrijp je?'

'Ga je weer naar Mary terug?'

'Nee, man. Dat kind heeft de huilziekte en daar kan ik niet tegen. Ik trek een poosje in bij mijn neef Ronnie, die in de buurt van 7th woont. Maar jij bent de enige die dat weet. Vertel niemand waar ik heen ben gegaan.'

'Ik zal niks zeggen.'

'Dat weet ik. Je bent een soldaat, Ken.'

Jones zei tegen zijn neef dat hij sterk moest zijn, vervolgens hing hij op. Hij kneep zijn ogen halfdicht en begon te mompelen. Hij zat in de leunstoel in de woonkamer van Lula Bacons appartement en schudde de ijsblokjes in zijn lege whiskyglas heen en weer.

Ze wisten het. De woorden van zijn neef tuimelden door zijn hoofd.

'Wat is er met jou aan de hand?' vroeg Lula. Ze stond vlak voor hem met haar ene hand in haar zij.

'Niets,' zei Jones.

'Je zit in jezelf te praten en kijkt zo vreemd uit je ogen.'

'Schiet op, slet,' zei Jones en hield zijn glas omhoog. 'Schenk nog eens wat in.'

Jones keek haar na toen ze naar de keuken liep. Hij stak een Kool aan en inhaleerde diep.

Oké. Ze wisten het. Maar *hoe* wisten ze het? Wie had verdomme het lef gehad om met de politie over hun plannen te praten? En waarom? Lula? Nee, hij had haar nog nooit iets verteld. De enige die hij kon verzinnen... was die gladdekker Dennis. Die had een broer bij de politie. Ja, hij was het. Dat moest wel. Hij probeerde Dudley DoRight te spelen en zo.

Jones herinnerde zich Dennis heel duidelijk, toen die hem adviseerde om een nummer uit de honkbalscores te trekken. Hij vertelde hem dat Frank Howard op positie zeven speelde omdat hij in het linkerveld stond.

Jones greep de telefoon, draaide een nummer en kreeg zijn bookmaker aan de lijn.

'Alvin,' zei de bookmaker,' hoe gaat het, broeder?'

'Welk nummer was het?' vroeg Jones.

De bookmaker vertelde hem dat het nummer niet goed was. De goede nummers zaten zelfs niet in de buurt van de nummers die hij gekozen had.

Jones verbrak de verbinding. Hij zag in gedachten Dennis Strange weer. Uit de hoogte, en dan al die gladde praatjes om hem voor de gek te houden. Die hem gisteravond op de achterbank van de Mercury uitdaagde, terwijl hij een van die stomme boeken vasthield, alsof hij beter was dan hij en Kenneth. Zijn zogenaamde vriend. De vriend die hem verraden had. Bovendien gaf die knul ook nog eens slechte adviezen.

Alvin keek naar zijn bevende hand. Hij tikte de as van zijn sigaret, en zijn bloed ging van *tik, tik, tik.*

19

Derek Strange luisterde naar een Dial-single van Joe Tex, 'A Sweet Woman Like You', toen Lydell Blue beneden in de hal aanbelde. Strange zette de muziek af, bekeek zichzelf nog eenmaal in de spiegel die hij aan de voordeur had opgehangen, en liep naar beneden om Lydell te ontmoeten. Lydell had zijn goudkleurige Riviera in 13th Street geparkeerd. Inmiddels was het helemaal donker geworden.

Strange liet zich in de passagiersstoel vallen. De stof van Blues shirt stond strak om zijn enorme armen en borstkas toen hij schakelde en wegreed.

'Waar gaan we heen, Ly?'

'Barry Place.'

'Verrek, dat hadden we kunnen lopen.'

'Ik heb de hele dag mijn ronde moeten lopen. Trouwens, als we vanavond een paar meisjes ontmoeten, verwacht je dan dat ze lopend door ons naar huis gebracht willen worden?'

'Daar heb je gelijk in.'

'Ik betaal niet voor niets iedere maand voor deze Riv.'

Langs de rand van Cardozo reden ze de helling af, vervolgens in oostelijke richting over Florida. Blue drukte het gaspedaal in, waarna de auto wel leek te gaan vliegen.

'Wat voor motor zit hier in, de Apollo-raket?'

'Een vier-nul-een Nailhead,' zei Blue en streek over zijn dikke, zwarte snor.

Strange bekeek het interieur van de auto. Blue verzorgde de binnen- en buitenkant van de auto erg goed; je kon je haren kammen in de spiegelende carrosserie. Het was het model '63. Het eerste jaar dat Buick het model uitbracht. Turbo, elektrisch bediende raampjes, elektrisch verstelbare stoelen, zelfs de antenne ging automatisch op en neer als je een knop indrukte. Het was een tweedehands auto van een oud vrouwtje uit Pasadena, een auto waar iedere liefhebber naar op zoek was. Ondanks het feit dat hij al vijf jaar oud was, was hij niet goedkoop geweest. Blue woonde nog steeds bij zijn ouders in Petworth, omdat hij zich niet een appartement én de betalingen voor deze auto kon veroorloven.

'Hij is mooi,' zei Strange.

'Wat?'

'Jouw auto. Maar de vraag is: waar wil je met een meisje heen, nadat je haar vanavond hebt ontmoet?'

'Naar jouw appartement,' zei Blue, alsof hij een domme man zijn eigen naam moest zeggen.

'Wat mij betreft is dat prima, zolang het maar niet gaat als met het laatste afspraakje.'

'Wat was er dan?'

'Je hebt me de halve nacht wakker gehouden.'

'Het was een meisje dat altijd naar de kerk gaat,' zei Blue en knipoogde. 'Ze zingt nu eenmaal graag gospelsongs.'

'Volgens mij leek het meer op schreeuwen.'

'Ja hoor, Derek, klets maar lekker door.'

Strange glimlachte. Als kinderen waren hij en Blue op het schoolplein en op straat altijd voor elkaar opgekomen. Op Roosevelt High hadden ze beiden football gespeeld. Strange op de posities tight end en safety, terwijl Blue als halfback schitterde. Strange was meer blocker dan receiver. Hij had vele malen een opening voor Lydell gecreëerd, die in zijn laatste jaar een Interhigh-record voor veroverde meters over de grond vestigde. Tijdens een van die laatste wedstrijden scheurde Strange zijn kniebanden, een blessure die verhinderde dat hij in een collegeteam werd gekozen. Nadat ze hun diploma hadden behaald, ging Blue het leger in, terwijl Strange een reeks uitzichtloze baantjes afwerkte en van de operatie aan zijn knie herstelde. Toen Blue afzwaaide, solliciteerden ze beiden bij de MPD en gingen samen naar de Politieacademie. Tijdens je hele leven maak je nieuwe vrienden, maar geen enkele was zo speciaal als de vriendschappen vanaf je kinderjaren.

'Heb je zin om ergens naar te luisteren?' vroeg Blue.

'Kies maar wat,' zei Strange.

Blue zette de radio aan op de AM-golf. Dj Bob Terry op WOL kondigde Marvin Gayes nieuwste plaat 'You' aan. Blue hield de keuzeknop vast en keek Strange een beetje plagend aan.

'Dat is prima,' zei Strange.

'Ik dacht dat je niet van Motown hield?'

'Ik maak een uitzondering voor Marvin.'

'Het heeft niets te maken met het feit dat hij van hier is, hè?'

'Een beetje.'

'Je lijkt precies op je vader,' zei Blue.

In meer opzichten dan je zelf beseft, dacht Strange.

Ze parkeerden in Barry Place. Voor hen uit, halverwege de straat in de richting van Georgia, zagen ze jongelui voor een rijtjeshuis. Ze stonden op de betonnen veranda en in de kleine tuin met elkaar te praten en te dansen. Ze hielden hun hoofden achterover om flesjes

of bekers leeg te drinken. Soulmuziek kwam hen zachtjes tegemoet.
Strange en Blue liepen naast elkaar in de richting van het huis.
Beiden waren netjes gekleed, beiden liepen kaarsrecht en met opge-
heven hoofd. Er bestond niets mooiers dan jong en knap te zijn, een
baan te hebben en zelfbewust naast je beste jeugdvriend, die je vol-
komen vertrouwde, ergens op een feestje binnen te stappen.
'Het voelt prettig,' zei Blue.
'Wat bedoel je?'
'Om voor de verandering zonder uniform rond te lopen. Niet dat
ik geen leuk baantje heb, want het tegendeel is waar. Gewoon omdat
het fijn is dat broeders en zusters naar me kijken alsof ik bij hen
hoor.'
'Dat is ook zo.'
'Ik bedoel dat ik aan hun kant sta.'
'Dat hoef je niet uit te leggen,' zei Strange. 'Ik weet precies wat je
bedoelt.'
'Het is gewoon moeilijk. Daar komt nog bij dat mijn partner een
enorme klootzak is. Een oudere broeder die me steeds aan het
opvoeden is. Volgens hem moet ik mijn mond alleen maar opendoen
om te ademhalen, want als ik iets zeg is het toch altijd verkeerd.'
De opmerkingen deden Strange aan Troy Peters denken. Soms
deed hij te veel zijn best, maar in zijn hart was het een prima kerel.
Alles bij elkaar was hij als partner de beste die hij zich kon wensen.
'Kom, Ly,' zei Strange, toen ze het betonnen trapje bereikten dat
toegang tot het huis gaf. 'Laten we het er eens van nemen.'
Strange en Blue wrongen zich door de jongelui die buiten stonden. Ze kregen ieder een Miller High Life uit een teil met ijs en
haalden de dop eraf met behulp van een opener die aan een touwtje
aan de teil hing. Blue stelde Strange aan de gastheer voor, een jonge
student aan Howard, Cedric Love, die het huis met twee andere jongemannen had gehuurd. Veel Bisons hier in Barry Place en de straten in de buurt, want Howard U lag vlakbij. Strange keek om zich
heen en bewoog zijn hoofd op de muziek van Wilson Picketts 'Don't
Fight It' uit een paar speakers die buiten waren neergezet. Mensen
in de tuin vormden paren en dansten op de maat van het stuwende
ritme, de koperblazers van Stax/Volt en Wilson zweepten hen verder
op. Op de veranda zag Strange de achterzijde van een jonge vrouw
in een korte, lichtblauwe jurk het huis binnengaan. Strange kende
die benen en dat figuur.
'Neem me niet kwalijk,' zei Strange tegen Cedric Love. 'Ik ga eens
even binnen kijken.' Hij keek om zich heen om Blues aandacht te
trekken, maar Lydell vroeg op dat moment een meisje ten dans.
Strange liep de veranda op. Een knul die hij nog van high school
kende, zei: 'Hoe gaat het, grote jongen?' Strange antwoordde: 'Alles
gaat prima, George, en met jou?' Ze gaven elkaar de soulgroet.
Strange liep verder. Even later was hij binnen.

Het was warm binnen en razend druk. Mensen stonden in groepjes tegen de muren, mannen zowel als vrouwen. De meeste mannen en sommige vrouwen hadden een Afrokapsel, de vrouwen droegen enorme oorbellen en een paar mannen hadden zelfs een zonnebril op. Tabaksrook en de rook en doordringende geur van marihuana hingen zwaar in de lucht. Gesprekken en gelach mengden zich met de muziek, die hier harder klonk dan buiten.

Toen hij door de massa liep, zag Strange dat sommigen naar hem keken. Hij zag twee mooie, jonge vrouwen, Rachel Phillips en Porscha Coleman, die een paar jaar geleden uit Cardozo waren verhuisd. Hij herkende veel gezichten hier. De mensen, die hem herkenden, wisten dat hij agent was.

Hij betrad een kamer waar het nog drukker was dan de kamer die hij zojuist verlaten had. Een song van O.V. Wright, 'Eight Men, Four Women', klonk uit de luidsprekers, met de luie vrouwenstemmen die hij als back-up graag gebruikte. Strange dacht: Back Beat nummer 580. En toen: Iemand hier is een kenner van deze muziek.

'Derek,' zei zijn vriend Sam Simmons. De lange en slanke man kwam opeens uit de gang tevoorschijn. 'Mijn broeder.'

Simmons was in het gezelschap van een man met zwarte baret en soulinsigne, die Strange niet kende. Waarschijnlijk een student, want velen van hen straalden wij-zijn-klaar-voor-de-revolutie uit.

'Cootch,' zei Strange. Hij gebruikte Simmons' bijnaam en schudde hem de hand.

'Alsjeblieft,' zei Simmons. 'Geniet hier maar van.'

Simmons gaf Strange een brandende joint. Strange keek er eventjes naar, stak hem vervolgens tussen zijn lippen en inhaleerde diep. De rook stroomde nog steeds uit zijn neus toen hij weer een trek nam. De rook voelde prettig in zijn longen, en dat betekende dat het ook goed in zijn hoofd zou zijn.

Strange wilde de joint aan de man met de baret doorgeven. Deze keek eerst naar Simmons, maar nadat Simmons een klein knikje had gegeven, nam hij de joint over. Simmons glimlachte naar zijn voormalige tegenstander. Toen Strange als safety voor Roosevelt speelde, was Simmons end voor Dunbar. Ze hadden elkaar altijd gerespecteerd, vooral als er een wedstrijd tussen hun ploegen op het programma stond.

'Hij is een prima kerel,' zei Simmons tegen zijn metgezel.

'Nu wel,' zei Strange.

'Ik hoor dat je ervoor zorgt dat het veilig op straat is,' zei Simmons.

'Die straten zullen het een poosje zonder mij moeten doen,' zei Strange. 'Vanavond heb ik geen dienst.'

Ze spraken over football, wie van welke high school kwam en voor welk college ze zouden gaan spelen. De man met de baret deed niet bepaald vriendelijk tegen Strange, maar dat kon hem niets schelen. Nadat hij zijn bier had gedronken, was hij erg high geworden en niet in staat om een hekel aan iemand te hebben. Hij gaf Simmons een hand en liep naar de keuken, waar hij eenzelfde teil zag als die buiten stond. Hij pakte nog een High Life en maakte hem open. Hij nam een flinke slok. Vervolgens ging hij naar een andere kamer.

In deze kamer bevonden zich alleen maar paartjes. Iemand had het meubilair verwijderd en andere lampen gebruikt zodat de kamer in een blauw licht was gehuld. Er klonk een nummer van Solomon Burke, 'Tonight's the Night'. Solomon zei tegen zijn vriendin 'And when the lights are low, I'm going to lock the doors'. Paartjes dansten langzaam over de hardhouten vloer. Andere paartjes hielden elkaar gewoon vast, ze stonden stil en kusten elkaar. Strange leunde glimlachend tegen de muur. Hij voelde dat iemand op zijn schouder tikte en draaide zijn hoofd om. Hij moest glimlachen toen hij zag wie het was.

'Carmen,' zei Strange. 'Hoe gaat het met je?'

'Prima.'

Ze had een smal, blauw lint in haar haar, dezelfde kleur als haar jurk. Ze had grote, donkere ogen, kuiltjes in haar wangen en een gladde, donkerbruine huid. Ze had een figuur dat hem bijna de adem benam. Carmen Hill had het allemaal. De herinnering aan haar naakte gestalte in zijn bed bezorgde hem een droge keel. Hij nam een slok van zijn bier.

'Wat doe je in je eentje in de blauwe kamer?' vroeg Carmen.

'Ik stond op je te wachten, meisje.'

'Ga door, Derek.' Carmen lachte en keek naar de lome blik in zijn ogen. 'Je bent high, hè?'

'Een beetje.'

'Ik heb zojuist ook wat gerookt.'

'Als je arts wilt worden, dan moet je daarmee stoppen. Je kunt toch geen mensen *opereren* als je high bent?'

'Ik ben nog maar studente. Nu heb ik nog tijd om plezier te hebben. Wat ben je trouwens van plan? Ga je me een bekeuring geven?'

'Vanavond laat ik je met een waarschuwing gaan.'

Strange hield Carmen zijn flesje bier voor. Ze pakte het aan, nam een slok en gaf het flesje terug. Strange stak zijn hand uit en veegde met zijn duim het schuim weg dat zich bij haar mondhoeken had gevormd. Ze trok haar hoofd niet terug, integendeel. Ze keek hem aan en wendde haar blik af. Daarna keek ze hem weer aan.

'Vorig jaar december moest ik nog aan je denken,' zei Carmen, 'de dag dat Otis stierf.'

'Ja, tien december,' zei Strange. 'Ik zat in mijn patrouillewagen toen het nieuws over de radio kwam. Ze vertelden dat zijn vliegtuig in Wisconsin was neergestort.'

'Maar hij heeft wel muziek nagelaten.'

'Zijn muziek zal je altijd blijven horen,' zei Strange. Hij keek naar een van de speakers in de kamer, waar King Solomons stem nog steeds krachtig te horen was. 'Maar dat klinkt ook heel erg goed.'

'Dat is zeker.'

'Wil je dansen?'

'Oké.'

Hij zette het bierflesje op de vloer en ging weer rechtop staan, waarna ze zich in zijn armen nestelde. Hij beefde een beetje toen ze haar hoofd tegen zijn schouder legde. Hij rook haar shampoo en haar goedkope parfum. Haar borsten drukten stevig tegen zijn borst en haar warme vingers hielden zijn hand vast. Ze bewogen langzaam en makkelijk, alsof ze hem nooit in de steek had gelaten nadat ze de hele middelbareschooltijd en het jaar erna met elkaar gedanst hadden, tot er problemen tussen hen optraden en zij hem had weggestuurd.

Otis Redding klonk door de speakers. Het was de song met het mooie piano-intro, dat Strange nog steeds de koude rillingen bezorgde, 'Nothing Can Change This Love'. Dat was een van hun nummers geweest. Strange drukte Carmen dicht tegen zich aan en ademde haar geur in.

'Ik heb je gemist,' zei Strange.

Ze kusten elkaar. Haar lippen waren warm en hij voelde haar verhitte gezicht. Otis zong voor hen en er was verder niemand in deze kamer.

Later, toen het minder druk werd en de muziek wat zachter werd gezet, zaten Strange en Carmen Hill buiten op het stoepje voor het huis samen uit een flesje bier te drinken. Lydell was met een meisje, dat hij geruime tijd regelmatig zag, naar Stranges huis gegaan. De alcohol was goed gevallen bij Strange en had de scherpe kantjes van zijn high weggenomen. Tijdens hun gesprek raakte hij Carmen met zijn dij aan.

'Het was heerlijk vanavond,' zei Strange. 'Weet je, het is goed om je een beetje te ontspannen. En het is goed om jou te zien.'

'Dat vond ik ook.'

'Het is altijd fijn met jou, Carmen. Altijd geweest.'

'Je kunt de telefoon pakken, Derek. Als je met me wilt praten, kun je me altijd bellen.'

'Soms heb ik daar echt behoefte aan. Maar het is de laatste maanden met mijn baan en zo niet makkelijk geweest.'

'Dat wist je van tevoren.'

'Ik wist dat sommige blanke agenten een hekel aan me zouden hebben. Daar was ik op voorbereid. Maar ik verwachtte niet dat mijn eigen mensen me als een vijand zouden gaan beschouwen. Ik probeer gewoon mijn werk te doen, maar ik word van beide kanten onder vuur genomen.'

'Doe dan gewoon je werk,' zei Carmen. 'Dat zei je altijd tegen me. Houd je gedeisd en doe je werk. Dat doen volwassen mensen altijd.'

'Ik denk dat je gelijk hebt.'

'Trouwens, je wilde altijd graag een van die helden uit je favoriete westerns zijn. "Een man die de samenleving beschermt, maar er nooit deel van kan zijn." Zo heb je het ooit eens omschreven.'

'Dat zou best kunnen,' zei Strange.

'Dan heb je meer geluk dan de meeste anderen. Jij bent de man die je wilde worden.'

Ze zocht zijn hand en vlocht haar vingers door die van hem. Hij keek haar met een tedere blik aan.

'Waar woon je nu?' vroeg Strange.

Ze knikte naar de overkant van de straat. 'Ik woon daar op de hoek op de tweede verdieping. Zie je die lamp daar branden? Dat is mijn appartement. Eindelijk heb ik iets op loopafstand van mijn colleges gevonden.'

'Ik hoorde dat je verhuisd was.'

'Heb je dat gehoord?' vroeg Carmen een beetje spottend.

'Onlangs sprak ik je zus op straat.'

'Weet je zeker dat het zo ging? Want volgens haar was jij het die haar belde en vroeg waar ik heen was gegaan.'

'Ik kan het me niet precies meer herinneren. Het gaat erom dat je zus me dat vertelde.'

'Oké,' zei Carmen. Ze glimlachte flauwtjes en kneep in zijn hand. 'Nu we zo dicht bij jouw huis zijn...'

'Wat bedoel je?'

'Nodig je me niet uit?'

'Ik denk het niet.'

'Waarom niet?'

'Ik heb ook met mensen gesproken. Je hebt nog steeds contact met dat kapstertje uit het noordoostelijk deel, hè?'

'Dat is niet serieus.'

'Dat is het nooit bij jou.'

'Ik bedoel alleen maar dat ik haar af en toe zie, dat is alles.'

'Maar ze is toch niet de enige, of wel, Derek?'

'Ik ben niet met haar getrouwd, als je dat soms bedoelt.'

'En nu probeer je vanavond ook al met mij aan te pappen.'

'Wat bedoel je nu eigenlijk?'

'Je hebt nog steeds hetzelfde probleem als altijd. En die vlieger gaat bij mij niet op, Derek, niet weer.'

'Als ik bij jou kon zijn, dan zou *jij* de enige zijn.'

Carmen bewoog in zijn richting, kuste hem op de wang en ging staan. Strange hield haar hand vast.

'Ik heb het altijd geweten, Carmen,' zei Strange. 'Zelfs toen we nog kinderen waren... toen je op de hoek stond in je mooie paasjurk en met die echt leren schoenen aan. Ik wist het wel.'

'Ik ook.' Carmen trok haar hand los. 'Als we het opnieuw proberen, dan is het op mijn voorwaarden. Daar moet je nog maar eens goed over nadenken, Derek. Als je tot een besluit bent gekomen, weet je waar je me kunt vinden. Want nu weet je waar ik woon.'

'Je weet toch nog waar *ik* woon, hè?'

'Ja, want ik heb nog steeds je sleutel.'

Strange zag haar het stoepje aflopen en de straat oversteken naar het rijtjeshuis. Hij vroeg zich af of hij ooit in staat zou zijn om zich aan één vrouw te binden, of kwam het alleen maar omdat hij jong was en later wel zou veranderen. Hij *wilde* veranderen. Want het stond als een paal boven water: *zij* was de ware.

Hij stond op en liep eerst naar Barry Place en vervolgens naar Florida Avenue. Hij liep in oostelijke richting door een rustige stad. Hij bleef even staan om een jongen van ongeveer negen jaar naar binnen te sturen, die in z'n eentje met een basketball over het trottoir dribbelde. De jongen vroeg waar hij zich mee bemoeide.

'Ik ben agent,' zei Strange.

Hij wachtte tot de jongen deed wat hem was opgedragen en vervolgde zijn weg.

20

Dinsdag maakten zwarte leiders in Memphis bekend dat er aan het einde van de week een grote mars zou plaatsvinden. Vakbondsleden en woordvoerders voor gelijke burgerrechten uit het hele land zouden aan de mars deelnemen. Een arbeidsovereenkomst met de medewerkers van de gemeentereiniging zou uitstel van de mars betekenen, maar dat was iets dat eigenlijk niemand verwachtte. Dr. King zou dezelfde dag in Tennessee aankomen om de demonstratie voor te bereiden, maar hij werd in Atlanta opgehouden. Zijn mensen beloofden dat hij in plaats daarvan woensdag naar Memphis zou komen om de operaties voor te bereiden.

Dinsdag vierde senator Eugene McCarthy zijn overwinning in de voorverkiezingen van Wisconsin. Met duidelijk verschil versloeg hij de vorige dag niet alleen non-kandidaat Lyndon Johnson, maar ook de officieel ingeschreven kandidaten Robert Kennedy en Hubert Humphrey. In de Republikeinse voorverkiezing won Nixon tachtig procent van de stemmen, tegenover Ronald Reagan tien procent, en leek duidelijk op weg naar de nominatie door zijn partij.

Dinsdag ging het Cherry Blossom Festival 1968 officieel van start. Aan de overkant van de Potomac, in de buurt van de erebegraafplaats Arlington in Virginia, verwijderde de U.S. Park Police een vlag van de Vietcong die boven het monument voor Iwo Jima wapperde. Later die middag werden twee broers op de parkeerplaats van een drive-inrestaurant in het noordwestelijk deel aan Wisconsin Avenue gearresteerd. Ze waren in het bezit van de grootste hoeveelheid hasj die ooit in Washington of omgeving in beslag was genomen.

Op datzelfde moment werkten Buzz Stewart en Dominic Martini enigszins ongemakkelijk met elkaar in het Esso-benzinestation aan Georgia Avenue. Intussen werkte Hess, zonder schuldgevoel of iets anders dat hem dwarszat, in de machinefabriek aan Brookeville Road. Darius Strange bakte eieren en burgers op de grill van de Three Stars Diner in Kennedy Street, terwijl zijn vrouw Alethea een huis schoonmaakte in het gebied van Four Corners in Silver Spring, Maryland. Hun oudste zoon Dennis sliep tot laat in de ochtend uit, keek naar de tv en nam de personeelsadvertenties in de *Post* door. Hun jongste zoon Derek deed het die ochtend kalm aan. Hij las wat en luisterde naar een paar platen. Vervolgens trok hij zijn uniform aan om met Troy Peters hun middagdienst te gaan draaien.

Frank Vaughn hoorde van de hasjvangst via de nieuwszender WAVA, toen hij in zijn Polara in zuidelijke richting door een straat in het centrum van Silver Spring reed. Hij moest aan Ricky denken en aan het pijpje dat hij de vorige week in de auto van zijn zoon had gevonden.

'Gisteravond ben ik met een stel jongens op stap geweest,' verklaarde Ricky. 'Een van hen moet het onder de bank hebben laten vallen. Ik zweer het je, pa, ik weet zelfs niet waar het ding voor gebruikt wordt.'

Bull*shit,* dacht Vaughn. Maar in plaats daarvan zei hij tegen zijn zoon: 'Zorg ervoor dat je het kwijtraakt, oké?'

Vaughn reed Sligo Avenue in en sloeg daarna meteen rechtsaf Selim in. Hij parkeerde voor de kroeg Fay and Andy's, waar drinkers naar Georgia Avenue en de sporen van B&O keken, als ze tenminste niet in hun glas staarden of naar de asbak die voor hen stond. Er bevonden zich verscheidene garages in deze buurt, werkplaatsen waar motoren werden gereviseerd en plaatwerkerijen. Vaughn had hier geen enkele bevoegdheid, maar daar trok hij zich niets van aan. Bovendien had hij toch geen dienst meer.

Vaughn had diezelfde ochtend zijn mannetje bij het lab, Phil Leibowitz, aan de telefoon gekregen. Leibowitz had de grille, het glas en het embleem dat op de plaats delict was achtergebleven onderzocht. Hij was tot de conclusie gekomen dat de bij het incident betrokken auto een '63 of '64 middenklasse Ford was geweest.

'Het is geen Falcon of een kleiner model,' zei Leibowitz. 'Dat weet ik zeker. Dit is een totaal andere grille. Volgens mij moet je uitkijken naar een Fairlaine of een Galaxie 500.'

'Verdomme, Phil?' zei Vaughn. 'Welke van de twee?'

'De Galaxie.'

'Waarom?'

'Volgens mij omdat door de botsing het embleem van de voorkant van de auto werd geslagen. Bij de Fairlaine is het Fordembleem niet aan de grille bevestigd.'

'Je bent een genie.'

'Complimenten zorgen er niet voor dat mijn rekeningen betaald worden.'

'Ik trakteer op het eerstvolgende biertje.'

'Ook biertjes zorgen er niet voor dat mijn rekeningen betaald worden.'

'Ik spreek je nog wel,' zei Vaughn.

Vaughn bracht het volgende uur door met het afleggen van

bezoeken. Hij ondervroeg monteurs en plaatwerkers om iets over een beschadigde, rode Ford te weten te komen. Hij sprak met door-smeerders, gewone jongens, halvegaren, kerels die eruitzagen alsof ze in de gevangenis hadden gezeten, en kerels die eruitzagen alsof ze kandidaat voor een gevangenisstraf waren. Hij kreeg niets te horen.

Vaughn reed weer terug naar D.C. Hij had nog een uur de tijd voordat zijn dienst begon. Hij was nu de verantwoordelijke man voor de zaak van een pasgepleegde moord en dat zou ten koste van de aanrijding gaan. Uit de verzamelde gegevens bleek dat jongeman Vernon Wilson volkomen brandschoon was. Hij had een vaste baan en was van plan verder te gaan studeren. Hij kwam uit een liefdevol gezin. Vaughn kwam tot de conclusie dat hij vermoord werd omdat hij kleurling was. Vaughn voelde dat hij op het punt stond Wilsons moordenaar te arresteren en daarom ging hij koppig door. Hij hoef-de alleen maar die auto op te sporen.

Vaughn reed verder door Arkansas Avenue en stopte tussen 14th en Piney Branch Parkway. Daar bevond zich naast een glaszaak en een koelpakhuis een garage met één brug. Vaughn kende de chef-monteur daar. Het was een enorme kleurling, Leonard White, die hij jaren geleden voor een inbraak had gearresteerd. In die tijd werkte Vaughn nog op de afdeling Berovingen, de eerste functie nadat hij zijn uniform had uitgetrokken.

Vaughn parkeerde vlak bij een munttelefoon en tikte met zijn vinger op het stuur. Hij dacht aan een vriend in Prince George's County die hem misschien zou kunnen helpen. Maar eerst moest hij gokken op een gesprek met White.

White had zijn hoofd onder de motorkap van een '63 Valiant gestoken, toen Vaughn door de open deur naar binnen liep. Muziek klonk luid uit de garageradio. Een magere kleurling in overall en een bivakmuts schuin op zijn hoofd gaf White een moersleutel. Hij keek Vaughn koeltjes aan en zei: 'Leonard, de sterke arm is hier om je te spreken.' White keek op en tuurde met samengeknepen ogen door het licht van een looplamp boven de Plymouth naar Vaughn. Het licht gaf de illusie van warmte, maar binnen de vierkante beton-nen ruimte was het zo koel als in een graf.

White strekte zich uit over zijn volle een meter tachtig en nog wat, veegde zijn handen af aan een poetsdoek en liep naar Vaughn. Hij droeg een bril met zwart montuur, dat met plakband om de brug bij elkaar werd gehouden. Zijn hoofd was bijna even groot als van een kalf. Hij leek precies op Roosevelt Grier.

'Agent Vaughn.'

'Leonard.'

'Ik zie dat je nog steeds met die Valiants bezig bent.'

'Zolang ze voor die Signets-versnellingen blijven kiezen, zal ik nog wel werk hebben.'

'Kan ik je buiten even spreken?'

Zonder antwoord te geven liep White naar buiten. Vaughn volgde hem. Vaughn schudde een L&M uit zijn pakje. White haalde een pakje Viceroys uit zijn borstzakje tevoorschijn en stak er eentje tussen zijn lippen. Vaughn haalde zijn Zippo tevoorschijn, stak Whites sigaret aan, daarna zijn eigen sigaret en klapte de aansteker dicht.

'Onlangs is er een moord in 14th gepleegd.'

'Dat verbaast me niets.'

'Niet in het centrum van Shaw, maar een paar kilometer hiervandaan. Een wagen heeft een jonge kleurling aangereden, die niets deed maar slechts lopend op weg naar huis was.'

'Dat heb ik gehoord.'

'*Wat* heb je gehoord?'

'Dat het gebeurd is.'

White nam een trek van zijn sigaret en blies langzaam de rook uit.

'Ik ben op zoek naar een rode Ford,' zei Vaughn. 'Een Galaxie 500, model '63 of '64. Beschadigde grille, koplampen, voorspatborden en zo.'

'Zo'n auto heb ik niet gezien.'

'Alsjeblieft.' Vaughn gaf White een visitekaartje, waar hij zijn privé-nummer had opgeschreven. Het stond naast het gedrukte nummer van het bureau. 'Bel me als je iets hoort, oké?'

White knikte.

'Alles oké?' vroeg Vaughn

'God is goed,' antwoordde White.

Leonard White rookte zijn sigaret op en keek Frank Vaughn na, die de straat overstak. Hij liep naar een munttelefoon vlak bij de bushalte. Vaughn amuseerde hem. Hij was net een dinosauriër die niet wist dat alle andere dinosauriërs uitgestorven waren. Maar zoals de meeste mannen die in de gevangenis hadden gezeten, vond White degene die hem daarheen had gestuurd op een vreemde manier sympathiek. Op een zeer gedecideerde manier had Frank Vaughn gedaan wat zijn moeder, vader, vriendinnen en dominee niet in staat waren geweest te doen: hij had ervoor gezorgd dat hij zijn leven beterde.

Bij de munttelefoon schoot Vaughn het peukje weg. Hij haalde zijn portemonnee tevoorschijn en liep vliegensvlug door de inhoud, tot hij een nummer vond dat hij op een stukje papier had geschreven. Hij stopte een dubbeltje in de gleuf en draaide het nummer van een rechercheur van de afdeling Moordzaken van PG County, Marin Scordato, die hij jaren geleden had leren kennen op een schietbaan in Upper Marlboro. Scordato hield de huidige verblijfplaatsen van alle kerels bij die hij ooit had gearresteerd, in de gevangenis waren beland en er weer uit waren ontslagen. Dikwijls kneep hij die mannen uit om informatie te verkrijgen. Bijna allemaal waren ze voorwaardelijk vrij en hadden wel op de een of andere manier de wet overtreden, zodat ze al snel op zijn dreigementen reageerden. Het was eigenlijk pesterij, maar wel effectief.

'Marin, je spreekt met Frank.'

'Hé, Hound Dog, hoe gaat het ermee?'

'Met mij prima,' antwoordde Vaughn. 'Maar ik heb problemen met een zaak.'

Mike Georgelakos scheurde om drie uur de kassastrook af en noteerde de dagopbrengst in zijn groene boek. Hij zat op een kruk naast de kassa met de bril halverwege zijn neus, en schreef met potlood de cijfers op het ruitjespapier van het boek. De opbrengst na drie uur verdween in zijn eigen zak en werd niet aan de belastingen opgegeven, een normale handeling voor alle kleine zakenlieden in D.C.

Achter de bar van de Three Star Diner gebruikte Darius Strange een steen om de grill schoon te maken, terwijl Halftime, Mikes schoonmaker, de afwas stond te doen aan de andere kant van het plasticgordijn en neuriede steeds weer opnieuw het refrein van 'I Was Made to Love Her'. Ella Lockheart vulde de Heinz-flessen met ketchup van A&P. Gospelmuziek klonk over de radio. Ze verrichtten hun taak op een rustige manier. De drukte van het lunchuur was voorbij en het einde van de werkdag was in zicht.

Derek Strange en Troy Peters zaten aan de bar. Ze aten een cheeseburgerschotel en dronken Cokes om energie voor hun komende dienst van vier tot middernacht op te doen. Ze waren in uniform en hun dienstrevolvers hingen in de holsters aan hun zij. Peters zat aan zijn vrouw Patty te denken, hoe ze lag te slapen met haar blonde haren als een waaier op het kussen, nadat ze de avond ervoor de liefde hadden bedreven. Strange was nog steeds duizelig omdat hij de hele dag aan Carmen Hill had gedacht, aan de rondingen van haar billen in die jurk, aan de vorm van haar dijen en de warmte van haar kruis, toen ze zich tijdens het dansen tegen hem aandrukte. Die donkerbruine ogen. Daarnaast concentreerden Strange en Peters zich op het voedsel dat voor hen stond, waar ze net zo van genoten als van een vrouw, iets dat ze met alle jongemannen gemeen hadden.

'Hoe smaakt de burger, jongen?' vroeg Darius Strange.

'Hij smaakt goed, pa.'

'Als je het maar lang genoeg doet, dan leer je het wel.' Hij keek over zijn schouder naar zijn zoon en ging anders staan toen hij een scherpe pijn bij zijn staartbeentje voelde.

Strange zag het van pijn vertrokken gezicht van zijn vader, die zich even later weer aan zijn taak wijdde. Op zijn hoofd droeg hij een grote koksmuts, die hij een toque noemde. Onlangs had Billy Georgelakos een foto genomen van zijn vader Mike met Darius.

Darius had zijn koksmuts op en hield een spatel in zijn hand. De foto werd ingelijst en bij de voordeur opgehangen.

Mike had in de loop der jaren Darius regelmatig opslag gegeven. Nu verdiende hij honderdtien dollar per week. Stranges moeder verdiende nu zeventien dollar voor ieder huis dat ze schoonhield, maar nu werkte ze nog maar vijf in plaats van zes dagen per week. Dankzij hun gezamenlijk inkomen slaagden ze erin om alle rekeningen te betalen. Dus zo slecht hadden ze het nog niet. Maar Strange maakte zich zorgen over zijn vader. De laatste tijd werd zijn gezicht steeds slapper en magerder. Voor een man van in de vijftig, leek hij vroeg oud te worden.

De bezorger van de *Daily News* kwam de zaak binnenlopen en liet zijn stapel kranten boven op de sigarettenautomaat vallen. Hij haalde de exemplaren van de vorige dag weg. Strange kwam van zijn kruk af, pakte de bovenste krant van de stapel en liep ermee terug naar de bar. Hij legde de krant links van zijn bord en sloeg hem open. De *News* was D.C.'s sensatiekrant in tabloidformaat en daarom handig te lezen. Door de nonchalante lay-out en de dramatische ondertoon in alle artikelen was de *News* prettig te lezen. Er stonden zelfs puzzels in, vlak bij de moppenpagina's. Allerlei puzzels die Strange graag oploste. Hij sloeg krant open bij de filmpagina's en keek naar de aanvangstijden van de voorstellingen in de première-theaters in het centrum.

'Draait er nog iets bijzonders?' zei Peters, terwijl hij de mosterd van zijn mondhoeken verwijderde.

'*The Scalphunters,*' zei Strange. 'Op die film heb ik zitten wachten.'

'Die Burt is een echte kerel,' zei Peters.

'Vergeet Ossie Davis niet. En die kerel met z'n kale kop doet ook mee, hij speelde Magid in *The Dirty Dozen*'.

'Savalas!' zei Mike Georgelakos opeens opgewonden van de andere kant van de bar. Strange hoorde zijn vader zachtjes grinniken.

'Ga je er met je kapstertje heen?' vroeg Peters.

'Dat denk ik niet,' zei Strange. Hij dacht: Darla houdt helemaal niet van westerns.

Darius draaide zich om, liep naar de bar, legde zijn handpalmen erop en keek zijn zoon aan: 'Ben je klaar?'

'Ja, bedankt, pa,' zei Strange.

'Ga je nu mijn job ook al doen?' zei Ella Lockheart. Ze kwam vlug aangelopen en reikte voor Darius langs om Derek Stranges lege bord op te pakken. 'Dat doe ik wel even.'

Terwijl ze dat deed, raakte ze met haar hand Darius' onderarm aan. Haar aanraking leek normaal en hij scheen er zich ook helemaal niet ongemakkelijk bij te voelen. Ella zette het bord in een rek onder de bar en liep weer terug naar haar ketchupflessen. Darius keek haar even na en wendde zich weer tot zijn zoon.

'Dennis en ik hebben gisteravond met elkaar gesproken,' zei Darius.

'Hij vertelde me dat hij met u zou gaan praten.'

Darius keek heel even naar Troy Peters en toen weer naar Derek.

'Het is oké, pa,' zei Strange. 'Mijn partner en ik hebben er al over gesproken.'

Peters moest bijna glimlachen. Voor zover hij zich kon herinneren, was dit de eerste keer dat Strange hem zijn partner noemde.

'Denk jij dat het deze keer serieus is?' vroeg Darius.

'*Hij* denkt dat het serieus is,' zei Strange. 'Of Dennis doorzet of niet, ik weet het niet; ik vermoed dat we maar gewoon moeten afwachten.'

'Misschien zouden we met z'n drieën naar die film kunnen gaan, waar je het zojuist over had. Jij, ik en Dennis, bedoel ik. We kunnen dit weekend naar de stad gaan om de film te zien. Hij draait in de Keith's, hè? We hebben sinds lange tijd samen geen film gezien in een van die oude theaters.'

'Ik ga mee,' zei Strange.

'Ik zal het met je broer bespreken,' zei Darius. 'Eens informeren of hij er ook zin in heeft.'

Darius ging weer terug naar zijn werk. Strange keek langs de bar naar Ella, die in zichzelf glimlachend zachtjes met de gospelsong over de radio meezong.

Strange herinnerde zich dat hij op een dag na schooltijd zijn vader wilde verrassen. De magnolia's stonden in bloei. Strange liep door de steeg naar de achterdeur, toen hij zijn vader en Ella Lockheart heel dicht bij elkaar op het stoepje bij de achterdeur zag staan praten. In zijn vaders ogen en glimlach zag Strange iets bekends. Op dezelfde manier keek en glimlachte hij op sommige avonden naar zijn vrouw, als ze gelukkig waren en het samen goed hadden. Later die avond hoorde Strange hen lachen en lawaai maken in de slaapkamer. Omdat zijn vader op dezelfde manier naar Ella keek, raakte hij volkomen van slag. Hij liep de steeg weer uit en ging naar huis. Nooit had hij zijn vader verteld dat hij die lentedag bij hem langs wilde komen.

Hij vermoedde dat hij het altijd wel had geweten. Maar voor een jongen was het veel te verwarrend om ermee om te kunnen gaan, daarom stopte hij het incident diep weg in zijn geheugen. Hij hield van zijn moeder evenveel als van zijn vader. Hij had medelijden met haar en was teleurgesteld in hem. Ook teleurgesteld, omdat de band tussen zijn ouders, die in zijn ogen eenvoudig en heilig was, uiteindelijk even complex en breekbaar bleek te zijn als alle andere dingen. Maar hij kon het niet opbrengen om zijn vader te haten. Oordeelt niet, opdat gij niet geoordeeld zult worden, dat zei hun dominee altijd in de kerk. En dat gold zowel voor Darius als voor de volwassen Derek Strange.

Jij lijkt precies op je vader. Dat had Lydell de avond ervoor nog tegen hem gezegd.

Hij vermoedde dat dat inderdaad zo was. Het was zeker waar dat hij de werkopvatting van zijn vader deelde. De interesse in plaatselijke sporthelden, in muziek, zelfs in westerns, alles had hij van Darius Strange. En zijn weerzin om zich aan één vrouw te binden, je echt te binden, zelfs wanneer iemand zo goed als Carmen je recht in je ogen keek, nou, vermoedelijk had hij dat ook van zijn vader. Vanzelfsprekend werd je last niet lichter als je wist waar deze bagage vandaan kwam. Je zette iedere dag gewoon de ene voet voor de andere en deed je stinkende best.

'We moeten weer weg,' zei Peters, terwijl hij op zijn horloge keek.

'Prima,' zei Strange.

Ze betaalden de helft van het bedrag dat op de menukaart stond en lieten het wisselgeld op de bar liggen. Ze zwaaiden naar Mike, die prevelend een stapeltje dollarbiljetten telde.

'Een gezegende dag, jongeman,' zei Ella Lockheart. Nu stond ze de peper- en zoutvaatjes te vullen, haar laatste taak van de dag. Strange en Peters liepen naar de deur.

'U ook, miss Ella. Tot ziens, pa.'

'Jongen.'

Buiten liepen ze naar hun patrouilleauto. Aan de overkant voor de Kennedy vormde zich een rij voor de eerste voorstelling van *Von Ryan's Express*. Voor de kerk spraken meisjes koeterwaals met elkaar, een vrouw met kinderwagen passeerde een man die zijn geparkeerde Lincoln in de was zette.

'Het ziet er mooi uit,' zei Peters en keek naar de wolkeloze hemel.

Strange rook regen.

21

Alvin Jones parkeerde zijn Special op de hoek van 2nd en Thomas. Vervolgens liep hij in noordelijke richting naar het centrum van LeDroit Park. Tijdens die wandeling keek hij met harde blikken naar de jongemannen en met zachte ogen naar de vrouwen. Hij had zijn pistool in zijn appartement achtergelaten, maar was niet ongewapend naar buiten gegaan. Hij had een scheermes in zijn broekzak gestoken.

Weldra bereikte hij het kruispunt met de supermarkt op de andere hoek. Het zou kunnen dat de eigenaar van de winkel of een van zijn medewerkers achterdochtig was geworden en hen zondagavond in Kenneths Monterey had zien zitten. Misschien waren zij het wel geweest die de politie hadden ingelicht, en het kenteken van Kenneths auto hadden doorgegeven. Maar het was hoogst onwaarschijnlijk dat de MPD iemand daarom zou arresteren, maar toch wilde Jones daar zeker van zijn.

De deur werd door een touw opengehouden. Hij staarde besluiteloos naar het uithangbord, want hij wist dat hij niet dichterbij moest komen of naar binnen gaan. Toen zag hij een half blok verderop een paar jongens op de fiets een plank oprijden die ze midden in de straat schuin tegen een paar stenen hadden neergelegd. Jones liep naar de plek waar de jongens speelden en keek naar hun spel. Ze kwamen hard aanrijden, reden de wiebelende plank op en probeerden met hun fiets een luchtsprong te maken. De jongen met de hoogste sprong won de inzet van de pot, maar volgens Jones hadden ze geen van allen geld bij zich.

Maar de fietsen waren oud en zwaar, waardoor het niet zo ging als ze gepland hadden.

Maar zij hadden tenminste een fiets. In de jaren vijftig had Jones zijn vader eens om een fiets gevraagd, maar zijn vader had hard gelachen. Jones vroeg het nog een keer, waarna zijn vader hem zo'n harde draai om zijn oren gaf dat hij net als in de tekenfilms sterretjes zag. Het was trouwens zijn echte vader niet. Gewoon een man tegen wie Jones beleefd moest zijn van zijn moeder. En als de man hem niet uitlachte, dan sloeg hij hem wel met een riem of zijn vuisten. Als

Jones hem nu nog zou tegenkomen, vermoordde hij hem. Maar de man was al tien, twaalf jaar dood. In zijn hart gestoken, toen hij om een vrouw vocht die een verdieping lager woonde.

Jones floot naar de jongens. Bezorgd, maar tegelijk nieuwsgierig reden ze op hun fiets naar hem toe. Hij stelde zich voor en vertelde hen wat hij wilde. Terwijl hij sprak, hield hij twee opgevouwen biljetten van een dollar in zijn hand. Hij vertelde dat hij in deze buurt was opgegroeid en vroeg hun hoe de eigenaar van die supermarkt heette, en die andere man die daar ook werkte. Hij beweerde dat hij naar binnen wilde gaan om hen te begroeten, maar zich schaamde omdat hij hun namen niet meer wist. En, o ja, hadden ze gisteren nog een knul in de buurt van die supermarkt gezien. Jones beschreef Dennis Strange. De jongens wisten niets, maar keken met begerige ogen naar de dollarbiljetten.

'Krijgen we het geld niet, meneer?' vroeg een van de jongens, toen hij zag dat Jones het geld weer in zijn zak stopte.

'De volgende keer moet je eerst om het geld vragen,' zei Jones.

Jullie zouden *mij* geld moeten geven voor de les die ik jullie zojuist gegeven heb, dacht Jones, terwijl hij wegliep. Voor inlichtingen ging hij altijd eerst naar kinderen, want ze vertrouwden je altijd en gaven je altijd meteen de gevraagde informatie. Maar deze kinderen waren geen stuiver waard.

Jones liep weer verder terug. Hij liep voorbij de supermarkt, bij het volgende kruispunt sloeg hij rechtsaf en verdween in de steeg die tussen de twee huizenrijen liep. Aan het einde van de steeg kon Jones de achterdeur van de supermarkt zien, en een omgekeerd melkkratje naast het stoepje. Katten stoven in diverse richtingen weg toen hij over het beschadigde beton kwam aanlopen. Recht vooruit zag hij een jongen in streepjesshirt een tennisbal tegen een muur gooien.

Jones liep naar de jongen toe en bleef bij hem staan. De jongen deed geen stap terug of opzij. Hij had voor zijn leeftijd een oud gezicht, en ogen die weldra hun onschuld zouden verliezen. Maar volgens Jones was dat prima.

'Hoe gaat het, knul?'

De jongen zei niets.

'Jongen, je hebt een arm als Bob Gibson.'

De jongen gooide de bal met hoge snelheid tegen de muur.

'Nou goed,' zei Jones, 'luister goed.'

Jones vertelde de jongen hetzelfde verhaal en stelde hem dezelfde vragen als de jongens op de fietsen. Tijdens het verhaal van Jones ging de jongen gewoon door met gooien. Hij ving de bal na één keer stuiteren met blote handen weer op. Toen Jones was uitverteld, wachtte hij tot de jongen iets zou zeggen. Maar de jongen reageerde in het geheel niet.

Jones begon zijn geduld te verliezen. Hij stak een Kool op en keek de jongen doordringend aan. 'Is er iets met je tong?'

De jongen schudde zijn hoofd. 'Ik mag van mijn oom niet met de politie praten.'

'Daar heeft hij goed aan gedaan.'

De jongen hield de bal in zijn handen en ging rechtop staan. Voor de eerste maal keek hij Jones recht in de ogen. 'Heb je geld?'

'Misschien.'

'Misschien weet ik dan wel iets.'

'Vertel me *alles* wat je weet.'

'Waar is het geld?'

Jones grinnikte zachtjes. Hij stak zijn hand in zijn zak en overhandigde de jongen twee biljetten van een dollar. 'Vertel.'

'De blanke man, de eigenaar van de supermarkt, iedereen noemt hem meneer Ludvig. De man die voor hem werkt noemen we allemaal John.'

'John is een zwarte man...'

'Hij heeft een donkere huid en plukjes grijs haar.'

'En de rest?'

'Welke rest?'

'Wat ik je net vroeg. Heb je gisteren een jonge broeder gezien die met die mannen heeft gesproken? Ik bedoel, iemand die niet uit deze buurt kwam. Een vreemde. Hoogstwaarschijnlijk heeft die knul met John gesproken.'

De jongen dacht diep na. Opeens verhelderde zijn gezicht toen hij zich iets herinnerde. 'Er was een man die hier vroeg in de avond kwam.'

'In de steeg?'

'Die man passeerde me. Hij sprak achter de winkel met John. Een grote, jonge vent met een Afro-kapsel dat in de war zat.'

'Heeft hij zijn naam nog gezegd?'

'Nee.'

'Was er nog iets bijzonders aan die man?'

'Nee, niets bijzonders. Behalve – '

'Wat?'

'Die man had een boek bij zich.'

Jones glimlachte. 'Zei hij nog iets tegen je?'

'Niets belangrijks. Kennis is macht, of zo.'

'Nou, dat is pas bullshit,' zei Jones.

'Dat weet ik,' zei de jongen.

'De straat is de enige leermeester die je ooit nodig zult hebben. En boeken zijn trouwens voor flikkers.'

'Ik ben geen homo.'

'Dat zie ik,' zei Jones. 'Luister, wij hebben elkaar vandaag niet gesproken, hè?' •

'Voor twee dollar extra hebben we elkaar nog *nooit* ontmoet.'

'Jongen,' zei Jones en pakte zijn portemonnee, 'met al die hersens van je mag je me zo naar het armenhuis brengen en voor de deur afzetten.'

Toen het donker werd, begonnen de ongeregeldheden in de Peoples Drug Store op de hoek van 14th en U, waar ongeregeldheden niet ongewoon waren. De vier hoeken van het kruispunt van 14th en U golden als de drukste en beruchtste van alle kruispunten in zwart Washington. Het was een belangrijk overstappunt in het centrum van D.C.'s Harlem, een ontmoetingsplaats voor heroïneverslaafden, pooiers, prostituees en alle soorten oplichters, maar ook voor gezagsgetrouwe burgers en buurtbewoners die zich door hun wereld probeerden te bewegen.

De Peoples Drug bevond zich naast het kantoor van de afdeling Washington D.C. van dr. Kings Southern Christian Leadership Conference dat in een voormalige bank was gevestigd. De kantoren van de SNCC en de NAACP bevonden zich eveneens in de buurt.

Schermutselingen tussen jongeren en zwarte veiligheidsmensen van de winkel vonden de laatste paar weken regelmatig in deze Peoples plaats. Nu stond een bewaker, in dienst van een ander bedrijf, tegenover een groep jongemannen die voor de winkel met een dode vis stonden te zwaaien en voorbijgangers lastigvielen met obscene gebaren en opmerkingen. De bewaker zei hun dat ze door moesten lopen, maar de jongens gaven geen gehoor aan zijn bevel. Ze noemden hem 'homo' en 'klootzak', en toen hij zich terugtrok, gingen een paar jongens achter hem aan de zaak in. De chef belde de politie. Een vechtpartijtje ontstond tussen een van de jongens en de bewaker, waarna de jongens de zaak werden uitgezet. De chef deed de voordeur op slot. Maar nu vormde zich een menigte voor de Peoples. Zoals altijd in de binnenstad, verspreidde het nieuws zich snel via de 'gettotelegraaf' en het verhaal veranderde in de veronderstelling dat er weer een zwarte door de autoriteiten in elkaar was geslagen. De menigte nam steeds meer in omvang toe en verwarring en nieuwsgierigheid veranderden in woede. De menigte drukte tegen de grote spiegelruit. Precies op het moment dat patrouilleauto's van de MPD arriveerden, knapte de voorruit.

Alle beschikbare manschappen werden via de radio opgeroepen om naar de bewuste plek te komen. Derek Strange en Troy Peters behoorden bij de eersten die arriveerden. Strange stapte uit en hield zijn knuppel gereed. Hij en Peters gingen bij de andere agenten in uniform staan, die zich om de inspecteur hadden verzameld, die met de leiding belast was. De mannen kregen instructies om alleen van hun fysieke aanwezigheid gebruik te maken, in plaats van geweld te gebruiken. Ze moesten de orde handhaven en de zakelijke eigendommen in het blok beschermen. Tijdens het geven van de instructies begon de menigte, die nu uit meer dan honderd man bestond, steeds groter en opdringeriger te worden. 'Trek geen wapen, tenzij het absoluut noodzakelijk is,' zei de inspecteur. Strange voelde een straaltje zweet langs zijn rug omlaag lopen. Onwillekeurig raakte zijn hand de kolf van zijn .38 aan.

Strange gingen bij de andere agenten staan die voor de winkel een linie hadden gevormd. Met enige armlengten tussenruimte, maar wel naast elkaar, bleven ze staan. Opeens merkte Strange dat hij hier de enige zwarte agent was. Hij hoorde mensen 'Tom' en 'huisneger' schreeuwen en voelde het hart in zijn keel kloppen. Hij hield zijn knuppel stevig vast en sloeg er ritmisch mee in zijn andere handpalm. Hij vermeed het om oogcontact met mensen in de menigte te hebben.

Dienen en beschermen. Doe je werk.

Een projectiel vernielde de deurpost van Peoples. Stenen, blikjes, flesjes en afval vloog om hun oren. Een dobermannpincher was door een van de winkeliers op de menigte losgelaten, met als gevolg dat de menigte nog meer tekeerging. Een brigadier schreeuwde naar de burger dat hij zijn 'verdomde hond' moest terugroepen, maar het was al te laat. Een volle fles Nehi-druivensap trof een patrouilleauto pal op de voorruit, met als gevolg een grote barst. Twee agenten gingen naar de menigte en trokken een vloekende en scheldende man naar voren en smeten hem achter in de arrestantenwagen. Een tweede man kreeg de handboeien om en werd eveneens in de wagen gestopt. Jongens goten aanstekerbenzine tegen een boom en staken hem in brand. Ze lachten en vervloekten een brandweerman die het vuurtje doofde. Stenen troffen een patrouilleauto met een geluid alsof er geschoten werd, en twaalf jaar oude meisjes gilden de verschrikkelijkste dingen tegen de agenten. Stranges handen waren nat van het zweet en gleden over zijn knuppel. Hij keek naar Peters en zag Troys wijd opengesperde ogen en de zweetdruppels op zijn voorhoofd. Deze situatie bleef de eerste twintig minuten ongewijzigd en was als een oplaaiend vuur, dat ze maar niet konden stoppen. Een jonge agent trok angstig zijn pistool. Het resultaat was dat het lawaai nog groter werd. Op dat moment wist Strange dat ze iedere controle over de menigte waren kwijtgeraakt. Hun inspecteur gaf bevel om terug te trekken.

Maar opeens, alsof ze door hun eigen woede waren opgebrand, begon de menigte uit zichzelf rustig te worden. Stokely Carmichael in camouflagejack was uit het kantoor van de SNCC aangekomen. Hij kreeg een luidspreker in zijn handen gedrukt en gaf iedereen het bevel om 'naar huis' te gaan. Hij gaf de menigte opdracht zich te verspreiden en alles van de straat te rapen waar ze mee gegooid hadden, want het was tenslotte hun eigen wijk. Ze raapten niets op, maar tijdens zijn toespraak werd de menigte steeds rustiger en verwijderde zich langzaam van het toneel.

De agenten bleven achter in een lege straat, tussen de glasscherven en rotzooi. Rook kringelde omhoog in het schijnsel van de knipperlichten van de patrouilleauto's, die met draaiende motor op het kruispunt stonden. Een knul reed voorbij op z'n fiets, zijn broertje zat op het stuur. Beiden lachten. Een jonge agent stak met trillende handen een sigaret aan.

'Troy,' zei Strange.

Peters' gezicht was lijkbleek. Hij staarde voor zich uit en bewoog zich niet.

'Kom mee, makker,' zei Strange, terwijl hij hem op de arm tikte.

Samen liepen ze terug naar hun auto.

Evenals zijn bewoner was James Hayes' appartement netjes en onopvallend. Het meubilair was in een winkel in het centrum gekocht en zou over twintig jaar nog stijlvol genoemd kunnen worden. De moderne keuken was ingericht met nieuwe, goudkleurige apparatuur. Een kleuren-tv stond in de woonkamer naast een stereo met druktoetsen. De op maat gemaakte overhemden in de slaapkamerkast waren in een wasserette gewassen en gestreken. Alle bezittingen bezaten een zekere kwaliteit, maar waren met opzet onopvallend. De man wilde niet opvallen.

James Hayes woonde hier aan Otis Place lang genoeg om zich te herinneren dat jongens als Dennis en Derek Strange door de stegen en straten van Park View renden en later tot mannen opgroeiden. Hij sprak pas met de jongens toen ze volwassen waren geworden, en als ze zaken met hem deden, was het initiatief altijd van hen uitgegaan. Het was een goede, noch slechte man. Velen kenden hem als de plaatselijke marihuanadealer. Eigenlijk was hij een crimineel, maar de meeste buren vonden hem gewoon een rustige en beleefde man.

Hayes zat in de woonkamer tegenover Dennis Strange. Ze dronken een paar Margeaux cognacs, luisterden naar een plaat, genoten van de muziek en elkaars gezelschap. Ze zeiden weinig omdat ze beiden high waren. Ze hadden samen een joint gerookt, en nu deed de cognac zijn werk en gaf dat warme alcoholgevoel in combinatie met het sterke middel waardoor ze de kamer in een waas begonnen te zien. Dennis had een uur geleden een rode pil ingenomen en was nu bijna op het punt beland waar hij wilde zijn. Hij was het huis uitgegaan, omdat hij zijn ouders niet wilde ontmoeten als ze weer van hun werk thuiskwamen.

'Daar komt-ie,' zei Hayes. 'Hoor je hem grommen?'

'Die man kan er wat van.'

'Ze zeiden dat Sam zachtaardig was. Als je enige plaat van Cooke

Live at the Copa is, dan zou je dat misschien denken. Maar om hem echt te leren kennen moet je naar deze oude platen luisteren.'

Dennis glimlachte en knikte. Hayes hield net als zijn vader van die oude nummers, de r&b-zangers met gospelachtergrond. Dennis had hier al veel avonden doorgebracht, luisterend naar Sam Cookes Keen-platen, The Soul Stirrers met R.H. Harris, The Pilgrim Travelers met J.W. Alexander, Jackie Wilson en anderen. Hij was evenals Hayes niet religieus, maar als hij naar deze platen luisterde, had hij dikwijls het gevoel een kerkdienst bij te wonen.

Dennis voelde zich hier op zijn gemak. Wanneer ze niet helemaal high waren of naar muziek luisterden, voerden ze dikwijls lange discussies over politiek en de toekomst van de zwarten in Amerika. Hayes was slim en redelijk, en wist hoe hij zijn zinnen moest vormen. Dennis wist genoeg om te beseffen dat James Hayes in sommige opzichten een tweede vader voor hem was, vooral op de terreinen waar zijn eigen vader niet toe in staat was.

Om te beginnen luisterde hij en stond hij niet snel met zijn oordeel klaar. Maar Dennis wist ook dat, als je zijn zoon niet was, het voor een man makkelijk was om je over bepaalde dingen te laten struikelen en dan toch je vriend te blijven.

'Ik heb een vrouw,' zei Hayes.

'Ray Charles,' zei Dennis. Omdat hij high was, moest hij om zijn eigen grapje lachen.

'Ik bedoel dat ik vanavond een vriendin op bezoek krijg.'

'Ik begrijp je wel.'

'Ik wil je niet wegsturen.'

'Dat geeft niets,' zei Dennis. 'Wij zijn cool.'

Dennis wilde niet weggaan. Hij kon nergens heen. Maar hij stond op van de plek waar hij met gekruiste voeten op de vloer zat en rekte zich uit. Hij dronk zijn cognac op en zette het lege glas op de kleine tafel naast de stoel, waar Hayes altijd in zat. Hij gaf Hayes een hand.

Op een telefoontafeltje bij de voordeur van het appartement, in een schaal waar Hayes zijn sleutels en andere dingen bewaarde, zag Dennis de door de vriendin van Jones uitgeschreven cheque die hij zondagavond gegeven had.

'Heb je hem nog niet geïnd?' vroeg Dennis.

'Ik voelde me de laatste paar dagen niet zo lekker. Daarom ben ik nog niet in de gelegenheid geweest om naar de bank te gaan.'

'Ik vroeg me af of hij wel in orde was.'

'Als dat niet zo is, heb ik jou nodig om te zorgen dat het wél in orde komt.'

'Je weet dat ik dat doen zal.'

Dennis had deze woorden met veel bravoure gezegd, maar hij wist niet wat hij moest doen als de cheque niet gedekt was. Hij wilde

187

niets meer met Jones te maken hebben, niet na wat hij hem en Kenneth geflikt had. Hij vroeg zich af wat er met Kenneth was gebeurd, of de politie hem had gearresteerd, en als dat zo was, of hij gevangenisstraf zou krijgen? Hij had er niet echt goed over nagedacht, over de consequenties en zo, toen hij met de oude man bij de supermarkt had gesproken. Eigenlijk was het gewoon een impuls geweest en helemaal geen plan. Hij had helemaal geen spijt over wat hij had gedaan, want het was de juiste beslissing geweest, maar... nou ja. Hij wilde er nu niet meer over nadenken. Daar was hij veel te high voor.

'Rustig aan, jongen,' zei Hayes.

'Jij ook.'

Hij verliet het appartement. Hij liep de trap af naar de hal van het rijtjeshuis, waar Hayes woonde. Even later stond hij op straat.

De heldere maan stond laag aan de hemel. Dennis zag geen enkele wolk. Maar volgens hem kregen ze regen.

Hij liep door Otis in de richting van de school, langs de vele geparkeerde auto's. Mustangs en Nova's voor de opscheppers, Dodge Monaco's en Olds 88's voor de mensen van middelbare en oudere leeftijd, Caddy's en Lincolns voor de mensen die graag ergens mee pronkten. Dit was niet de straat waar hij woonde, maar van veel auto's wist hij bij welke huizen en eigenaren ze hoorden. Als hij nuchter was, wist hij precies welke auto bij welk huis hoorde. Hij liep voorbij een groene Buick Special, daarna voorbij een VW Kever van een broeder die altijd high was, en een nieuwe, witte Camaro met oranje strepen van een monteur die in de buurt van Fort Totten werkte. Aan de hand van kleine stukjes informatie wist Dennis altijd grote voorwerpen te herkennen. Zoals de blaffende honden in de stegen. Hij kon je de namen van die honden noemen. Hoewel misschien nu niet. Zijn hoofd was één grote warboel.

Hij merkte dat hij nu op het terrein van Park View Elementary liep. Hij strompelde over het onverzorgde grasveld. Hij vond in zijn zak nog een restant van de joint die ze samen gerookt hadden en stak hem met een lucifer aan. Hij ging op een schommel zitten waar hij nauwelijks in paste en nam een trekje. Hij snoof de rook op die van de punt kwam en hield de rook vast in zijn longen.

Zijn ouders zouden nu klaar zijn met avondeten. Zijn moeder had de afwas gedaan, een bad genomen en was naar bed gegaan. Zijn vader zou nog op zijn en tv-kijken, terwijl hij zijn bierflesje in de hand koesterde. Hoe laat was het nu, ongeveer elf uur? Dan zou hij op kanaal 20 naar 'Wanted, Dead or Alive' kijken. Een herhaling, maar dat zou zijn vader niet erg vinden. Zolang er maar paarden en revolvers in voorkwamen.

Dennis grinnikte en blies de rook uit. Hij wreef over zijn hoofd.

Gisteravond had zijn vader naar hem geluisterd, toen Dennis hem alles over zijn plan vertelde. Dat hij van plan was zijn leven te beteren, een baan te zoeken, zo hard als zijn broer te werken en net als zijn broer naar een eigen woning te zoeken, omdat zijn ogen waren opengegaan en hij zijn les had geleerd. Tijdens de uitleg van die plannen had zijn vader de hele tijd geduldig geknikt. Ja, als altijd keek hij af en toe een beetje sceptisch en balde hij regelmatig zijn vuisten, wat hij altijd deed als hij ongeduldig werd. Maar hij had *geluisterd.*

Eigenlijk was dat hele plan bullshit geweest. Dennis had vanochtend in de personeelsadvertenties gekeken, maar had niemand gebeld. Eigenlijk had hij de hele dag niets gedaan. En nu zat hij hier laat in de avond op een schommel. Hij had geen vrienden, geen vriendin, niemand om mee te praten en niemand die met hem een woordje wilde wisselen. Hij zat gewoon high te zijn. In dezelfde schommel als meer dan twintig jaar geleden. Nog steeds kind en nooit verder gekomen.

Gisteravond had het plan hem een opgewonden gevoel bezorgd. Maar nu was dat gevoel helemaal verdwenen.

Maar Derek vindt wel iets voor me, dacht Dennis. Mijn broertje sleept me er wel doorheen.

Hij maakte zijn vingers nat en kneep het stompje sigaret uit. Hij stopte het in zijn zak, want er zaten zeker nog een paar trekjes voor later in. Hij ging van de schommel en strompelde door het grasveld.

Otis Place lag voor hem. Hij hoorde het blaffen van de honden in de achtertuin. Hij liep door een korte steeg die uitkwam op de lange, gemeenschappelijke steeg tussen Otis en Princeton. Achter een van de hoekhuizen passeerde hij een bastaardhond, Betty, die met haar kop tegen het hek gedrukt naar hem gromde. Betty kende hem van gezicht en reuk. Dennis zei een paar kalmerende woorden, maar Betty hield niet op. Dennis haalde zijn schouders op en liep verder.

Hij kende iedere steen in de steeg. Hij hoefde zelfs niet naar zijn voeten te kijken om de oneven stukken te ontwijken. Toen hij en zijn vader aan het einde van de jaren veertig tijdens zomeravonden rond zonsondergang vangbal speelden in de steeg, gooide zijn vader stuiterballen en ballen door de lucht in zijn richting. Zodat hij wist wanneer de bal zou gaan stuiteren, afhankelijk van de plek waar hij terechtkwam. Hij kon zich zijn vader nog herinneren, de opgerolde, witte mouwen van zijn werkshirt over zijn sterke onderarmen en de soepele manier van gooien. Hij was toch naar buiten gekomen om met zijn zoon te spelen, hoewel hij doodmoe van zijn werk was gekomen.

Ik heb mijn vader gisteravond niet omhelsd, dacht Dennis. Dat vergat ik te doen. Vanavond ben ik high en morgenavond ben ik misschien ook high, maar als ik straks binnenkom, zal ik mijn vader omhelzen en hem zeggen dat ik het fijn vond dat hij luisterde. Wat het voor me betekende en dat het me zo goed deed.

189

Halverwege de steeg rende een Duitse bastaardherder heen en weer achter het hek. Hij blafte hevig en toonde zijn blikkerende tanden. De naam van de herder was Brave, en Dennis bleef iedere dag even staan om hem aan te halen. Dennis liep naar het hek en boog naar voren, hij stak zijn hand uit zodat de hond tussen de tralies door eraan kon ruiken.

'Kom maar, jongen. Ik ben het.'

Brave ging hevig tekeer en maakte happende bewegingen in de lucht. Schuim vormde zich om de hoeken van zijn bek, zijn ogen stonden wild en wanhopig. De hond beet naar zijn hand.

Dennis trok zijn hand terug en ging rechtop staan.

'Slimme nikker,' siste een stem in zijn oor, terwijl de vlijmscherpe rand van een scheermes tegen zijn keel werd gedrukt.

Pa, dacht Dennis Strange.

22

Woensdag kwam dominee Martin Luther King aan in Tennessee. De stad Memphis ontving een bevel van een federale rechtbank, die de voor vrijdag geplande mars verbood. In dat bevel stond dat functionarissen niet in staat zouden zijn om de deelnemers aan die mars 'in bedwang te houden'.

Dezelfde dag verscheen senator Eugene McCarthy, gesterkt door zijn grote overwinning in de voorverkiezing van Wisconsin, in New Haven, Connecticut, voor een menigte van ongeveer zesduizend mensen. Toen hij door het middenpad van de ontvangstzaal naar voren liep, speelde een band 'When the Saints Go Marching In' en streken sommige handen tijdens het passeren door zijn haar. Daarna reisde McCarthy door naar het getto in het noorden van Hartford, waar hij met een luidspreker vierhonderd zwarten toesprak. Hij beloofde zijn toehoorders 'nieuwe burgerrechten', lichtte zijn voorstellen gedetailleerd toe, maar herinnerde hun eraan dat de belangrijkste taak van de regering was 'te weten te komen wat jullie denken, wat jullie willen'. De reacties op zijn opmerkingen bleven onbekend.

's Avonds in Washington, D.C., bezochten vijf- tot tienduizend aanhangers een verkiezingsbijeenkomst op de hoek van 14th Street en Park Road, waar Robert Kennedy in een optocht van cabriolets arriveerde en een geïmproviseerd podium op de laadbak van een vrachtauto beklom. In de menigte waren borden en spandoeken met de tekst 'RFK, Soulbrother met blauwe ogen' te zien. De sfeer van een straatfeest ontstond toen Kennedy van 'Washingtons monumenten van mislukking, van onverschilligheid, van verwaarlozing' sprak. Mensen stonden in de straat en op daken, telefooncellen en vuilnisbakken. Ze juichten enthousiast om zijn toespraak en woordspelingen. Een blonde vrouw viel flauw voor de voeten van Kennedy's echtgenote. Eén blok verder vond een veel kleinere bijeenkomst plaats. Een paar Zwarte Nationalisten spraken hun voornamelijk zwarte toehoorders toe en spoorden hen aan om niet op 'een of andere blanke' te stemmen. Volgens een aanwezige verslaggever van de *Washington Post* trokken hun opmerkingen 'weinig aandacht'.

191

Op hetzelfde tijdstip sprak dominee King in Memphis meer dan tweeduizend aanhangers toe. De mars van vrijdag was naar maandag verplaatst, maar de stad zocht nog steeds naar middelen om dat te verhinderen, ook al omdat er dreigementen tegen het leven van de dominee werden geuit.

'Het maakt eigenlijk niets uit wat er nu gebeurt,' zei dominee King. 'Ik heb alles al meegemaakt.'

Vroeg in de ochtend van diezelfde dag, net toen het licht was geworden, werd het lichaam van Dennis Strange gevonden in de steeg tussen Princeton Place en Otis Place, vlak bij het rijtjeshuis waar hij met zijn ouders woonde. Een buurman op weg zijn werk vond hem daar. Toen de buurman met vermoeide ogen naar zijn Oldsmobile sedan liep, zag hij spreeuwen zich bij iets verzamelen dat op een hoop op de stenen voor hem lag. Toen de man dichterbij kwam, vlogen de vogels op. Hij wist dat het een dode man was die daar lag, want in de Tweede Wereldoorlog had hij vele doden gezien. Hij herkende het slachtoffer onmiddellijk, hoewel hij er totaal anders uitzag in de groteske verstarring van een gewelddadig einde dan tijdens zijn leven. Zijn hoofd was bijna van zijn hals gescheiden; het rustte onder een onnatuurlijke hoek tegen het lichaam, alsof het met een scharnier vastzat. Zijn bebloede tanden staken tussen zijn opgetrokken lippen naar voren in een pijnlijke grijns, die men dikwijls bij geslachte dieren aantreft. Zijn uitpuilende, starre ogen waren open. En dan was er al dat bloed. Het bloed, een grote plas onder zijn lichaam, was in zijn kleren getrokken die voor het grootste deel zwart waren geworden.

'Mijn god,' zei de man. Zijn stem was niet meer dan een fluistering.

Hij liep terug naar zijn huis en belde de politie, vervolgens maakte hij zijn vrouw wakker en ging op de rand van hun echtelijk bed zitten.

'Arme Alethea,' zei de echtgenote.

'Ik weet het,' zei de man hoofdschuddend. Ze zeiden niet veel, maar begrepen elkaar heel goed. Hij en zijn vrouw hadden zelf ook opgroeiende kinderen.

'Denk je dat hij beroofd is?'

'Waarvan? De jongen had nooit ene stuiver.' De man kneep in de hand van zijn vrouw en stond op. 'Het is beter dat ik weer naar buiten ga. Ik denk dat ze wel met me willen praten.'

Tegen de tijd dat de buurman bij de plaats delict verscheen, stonden er al twee patrouilleauto's, spoedig gevolgd door de ambulance, de politiefotograaf en de technische recherche. Als laatste arriveerde de rechercheur van de afdeling Moordzaken, Bill Dolittle, die een dubbele dienst draaide en de pech had om een uur voor zijn pauze opgeroepen te worden. Dolittle was een alcoholist met uitgezakte wangen die graag streepjeskostuums droeg en nooit een stap te veel deed of zich haastte. Hij had het laagste oplossingspercentage van zijn district. Andere agenten noemden hem Do-Nothing en lachten als zijn naam werd genoemd. Hij werkte alleen voor zijn pensioen en zijn volgende borrel.

Dolittle stuurde een agent in uniform naar de oude man, wiens huis achter het hek lag waar de moord had plaatsgevonden. De man, een chagrijnige kerel die R.T werd genoemd, zei dat hij het slachtoffer kende en verder niets. Hij had zijn hond Brave 's avonds laat in huis gelaten, maar had 'niets' gezien.

'Is uw hond de hele avond buiten gebleven?' vroeg de agent.

'Meestal wel. Hij is mijn bewaker. Maar hij blafte gisteravond zonder enige reden. Ik zag tenminste niets. Ik stond hier op het stoepje met de brandende keukenlampen achter me. Ik zag alleen maar een donkere avond.'

'Waarom haalde u hem naar binnen?'

'Volgens mij blafte die hond zonder enige reden en hij hield maar niet op. Ik was bang dat Brave andere mensen wakker zou blaffen.'

Nadat hij de verklaring van de buurman had opgenomen, ging rechercheur Dolittle het nieuws aan de ouders van het slachtoffer vertellen. Hij trof de moeder, Alethea Strange, aan de eettafel waar ze koffie zat te drinken. Ze droeg een uniformachtige jurk en zei dat ze op het punt stond naar haar 'woensdaghuis' in Maryland te gaan waar ze als hulp in de huishouding werkte. De vader, Darius Strange, was al naar zijn werk als grillman in een restaurant. De vrouw huilde even toen Dolittle haar het nieuws vertelde. Dolittle stond voor haar, speelde met wat kleingeld in een van zijn broekzakken en staarde hulpeloos naar de vloer. Daarna hervond ze zichzelf, stond met een ruk op en belde haar echtgenoot. Nadat ze uitgesproken was, belde ze haar jongste kind.

Frank Vaughn had de avond ervoor de aan hem toegewezen, onlangs gepleegde moord in Petworth opgelost. Evenals de meeste zaken werd ook deze via een verklikker opgelost. Iemand die voorwaardelijk vrij was en gearresteerd werd wegens het in het bezit hebben van marihuana, vertelde wie de moordenaar was. In ruil daarvoor kreeg hij strafvermindering. Het was iemand met wie hij regelmatig kaartte. Agenten in uniform arresteerden de verdachte zonder enige moeite in het appartement van zijn grootmoeder. Vaughn verhoorde de verdachte op het bureau. Maar dat bleek een formaliteit te zijn, want voordat Vaughn arriveerde had hij al een verklaring ondertekend die hij zelf met pathetische woorden had opgesteld.

'Waarom heb je het gedaan, Renaldo?' vroeg Vaughn.

'Maakt dat nog iets uit?'

'Dat moet de officier van justitie beslissen. Maar ik zou het graag willen weten. Onofficieel.'

Renaldo haalde zijn schouders op. 'De man neukte met mijn vrouw. En ik mag dat wijf zelfs niet, begrijpt u? Maar er zijn dingen die je gewoon niet doet. Ik hoorde het tijdens een spelletje kaart, alle jongens met wie ik speelde... iedereen wist het, behalve ik. Eigenlijk vond ik het helemaal niet erg dat hij met haar naar bed ging. Maar hij had er niet zo over moeten opscheppen, daar ging het om. Ik schaamde me gewoon. En als een man geen trots meer heeft...'

Hij heeft helemaal niets, dacht Vaughn, hij drukte in gedachten Renaldo's stem weg en maakte in gedachten zelf het verhaal af. Hij had dit verhaal in vele variaties al meer dan honderdvijftig keer gehoord. Hij had gedacht dat dit misschien de interessante uitzondering zou zijn, iets anders om zijn vrienden aan de FOP-bar ermee aan het lachen te krijgen, maar het was steeds hetzelfde liedje. Renaldo was, evenals de man die hem verraadde, al driemaal veroordeeld. Nu kreeg hij twintig jaar tot levenslang voor het verdedigen van de eer van een griet, die hij zelfs niet eens mocht.

'Doe rustig aan, Renaldo,' zei Vaughn, voordat hij hem in de cel achterliet. In ieder geval heb je je trots nog.

Nu was Vaughn vrij om zich met de aanrijding bezig te houden. Hij had een dienst van acht tot vier genomen en was van plan om er de hele dag aan te werken.

Om negen uur was Vaughn nog steeds op het bureau. Hij zat achter zijn bureau koffie te drinken en een sigaret te roken. Hij liep het logboek van de afgelopen nacht door, toen hij over het jongste slachtoffer in Park View las. Alethea's oudste zoon heette Dennis. Dat moest dezelfde man zijn.

Hij pakte de telefoon, sprak met Olga, vertelde haar het nieuws, luisterde naar Olga's overdreven reactie en kreeg het nummer van Alethea. Hij belde naar het huis van Strange en kreeg een man aan de lijn. Hij herkende de stem.

'Met Strange.'

'Met Frank Vaughn.'

'Rechercheur.'

'Ik heb het nieuws zojuist gehoord. Het is toch je broer, hè?'

'Ja.'

'Jij en je familie gecondoleerd met dit verlies. Zou je zo goed willen zijn om tegen je moeder te zeggen dat ik... dat ik aan haar denk.'

'Dat zal ik doen.'

'Jongeman?'

'Ja.'

'Wie heeft de zaak toegewezen gekregen? Weet je dat soms?'

'Een zekere Bill Dolittle.'

'Oké. Zeg hem dat ik tot zijn beschikking sta, begrepen? En het-zelfde geldt voor jou en je ouders. Mocht je iets nodig hebben. Wat het ook is, begrepen?'

'Dank u, rechercheur,' zei Strange en verbrak de verbinding.

Billy Do-nothing. Dat was slecht nieuws. De zaak zou onopgelost blijven, tenzij de dader met een pen in zijn hand het bureau kwam binnenlopen, of een getuige zich zou melden, of iemand zich op noodweer zou beroepen.

Vaughn wreef zich in zijn gezicht. De omstandigheden in aanmerking genomen, scheen de jongeman Derek geen emoties te tonen. Nou ja, hij was agent. Sommigen dachten dat ze onder alle omstandigheden een keiharde indruk moesten maken. Maar diep in zijn hart was Vaughn blij dat de zoon de telefoon had aangenomen en niet de moeder of de vader. Maar hij hoopte dat Derek de boodschap zou doorgeven dat hij gebeld had.

Vaughn bleef nog even zitten en rookte een sigaret. Wat hij over Dennis Strange wist, had hij van Alethea gehoord. Maar Alethea vertelde weinig over haar privé-leven. Hij herinnerde zich vaag dat de oudste zoon in het leger had gediend, maar dat was lang geleden. Verder wist hij zich niets te herinneren. Als Alethea over haar zoons sprak, dan was het meestal over haar jongste zoon Derek, de agent. Hij vroeg zich af of ze zich voor haar oudste zoon, het slachtoffer van de moord, schaamde of dat ze zo enorm trots op Derek was.

Vaughn drukte zijn L&M uit in de asbak. Hij zocht een onopvallende politieauto uit en ging aan het werk.

Hij bezocht verscheidene garages langs de grens met D.C. Hij ging weer terug naar 14th en ondervroeg nogmaals de buren die dicht bij de plaats van het ongeluk woonden, maar zonder resultaat.

Niet lang daarna zat hij aan de bar van Peoples op de hoek van George en Bonifant. Hij at een burger met frites en spoelde alles weg met een chocoladeshake, zijn normale vroege lunch. De metalen beker, waarin de shake werd klaargemaakt, stond naast zijn glas. De bedienden hier gooiden het restant niet in de afvoer, zoals ze in de goedkopere zaken deden, en dat was de reden waarom Vaughn hier altijd terugkwam.

Hij duwde zijn bord weg en stak een sigaret aan. Toen hij hem opgerookt had, haalde hij zijn notitieboekje en pen uit de binnenzak van zijn jasje, begaf zich naar een houten telefooncel in de drugstore, liet een dubbeltje in de gleuf vallen en kreeg Scordato, zijn collega-vriend uit PG County, aan de lijn.

'Marin, met Vaughn.'

'Hound Dog, hoe gaat het?'

'Zo'n gangetje,' zei Vaughn. 'Geef me wat nieuws, ja?'

'Pak een pen.'

Vaughn reed PG County in. Hij bezocht een garage in een

zijstraat van Riggs Road, in Chillum. Hij ontmoette daar slechts het ophalen van schouders en de normale, vijandelijke blikken. Zijn volgende bezoek gold een garage bij Agar Road in West Hyattsville, vlak bij de Queens Chapel Drive-In. Het was een garage zonder uithangbord aan een grindweg achter een rij leveranciers van banden en onderdelen.

Vaughn parkeerde zijn Ford achter een Dodge Dart, een donkerrode GT met siervelgen. Een sticker voor lifters en een sticker met 'WOOK: de K komt voor de L' zaten op de achterruit geplakt. Hij keek even naar de auto en liep naar de garage.

Vaughn stapte door de openstaande deur naar binnen. Een blanke en een kleurling, beiden fors gebouwd, stonden met hun hoofd onder de motorkap van een volledig uitgeruste, met pareltjeslak afgewerkte Chevelle SS. Uit de radio die op een plank stond, klonk 'Windy'.

De blanke, licht van huid en met sproeten, droeg een overall waarvan de mouwen waren afgeknipt. Een sigaret hing nonchalant tussen zijn lippen. Hij ging rechtop staan toen Vaughn even kuchte. De ogen van de kleurling keken hem heel even aan, maar keerden weer terug naar de waterpomp van de Chevy onder het felle licht van een looplamp. Hij was met een platte sleutel bezig een klem steviger om de slang te draaien. Vaughn zag de zelfaangebrachte tatoeages op beide onderarmen. Waarschijnlijk was dat met een hete draad gedaan.

'Hoe is het ermee vandaag?' zei Vaughn en toonde daarbij de blanke man zijn blikkerende boventanden.

'Kunnen we u ergens mee van dienst zijn?' zei de blanke opgewekt glimlachend. Hij keek Vaughn aan en wist dat hij van de politie was.

'Dat hoop ik,' zei Vaughn. Hij toonde de blanke zijn politiepenning, waarna hij hem weer in zijn jack terugstopte. 'Frank Vaughn, MPD. Ik ben op zoek naar ene Patrick Millikin.'

'U hebt hem gevonden.'

'Heeft u een minuutje?'

Millikin maakte een hoofdbeweging in de richting van de Chevy. 'Dat kan nu wel even.'

Vaughn deed een stap naar voren. Hij verkleinde de afstand tussen hem en Millikin met de bedoeling hem in het nauw te drijven. Maar Millikin reageerde niet.

'Een paar dagen geleden is er een moord gepleegd, waarbij een rode Galaxie of Fairlaine model '63 of '64 was betrokken. Hij kan beschadigd zijn bij de grille of de motorkap. Koplampen, voorspatborden...' Vaughn keek naar de kleurling, die even opkeek, en daarna weer naar Millikin. '... ik vroeg me af of een dergelijke auto hier langs geweest is.'

'Nee, meneer.'

Millikin raapte een poetsdoek op van de betonnen vloer en wreef zijn handen eraan af. Toen hij een trekje aan zijn sigaret nam, lichtte het puntje even op. Millikin kneep zijn ogen halfdicht tegen de rook. Hij liet de doek vallen, tikte de as van zijn sigaret, ving het op in zijn hand en veegde die af aan de pijp van zijn overall.

'Weet u het zeker?' vroeg Vaughn.

'Ik heb geen auto gezien die aan die beschrijving voldoet.'

'U praat toch wel eens met de andere garage-eigenaars in de buurt, hè?'

'Soms.'

'Heeft een van hen het wel eens over zo'n auto gehad?'

'Nee.'

'Niets, hè?'

'Totaal niets.'

'Een broer van u zit in de gevangenis voor doodslag, hè?'

'Maar die weet ook niets van een rode Ford.'

Millikin nam een trekje van zijn sigaret, nam nog een trekje en schoot het peukje door de deuropening naar buiten. Zijn bleke, sproeterige gezicht was nu roze geworden.

'Je bent een grappige kerel,' zei Vaughn.

'Ik zei alleen maar dat hij er niets van weet.'

'Nou, weet je, ik noemde de gevangenis... verdomme, meneer Millikin, ik weet alles over die code. Dat mensen als uw broer en sommige mensen met wie, eh, u af en toe optrekt, helemaal niet graag met de politie praten. Maar weet u, dit is geen geval van dieven die elkaar bestelen.'

'Dat is prachtig. Maar toch heb ik die auto niet gezien. Luister, ik moet weer aan het werk. Ik heb de eigenaar van deze Chevy beloofd dat de auto vanmiddag klaar zou staan.'

'Het gaat hierom,' zei Vaughn, en deed nog een stap naar voren. 'De chauffeur van de zojuist door mij beschreven auto heeft een negerjongen zo maar voor de flauwe kul op straat opgejaagd. Hij heeft zijn nek gebroken, zijn ruggengraat afgescheurd... en zijn hersens lagen over straat. Die jongen had een vaste baan, zou in de herfst naar de universiteit gaan en liep er tot in de puntjes verzorgd bij. Volgens mij kreeg de chauffeur hier een enorme kick van. De jongen viel niemand lastig.'

Millikins ogen verloren hun uitdrukking. 'Dat is erg.'

'Verder spoot iemand met een spuitbus "dode nikker" op het asfalt, en een pijl in de richting waar het lichaam lag. Kunt u zich dat voorstellen?'

'Verdomde schande,' zei Millikin met neergeslagen ogen.

'Ja,' zei Vaughn. 'Het deugt gewoon niet.' Hij stak een hand in zijn zak, haalde het etui van zijn politiepenning tevoorschijn, pakte er een kaartje uit, waarop ook zijn privé-nummer stond. 'Als u iets over een rode Ford model '63 of '64 met beschadigde voorzijde hoort, bel me dan.'

'Dat zal ik zeker doen.'

Voordat hij wegging, probeerde Vaughn oogcontact met de kleurling te krijgen, maar diens hoofd bevond zich nog steeds onder de motorkap. Hij liep de garage uit, terwijl die rotmuziek hem als een slechte grap achtervolgde.

Buiten stond hij even bij de vuurrode Dart stil. Hij haalde nog een visitekaartje tevoorschijn, stak hem door het open raampje en liet het in de kuipstoel van de chauffeur vallen. Hij wist dat de sticker op de achterruit voor een van de plaatselijke radiostations was, dat soul uitzond en r&b, racemuziek, of hoe ze tegenwoordig deze muziek ook noemden. Volgens Vaughn was het allemaal junglemuziek. De sticker hield in dat deze auto van de gekleurde monteur met de gevangenistatoeages was. Misschien hielp Vaughns leugen over de gespoten woorden die knul wel om in beweging te komen. Misschien ook niet. Maar het was een schot in het duister. Maar soms raakte je iemand.

Vaughn stapte in zijn Ford en reed terug naar D.C. Hij had Linda Allen beloofd langs te komen.

In de garage wachtten Pat Millikin en Lawrence Houston tot het geluid van de motor van de politieauto langzaam zachter werd.

'Stomme klootzak,' zei Millikin. Hij stak een nieuwe sigaret aan. 'Hij nam het in de gevangenis op voor mijn broer, daarom moest ik nu ook voor hem opkomen. Maar hierna is het afgelopen.'

'Ben je al klaar met zijn auto?'

'Ik heb hem naar Berwyn Heights overgebracht om er 's avonds aan te werken. Het duurt nog een paar dagen voordat het werk af is.'

'Die grote vent, die met hem meekwam, wilde ook een auto huren.'

'Buzz Stewart. Nou, die krijgt hij dus niet. Ik bel nu meteen naar het benzinestation om hem dat te vertellen. Heel eenvoudig: ik heb geen auto's om te verhuren.'

'Ga je hem ook nog vertellen dat we bezoek gehad hebben?'

'Nee, dat is mijn zaak niet. We hebben niets tegen die smeris gezegd, dus is er geen enkele reden om Stewart iets te vertellen. Ik wil zo min mogelijk contact met die twee.' Millikin keek Houston aan. 'Luister, Lawrence... broeder of geen broeder, als ik van tevoren geweten had wat die gozers geflikt hadden, had ik die auto nooit naar binnen gehaald.'

Houston haalde zijn schouders op. 'Dat is onbelangrijk.'

Hij trok aan de waterpompslang en controleerde of de klem stevig genoeg vastzat. Hij stak zijn handen uit om de motorkap van de Chevy neer te laten, toen hij zijn trillende handen zag.

Je hebt een aap aangereden, hè?
Hoe hoger zijn bloeddruk steeg, des te heviger zijn handen begonnen te trillen.

23

Vijf minuten nadat hij Billy Dolittle had ontmoet, wist Strange al dat hij lui en incompetent en 'van de club' was. De man droeg zijn streepjespak, roodblauw gestreepte stropdas en goedkope, bruine schoenen. Hij noteerde alles in zijn boekje met zwarte en witte stippeltjes, dat schoolkinderen altijd gebruikten. Hij sprak op een langzame, neerbuigende toon met hem en zei dikwijls tweemaal hetzelfde, alsof Strange een kind was. Tijdens het gesprek kauwde Dolittle op lichtgroene Life Savers. Strange vroeg zich af wat hij zo vroeg al gedronken had, want volgens hem deed hij dat vast en zeker. Ook vroeg hij zich af hoeveel hij hem zou vertellen: wat wel en wat niet.

Het was Dolittle geweest, die had voorgesteld dat Strange zijn broer officieel zou identificeren, omdat hij het als agent wel 'aankon' en tegelijkertijd zijn ouders de pijn bespaarde van het zien van hun zoon 'in die toestand'. Zijn vader was al weer thuis en stond erop om mee te gaan. Strange wist van tevoren dat hij dat zou zeggen. Dus gingen ze samen naar de steeg, bleven bij Dennis staan en zagen hem 'in die toestand'. Geen van beiden werd misselijk of draaide zijn hoofd om. In plaats daarvan legde Darius zijn hand op de schouder van zijn jongste zoon en zei zachtjes een gebed. Derek Strange sloot zijn ogen en dacht niet aan God of aan de ziel van zijn broer, maar dacht in plaats daarvan: ik zal die vuile schoft vermoorden die dit met mijn broer heeft gedaan, en: deze man zal sterven.

Nu zat hij weer in de keuken van het ouderlijk huis, zijn ouders zaten in de woonkamer aan de tafel, waar zijn vader de hand van zijn moeder had beetgepakt. Strange vertelde Dolittle een paar dingen die hij over zijn broer wist. Hij vertelde hem over zijn diensttijd bij de marine, over zijn afkeuring na het ongeluk, en dat hij op dit moment geen baan had. Hij noemde de namen van de vrienden met wie hij optrok: Alvin Jones en Kenneth Willis. Hij stelde voor dat Dolittle hen zeker moest ondervragen, omdat ze geen van beiden deugden. Maar hij vertelde Dolittle niet dat Dennis kleine hoeveelheden marihuana voor de buurtdealer James Hayes verkocht, want hij had geen zin om zijn broer nog meer te beschadigen, of om Hayes moeilijkheden met de overheid te bezorgen, een vredelievende man die geen vlieg kwaad deed. Bovendien wilde hij zelf met Hayes praten.

'Waar kan ik die Jones en Willis vinden?'

'Jones woont samen met een vrouw, Lula Bacon, in LeDroit Park. Volgens mij heeft hij geen werk. Willis is conciërge bij een lagere school in een zijstraat van Kansas, ik weet niet welke school. Hij heeft een appartement boven een slijterij in H in het noordoostelijk deel, in de buurt van 8th en 9th. Misschien heeft mijn moeder Kenneths telefoonnummer.'

Dolittle noteerde enige aantekeningen in zijn boekje, intussen zachtjes prevelend. 'Is er verder nog iets?'

Strange schudde zijn hoofd en zei: 'Nu niet.'

Dolittle gaf zijn kaartje. 'Hier kun je me bereiken.'

Strange zag dat er slechts het nummer van het wijkbureau op stond. Als Dolittle geen dienst had, dan had hij ook geen dienst.

'Ik zal u vanmiddag bellen,' zei Strange, 'om te horen of er vooruitgang is geboekt.'

'We hebben zelfs het buurtonderzoek nog niet afgesloten. Dit soort onderzoeken vergt tijd.'

'Als het te lang duurt, loopt het spoor dood.'

'Ik begrijp dat je erg benieuwd bent,' zei Dolittle, terwijl hij aan zijn dikke neus met de rode adertjes krabde. 'Maar je moet me mijn job laten doen. Ik loop al een hele tijd mee.'

Te lang, dacht Strange.

'Maak je geen zorgen,' zei Dolittle en raakte heel even Stranges arm aan. 'We krijgen die kerel wel te pakken.'

Je krijgt hem alleen maar te pakken als je geluk hebt, dacht Strange.

'Is dat het?' zei Strange.

'Ik kom er zelf wel uit.'

Strange luisterde naar Dolittle die met zijn ouders in de woonkamer sprak. De telefoon ging over en hij hoorde dat zijn vader tegen zijn moeder zei niet op te nemen. Zodra het nieuws bekend werd in de buurt, begonnen de telefoontjes steeds talrijker te worden. Weldra zouden er mensen langskomen met voedsel en drank, en zou het huis vol zitten met bezoekers. Hij hoopte dat zijn moeder het aankon. Tot nu toe hield ze zich flink. Strange liep naar het raam boven de gootsteen waar zijn moeder haar vierkant stuk karton tegen had geplakt, zodat ze het nest met de winterkoninkjes niet zouden storen. Het karton was bij twee hoeken losgeraakt en begon te krullen. Strange plakte het weer tegen het glas.

Hij hoorde de voordeur opengaan en weer gesloten worden. Hij hoorde zijn moeder snikken. Hij hoorde zijn vader zeggen: 'Kom hier, Alethea', gevolgd door het geritsel van kleren toen ze elkaar omhelsden.

Strange wilde naar hen toegaan en hen ook omhelzen. Maar dit moment was voor hen; bovendien was hij geen kind meer. Hij ging naast de aanrecht op de keukenvloer zitten, waar hij dikwijls als kind aan de voeten van zijn moeder had gezeten. Hij leunde met zijn hoofd tegen het aanrechtkastje en begon zelf heel zachtjes te huilen.

Buzz Stewart tikte de as van zijn Marlboro. 'Daar is het.'

'Dat stelt niet veel voor,' zei Dominic Martini.

'Dat klopt. Het is ook een makkie.'

Ze zaten in Stewarts Belvedere, die met de neus in zuidelijke richting langs de westkant van George Avenue in Shepherd Park stond, niet ver over de grens met het District. 'Once Upon a Time' klonk over de radio. Buzz Stewart knikte op de maat van het snelle Motown-arrangement. Intussen keek hij onafgebroken naar de rij winkels en zaken aan de overkant van de straat.

Vlakbij stond de slijterij van Morris Miller. Het was een bekende plek, want de parkeerplaats achter de zaak vormde een ontmoetingspunt voor de tieners uit D.C. en Montgomery County. Daar begon je met bier te kopen en plannen voor de vrijdag- en zaterdagavonden te maken. Jaren geleden mocht de eigenaar, Morris Miller, niet in dezelfde buurt wonen als zijn klanten, want in Shepherd Park bestond een verordening waarin stond dat men geen huizen aan joden mocht verkopen. Nadien was de buurt steeds progressiever geworden. In 1958 vormden blanke en zwarte bewoners, boos geworden door de praktijken van projectontwikkelaars, Neighbors Inc. om de integratie van hun straten te bevorderen. Nu woonden er veel joden én zwarten in de buurt, met daartussen baanbrekende, interraciale echtparen. De middelbare school daar, Coolidge, werd door Stewart en Hess nog steeds 'Jewlidge' genoemd, hoewel de meerderheid van de leerlingen nu zwart was.

Een korte rij lage winkels vormde het grootste deel van de gebouwen. Een kruidenierswinkel van A&P was de grootste winkel. Verder was er nog een drogist, een stomerij en op de hoek een bank. Stewart en Martini keken naar de bank.

'Het is wat ze een spaar- en kredietbank noemen,' zei Stewart.

'Ben je erbinnen geweest?'

'Eén keer. Shorty is er ook geweest. We hebben alles gezien wat we wilden zien. Eén gewapende bewaker, maar die vent is nog ouder dan Methusalem. We laten de brandkast met rust. Vlak achter de balie moeten duizenden dollars liggen. Het is een makkie, Dom, echt, ik belazer je niet.'

Martini staarde met open mond naar de bank. 'En wat nu?'

'We hebben een lunchafspraak met Shorty in de Shepherd. Dan praten we daar verder.'

Stewart zette de Belvedere in beweging, reed weg en maakte een

U-bocht in het midden van Georgia. Hij zette het nummer van Mary en Marvin harder: in 1964 had hij Wells en Marvin dit nummer live op het podium van het Howard zien zingen. Als hij dit nummer hoorde, moest hij altijd glimlachen. Hij herinnerde zich dat hij die avond erg gelukkig was. Hij gaf gas. Het was maar een klein stukje naar het Shepherd Park Restaurant, maar Stewart hoorde graag zijn Plymouth rijden. Ze zetten de auto neer op de parkeerplaats bij het restaurant naast de auto van Hess' moeder, een onopvallende, donkergroene '64 Rambler Ambassador, waarin Walter Hess de laatste twee dagen rondreed.

Toen ze door de voordeuren naar binnen liepen, werd Martini getroffen door de bekende omgeving van de Shepherd. In de jaren vijftig kwam hij hier met Angelo, zijn schaduw, en zijn vader als hij tenminste nuchter was. Toen was het restaurant nog eigendom van de broers George en John Glekas. Het stond bekend om zijn burgers en steaks, en een serveerster met een schelle lach. Vooraanstaande politici uit Maryland deelden de eetzaal met gezinnen en plaatselijke, excentrieke figuren. Mevrouw Glekas, Georges vrouw, zag men dikwijls aan een van de tafels zitten. Daar typte ze dan met één vinger de menu's, terwijl ze op emotionele toon bevelen aan haar dochter Angie gaf. Nadien was het restaurant aan drie andere Grieken verkocht, maar de heerlijke geur van gegrild vlees en het geluid van die serveerster, die lachte om iets dat in de keuken gezegd was, maakte Martini duidelijk dat er weinig was veranderd.

Hess zat aan een tafeltje in de eetzaal. Hij droeg zijn blauwe uniform, waarop een label met 'Shorty' was vastgenaaid. De tafels en de zitjes langs de wand waren gedeeltelijk bezet. Achter een pilaar stond een bar die evenwijdig aan de achterwand liep, de krukken waren bezet met arbeiders. Het was een eethuis waar geen tafelkleedjes of linnen servetten werden gebruikt. Zoals altijd bij Griekse eigenaren was de bediening sober en het eten goed. Niet lang hierna zou het een van de beruchtste, wildste stripbars worden in de omgeving. Maar nu stond de tijd er nog stil.

'Is dat jouw racemonster buiten?' vroeg Stewart. Hij trok een houten stoel naar zich toe en liet zijn enorme gestalte erop rusten.

'Hou je kop,' zei Hess.

'De Rambler is een echt goede auto. En nog snel ook. Is dat de Am-*bass*-a-dor of de A*mer*-ican? Ik kan die twee racewagens nooit uit elkaar houden.'

'Ik zei dat je je kop moest houden. Binnenkort rij ik weer in mijn Ford rond.'

'Ik zou er niet op rekenen,' zei Stewart. 'En we hebben nog een probleem.'

Stewart vertelde hem over het telefoontje van Pat Millikin, dat hij juist voor hun pauze had ontvangen. De Galaxie zou nog een paar dagen langer in de garage blijven. Bovendien beweerde Millikin dat hij niet in staat was geweest een huurauto voor hen te regelen. Stewart had enige druk uitgeoefend, maar Millikin had hem verzekerd dat hij niets had.

'Wat is er met hem aan de hand?' vroeg Hess.

'Ik weet het niet. Hij zegt dat er geen aanbod op de markt is.'

'Geen aanbod, hè? Hij moet er nodig aan herinnerd worden dat ik in de nor een nikker in elkaar heb geschopt, die zijn broer probeerde te verkrachten. Die kerel staat behoorlijk bij me in het krijt. Heb je hem dat verteld?'

'Dat heb ik hem gezegd. En ik kreeg precies hetzelfde antwoord als de eerste keer.' Stewart keek Martini aan. 'We zullen jouw auto moeten gebruiken.'

'*Wat?*'

'Nou ja, we kunnen die van mij niet gebruiken. Met dat opvallende, vuurrode uiterlijk en al die sierstrips en zo; iedereen in dit gedeelte van de stad herkent die auto. Verdomme, je rijdt praktisch nooit meer in die Nova.'

'En mijn kenteken dan?'

'Shorty zal voor een paar nieuwe zorgen.'

'Er zal toch wel gauw een auto beschikbaar komen,' zei Martini. 'Waarom kunnen we niet een paar dagen wachten?'

'Daarom niet,' zei Stewart. 'Dat ongelukje van een paar dagen geleden heeft alles veranderd. Shorty en ik hebben het erover gehad. We blijven hier niet rondhangen en wachten tot we opgespoord worden, snap je? Zodra we de poen hebben, gaan we de stad uit. Myrtle Beach, Daytona misschien. Ergens in het zuiden.'

'Ik doe niet mee,' zei Martini. Hij gebaarde met zijn handen, alsof hij hen beiden wilde wegduwen.

'De Mooie Jongen snapt het niet, Buzz. Die jongen is dom.'

'Hou je kop, Shorty.'

'Nee, want zie je, hij snapt het niet.' Hess kwam naar voren en keek Martini strak aan. 'Je bent erbij betrokken, *Dominic*. Je was er die avond bij toen we die nikker vermoordden, en je bent er nu bij betrokken. Het is voor jouw hachje beter dat we de job tot een goed einde brengen en er genoeg poen uitslepen om ertussenuit te knijpen. En jij gaat ons daarbij helpen. We vragen het je niet, jongen.'

'Kijk me aan, Dom,' zei Stewart. '*Kijk* me aan.'

Martini keek Stewart aan.

'We hebben alleen maar een chauffeur nodig. Shorty en ik doen de rest. En als wij eenmaal weg zijn, kun jij gewoon verdergaan met je leven. Begrepen?'

'Wanneer?'

'Ik ben morgen vrij. Jij kunt je dan ziek melden. We gaan vlak voor sluitingstijd naar de bank, laat in de middag.'

'Drie cheeseburgers met alles erop en eraan,' zei Stewart. 'Drie Cokes.'

'Hoe willen jullie je burgers?'

'Medium,' zei Stewart.

'Voor mij hetzelfde,' zei Martini.

'Ik wil die van mij warm en roze van binnen,' zei Hess. Hij keek de serveerster knipogend met een van zijn schele ogen aan.

'Dat moet dan medium rare zijn,' zei de serveerster. Ze noteerde de bestelling en keek geen enkele keer naar Hess. Vermoeid liep ze terug naar de keuken.

'Volgens mij vindt ze me hartstikke leuk,' zei Hess.

'Nee, hartstikke lelijk,' zei Stewart.

Stewart en Hess lachten.

Nadat de serveerster de Cokes had gebracht, tikte Stewart met zijn glas tegen Martini's glas.

'Allen voor één,' zei Stewart.

Martini sloeg zijn ogen neer.

Alvin Jones had de handschoenen in een afvalput in Shaw gegooid. Vervolgens reed hij een paar blokken door naar een andere straat, waar hij op dezelfde manier het scheermes dumpte. Hij had de handschoenen bij D.J. Kaufman's gekocht, bij 10th en Penn, zodat het geen groot verlies voor hem betekende, en een mes kon je overal weer kopen. Trouwens, het was niet zo dat hij zich nu naakt voelde; hij had toch nog steeds zijn pistool.

Nadat hij de bewijsstukken had geloosd, reed Jones naar Lula Bacons appartement. Hij maakte haar en haar kind wakker, zette zijn favoriete hoed op, haalde zijn weinige spullen uit de kast, stopte ze in een tas en ging weg. Toen hij op weg naar de deur was, vroeg die griet hem waar hij heenging, maar hij had geen zin om antwoord te geven. Het waren trouwens haar zaken niet. Hij sliep op de bank bij zijn neef in een zijstraat van 7th. Hij had hem wakker moeten maken om binnen te komen.

Nu zat Jones in de kleine woonkamer van Ronnies appartement tv te kijken en had trek in een borrel. Maar Ronnie was geen drinker. Die knul had zelfs geen bier of wijn in huis, bovendien vond hij het niet goed dat hij een joint opstak. Jones kon niet opschieten met een man die het er nooit eens van nam.

Iedere man had toch wel iets waarvoor je hem midden in de nacht wakker kon maken. Voor Ronnie was dat een natte kut. Nou zijn alle mannen daar gek op, maar voor Ronnie was het een obsessie. Hij maakte zelfs polaroidfoto's van alle meisjes met wie hij naar bed was geweest. Hij bewaarde die foto's in een album. Op de voorkant van het album had hij een label geplakt, waarop hij in zijn kinderlijk handschrift 'Foto's van mijn poesjes' had geschreven.

Omdat zijn oude Polaroid was versleten, had Ronnie onlangs nog bij de Peoples Drug voor dertig dollar een nieuwe Big Swinger gekocht.

Ronnie was na de lunch naar zijn werk gegaan. Hij werkte in het magazijn bij George en Co., de kledingzaak voor grote herenmaten aan 7th. Ronnie was langer dan een meter negentig en hij beweerde dat hij daar was gaan werken om goedkoop aan passende kleding te komen. Hij kon nergens anders kleren kopen die hem pasten.

Zodra hij weg was, greep Jones het fotoalbum. Allerlei meisjes zag hij in dat album: meisjes met een donkere huid, blanke meisjes, roodharige meisjes, magere grietjes, maar ook een paar dikke. Allemaal drukten ze hun tieten omhoog, tegen elkaar of uit elkaar. Ze lagen glimlachend op Ronnies bed met een of ander speelgoedkonijn naast zich. Ze lagen allemaal in dezelfde houding. Sommige grietjes waren zo lelijk, dat zelfs God niet van hen zou houden. In ieder geval kon je Ronnie niet van discriminatie beschuldigen. Alle soorten vrouwen, Ronnie had er geen enkel probleem mee om hen mee naar zijn appartement te nemen of te laten poseren. Jones had hem al zo dikwijls in zijn nakie door het appartement zien lopen. Als je de afmetingen van zijn apparaat in aanmerking nam, had hij eigenlijk met een zadel op zijn rug moeten rondlopen.

Nadat Jones de foto's had bekeken en zich had afgetrokken, ging hij voor de tv zitten. Er was niets bijzonders te zien, alleen de Match Game, Mike Douglas en *Pat Boone in Hollywood* met Flip Wilson als gast. Flip had een jurk aan, en het leek wel alsof hij het zelf leuk vond. Hij sterkte de blanken in hun mening over de zwarten door steeds maar weer het oervervelende zinnetje 'Sock it to me' te zeggen. Jones koos kanaal 20, de UHF-zender, waarop ze soms stierengevechten uit Mexico lieten zien. Hij vroeg zich dikwijls af hoe het voelde om een zwaard in een van die beesten te steken, rechtstreeks in zijn hersens. Je moest wel een strakke broek dragen en de toejuichingen van de menigte aanhoren. Alleen in dat opzicht was het anders dan het doden van een mens. Maar alleen in dat opzicht. Op de keper beschouwd kwamen alle levende wezens met veel pijn om het leven.

Er was geen stierenvechten te zien. Wel een programma dat voor kinderen was, 'Wing Ding'. Hij schakelde door naar 'Movie 4'. Daar draaiden ze de film *Franciscus van Assissi*. Nou, één ding was verdomde zeker, hij ging niet naar een *sissy*film kijken.

Jones besloot naar buiten te gaan om een fles goedkoop spul te kopen en die weer mee naar huis te nemen. Als hij zich toch ging vervelen, dan maar met een hoofd dat in brand stond. En hij had ook geen Kools meer.

Strange ging naar 9th en Upshur en regelde de begrafenis bij een ondernemer die destijds in opdracht van zijn vader de begrafenis van zijn eigen moeder had verzorgd. Hij hield van dit rustige, korte stukje van 9th, dat in oostelijke richting op Georgia Avenue uitkwam. Er bevonden zich een paar zaken, een kapper en een slager en zo. Binnen bij de begrafenisondernemer werd hij begroet door een overdreven beleefde, kritische man in een streepjespak. Strange regelde het zo dat het afscheid met gesloten kist zou plaatsvinden, en dat de datum van de begrafenis afhing van de afloop van de autopsie en het technische werk van het politielaboratorium.

Toen hij weer buiten stond, zag hij Lydell Blue staan die in zijn uniform op hem stond te wachten. Ze omarmden elkaar stevig en sloegen elkaar op de rug.

'Je vader vertelde me dat je hier was,' zei Blue.

'Ik ben blij dat je er bent, man.'

'Samen,' zei Blue en sloeg met zijn vuist op zijn borst.

'Samen,' zei Strange.

Toen hij terugkeerde was het in het huis van zijn ouders enorm druk met condoleancebezoek. Zoals altijd het geval was in de stad ging het nieuws van Dennis' dood van mond tot mond. Familieleden, buren, vrienden van zijn ouders en een paar vrienden van Dennis van Park View Elementary, Bertie Backus Junior High en Roosevelt High waren in het appartement samengekomen. Nadat Dennis bij de marine was gegaan, was het contact met de meeste schoolkameraden verwaterd, maar ze waren hem niet vergeten. Alvin Jones en Kenneth Willis waren niet langsgekomen en hadden niet gebeld.

Iemand, misschien was het zijn vader wel, had een oude plaat van de Soul Stirrers opgezet. Het was een leuke en ruige opname van Sam Cooke, die zachtjes klonk tijdens de gesprekken in de kamer. Er werden sigaren en sigaretten gerookt en de kamer zag blauw van de rook. Hier en daar was men al begonnen met het drinken van een beetje wijn en bier. Mike en Billy Georgelakos stonden samen in een hoek van de kamer, ze droegen nog steeds de kleren die ze tijdens hun werk droegen. Strange liep naar hen toe, schudde Mikes hand, omhelsde Billy en bedankte hen voor hun komst. Hij wist dat ze zich hier niet op hun gemak voelden en dat het moeite had gekost, maar hij waardeerde dat zeer en benadrukte het feit dat ze bij de familie hoorden. Strange sprak met Troy Peters die in uniform was gekomen, letterlijk met de pet in de hand. Hij vertelde Troy wat het voor hem betekende dat hij was gekomen. Hij sprak met James Hayes en zei dat hij later uitgebreider met hem zou spreken. Hij sprak met de Duitser, nu een oude, berouwvolle man, die ooit nog eens heet water naar hem en Dennis had gegooid toen ze kinderen waren. Hij sprak met meneer Meyer van de supermarkt op de hoek.

Hij sprak via de telefoon met Darla Harris, die hem condoleerde en vroeg of hij vanavond langs wilde komen. Hij zei dat hij misschien langs zou komen en beëindigde het gesprek. Toen hij Carmen Hill binnen zag komen liep hij meteen naar haar toe. Toen hij haar in zijn armen nam, was het alsof ze alleen in de kamer stonden.

'Ik hou van je, Derek,' zei ze dicht met haar mond bij zijn oor.

'Ik hou van *jou*.'

Toen ze weer was weggegaan en hij om zich heen keek, merkte hij dat zijn ouders niet meer aanwezig waren.

Strange vroeg de benedenbuurvrouw of hij haar telefoon mocht gebruiken. In haar kelderappartement belde hij rechercheur Dolittle op het wijkbureau. Vijf minuten later werd hij teruggebeld. Er was nog weinig te melden in de zaak. Er hadden zich geen getuigen gemeld. Er waren geen bruikbare vingerafdrukken op de plaats delict gevonden. Kenneth Willis was diezelfde middag gearresteerd wegens wapenbezit, dat was voordat de moord had plaatsgevonden. Dolittle zei dat hij Willis in zijn politiecel zou gaan verhoren, zodra hij 'daar in de buurt was'. Maar toen Strange voorstelde dat hij dat nu meteen moest doen, antwoordde Dolittle: 'Maak je geen zorgen, Willis gaat voorlopig nergens heen'. Lula Bacon was opgespoord, maar Alvin Jones was niet in haar appartement. Ze zei dat hij in het holst van de nacht was weggegaan, maar had niet verteld waar hij heen ging.

'Hebt u met Bacon gesproken?' zei Strange.

'Via de telefoon.'

'Waarom gaat u er niet heen om te controleren of hij daar is, in plaats van die vrouw op haar woord te geloven?'

'Dat is een goed idee,' zei Dolittle, langzaam en zeer sarcastisch. Strange vroeg zich af welke bar Dolittle voor het laatst had bezocht.

Hij vroeg waar Bacons appartement zich bevond. Dolittle gaf het adres op. Hij vroeg naar het type auto van Jones. Dolittle vertelde hem dat een groene Buick Special op zijn naam stond.

'Zoek hem,' zei Strange. 'Concentreer je op *hem*.'

Strange verbrak de verbinding en staarde voor zich uit.

Hij keerde terug naar de spontane wake, zocht zijn weg door de drukte en vond zijn ouders ten slotte in Dennis' kamer. Strange deed de deur achter zich dicht, waardoor het geluid van de gesprekken beneden minder luid werd. Zijn vader stond met zijn rug tegen de muur geleund, hij hield een flesje bier in zijn hand. Zijn mouwen waren opgerold. Zijn moeder zat met haar gevouwen handen in haar schoot op Dennis' bed.

Alethea keek op. 'Wie zou dit gedaan kunnen hebben, Derek?'

'Ik weet het niet, maar dat kom ik vast en zeker te weten.'

Alethea keek even naar haar echtgenoot, vervolgens keek ze naar Strange op een manier, zodat hij zich weer een jongetje van tien voelde. 'Je moet God het op Zijn eigen manier laten regelen. Heb je me gehoord, zoon?'

'Ja, moeder,' zei Strange.

Charlie Byrd had die sound. Je deed je ogen dicht, luisterde naar zijn gitaar en meteen wist je dat alleen hij zo kon spelen. Toen Frank Vaughn dit hoorde, merkte hij dat hij moest glimlachen.

Hij zat aan de bar van Villa Rosa aan Ellsworth Drive in Silver Spring. Het interieur was afgewerkt met donker hout, en het was een plezierige zaak om er een borrel te drinken. Echtparen, overspelige stelletjes en alleenstaanden zaten om hem heen. Ze praatten zachtjes, terwijl Charlie en zijn kwartet die jazzy, samba-achtige sound lieten horen uit de Byrd's Nest, het podiumgedeelte van de bar en het restaurant.

'Hoe gaat het, Frank?' zei een gladde stem, toen een man in coltrui en felkleurig sportjasje van rayonstof achter hem langsliep.

'Ik mag niet klagen,' zei Vaughn tegen Pete Lambros, de eigenaar van de club. Lambros was jarenlang de eigenaar van de Showboat geweest, op de hoek van 18th en Columbia, en had nog niet zo lang geleden de Villa Rosa in een van de buitenwijken geopend. De misdaad en het gebrek aan parkeerplaatsen hadden hem in noordelijke richting verdreven, over de grens van D.C.

'Nog een?' vroeg de barkeeper, een man met lange tochtlatten en lang haar. Hij zag eruit als Johnny Reb uit de Burgeroorlog. Hij was zojuist met werken begonnen. Vaughn wilde eigenlijk geen borrel meer. Hij was nu aan zijn vierde bezig.

'Beam,' zei Vaughn.

'Met ijsblokjes, hè?'

'Nee, zonder.'

De barkeeper schonk de whisky in een zwaar glas en zette het op een servetje. Vaughn haalde een L&M uit het pakje en gebruikte zijn Zippo om hem aan te steken. Gehoor gevend aan het fetisjisme dat alle barbezoekers kennen, legde hij zijn aansteker dwars op zijn pakje sigaretten, trok een asbak binnen handbereik naar zich toe en leunde met zijn onderarmen op de leuning. Sigaretten, whisky en voldoende geld. Wat heeft een man nog meer nodig, dacht Vaughn.

Nou ja, werk. En vrouwen. En daar had hij er twee van. Eén voor gezelschap en herinneringen en één voor de seks. Hij had die middag bij Linda doorgebracht en dat was goed geweest. Hij had haar een stevige beurt gegeven, die zij met gelijke munt terugbetaalde. Toen ze beiden hun climax bereikten, schokten haar dijen op een hevige manier. Hun manier van seks bedrijven was zo fysiek dat ze, toen ze klaar waren, merkten dat ze naakt op een kluwen lakens met bed en al halverwege de kamer waren terechtgekomen.

'Je kent die kleine, ronde rubberdingen toch wel?' had Vaughn gezegd. 'Die leg je onder de wielen van het bed. Daar moet je een stel van kopen.'

'Dat zou het ritje bederven.' Vaughn had zachtjes gegrinnikt. Linda had hem stevig op zijn mond gekust, haar lange, bruine haren waren nat van het transpireren.

Hij hield niet van haar, maar hij was ook niet bij haar alleen voor de seks. Dat kon hij voor niks bij een van de vele prostituees krijgen, die hij in de binnenstad kende. Vaughn moest weten dat er een vrouw was die hem nog steeds wilde en op hem wachtte tot hij langskwam of belde, en *op die manier* aan hem dacht als hij er niet was. Niet uit het oogpunt van huwelijkse verplichtingen of medelijden, maar omdat zij duizelig werd als ze aan hem dacht. Het betekende dat hij nog steeds meetelde en springlevend was. En daar draaide het bij hem allemaal om. Daarom neukte hij met een vrouw, van wie hij niet hield, in plaats van trouw te blijven aan de vrouw die dat wel deed. Als hij tussen de zijden lakens lag, lachte hij de dood gewoon uit.

Vaughn dronk zijn glas halfleeg. Hij nam een trekje van zijn sigaret en tikte de as van het topje.

In ieder geval was hij puur in zijn werk. Niet eerlijk, maar puur. Zijn job was moordzaken oplossen, en hoe je ook tegen zijn methoden aankeek, er was er geen een beter dan hij. Maar voor zijn gezin was hij een enorme klootzak geweest. Naar Ricky toe was hij echt mislukt; hij kende hem amper. Je kon eigenlijk alleen maar zeggen dat hij ervoor gezorgd had dat Ricky geen gevaar had gelopen.

Maar daarmee kon je de veiligheid van je kind nog niet garanderen. Nog steeds kon je ze verliezen, zelfs al behandelde je hen op de juiste manier. Kijk maar naar Alethea en haar echtgenoot, hoe heette hij ook al weer? Darrin, of zo. Nee, hij dacht aan Derek, de jongeman, de agent. Die goede, jonge zwarte agent. Kijk eens, ik zei zwart in plaats van gekleurd. Ben je nu gelukkig, Olga? Mijn god, ik ben dronken.

Alethea was haar oudste kind aan de straat kwijtgeraakt. Als je in aanmerking nam waar ze woonden, was dat geen verrassing. In die buurt waren de kleurlingen daders én slachtoffers. Maar het had nooit zo'n nette familie mogen overkomen. Die valse klap op de schouder, als je hun vertelde dat de moord was 'opgelost'. Vanzelfsprekend werd er nooit een moord opgelost. Dat kon alleen als je erin slaagde de doden terug te brengen. Na de laatste, treurende moeder zal er ongetwijfeld weer een andere volgen. Zoals de moeder van die jongen die in 14th was aangereden, en zoals nu Alethea Strange. Er was gewoon niemand om de mensen te beschermen van wie je hield. Zelfs als je goed voor hen was...

'Gaat het een beetje?' vroeg de barkeeper.

'Mag ik de rekening,' zei Vaughn.

Hij pakte zijn glas op, keek in de spiegel achter de bar naar zijn zware oogleden en dronk zijn glas leeg.

Laat in de avond verliet Strange het appartement van zijn ouders, reed naar zijn eigen appartement, nam een douche en verkleedde zich. Hij trok een zwartleren autojack aan, stopte zijn politiepenning in een van de zakken en stak zijn dienstrevolver, een .38 Special, in de holster aan zijn zij. Hij liep naar zijn Impala in 13th en reed langs Cardozo High de lange helling af.

Hij wist nog niet waar hij heen zou gaan. Hij draaide de raampjes omlaag en liet de koele, vochtige aprillucht langs zijn gezicht waaien. Hij zocht naar een nieuwszender, luisterde naar een verslag van een enorme bijeenkomst voor RFK in Park Road in Columbia Heights en zette de radio weer uit. Hij reed rechtstreeks naar het centrum van Shaw.

Hij reed in westelijke richting voorbij het Republic Theater, de London Custom-kledingzaak, National Liquors en de Jumbo Nut Shop en bereikte het kruispunt van 14th en U, waar alle rommel van de rellen van dinsdagavond was opgeruimd. Op de noordoostelijke hoek was het kapotte glas in de deur van Peoples Drug vervangen door karton. Sjacheraars, pooiers, hoeren, als vrouwen verklede mannen, dealers en verslaafden, arbeiders die net uit de bus waren gestapt en nog niet naar huis waren gegaan, en kinderen die voor hun eigen bestwil nog te laat op straat zwierven, bevolkten de trottoirs.

Strange sloeg de hoek van 16th Street om en reed terug naar 7th. Hij keek naar de drukte bij het Howard Theater en het bruisende leven op straat. Hij was bezig de tijd te doden. Hij had tegen Darla Harris gezegd dat hij misschien langs zou komen, maar hij was niet van plan om vanavond naar haar toe te gaan. Hij had Carmen de avond ervoor ontmoet en vandaag weer in het appartement van zijn ouders. Hij wist dat ze colleges had verzuimd om dat te doen. Hij voelde nog steeds haar hete adem in zijn oor, waardoor Darla Harris totaal uit zijn gedachten was geraakt.

Voorbij Howard University reed hij door de straten met de lage nummers van LeDroit Park. Hij reed voorbij het rijtjeshuis, waar Lula Bacon woonde, en minderde snelheid. Er brandde geen licht meer. Hij reed om het blok, zag geen groene Buick Special in de omgeving staan en reed weg. Dennis had over een andere vrouw gesproken, bij wie Jones een kind had. Dennis, Willis en Jones waren zondagavond bij haar geweest en er high geworden. Maar Strange wist haar naam of adres niet. Hij zou nog eens teruggaan om met Lula Bacon te praten. En hij moest ook nog met James Hayes praten. Als die vrouw samen met Dennis en de anderen bij een dopehandeltje betrokken was, zou Hayes dat moeten weten. Maar nu kon Strange alleen nog maar rondrijden.

Zoals hijzelf al van tevoren wist eindigde de avond in Barry Place, voor het huis van Carmen. Hij liep over het betonnen pad naar het huis, vervolgens nam hij de houten trappen naar de tweede verdieping en klopte op haar deur. Carmen deed niet open. Een vrouw van middelbare leeftijd met een strak gezicht kwam uit haar appartement tevoorschijn en vroeg wat Strange in dit huis te zoeken had. Strange zei dat hij zijn vriendin Carmen Hill wilde bezoeken.

'Ze is met een paar medestudenten weggegaan,' zei de vrouw. Ze nam hem nauwkeurig op. 'Wilt u soms een boodschap achterlaten?'

'Nee,' zei Strange.

Hij reed naar het appartement van zijn ouders, want hij kon er niet tegen om alleen in zijn appartement te zijn. Zijn vader zat in het donker in zijn stoel naar 'Wanted, Dead or Alive' te kijken. Het geluid stond zachtjes. Strange bleef achter hem staan en legde een hand op de schouder van zijn vader. Hij zag dat de vingers van zijn vader de leuning stevig vastgrepen.

'Derek,' zei hij, starend naar het beeld. Zijn schouders ontspanden zich onder de aanraking van zijn zoon.

'Als u het niet erg vindt,' zei Strange, 'dan blijf ik hier vannacht.'

'Ik hoopte dat je dat zou doen.'

'Pa?'

'Wat?'

'Ik wil niet dat u zich zorgen maakt. Ik zal zorgen dat alles voor elkaar komt, oké?'

'Je moeder heeft vanavond iets tegen je gezegd. Ik wil dat je dat niet vergeet.'

'Dat zal ik niet.'

'Je bent nu ergens verantwoordelijk voor, jongen. Je beschermt niet alleen jouw buurt. Je bent ook onze vertegenwoordiger. Als je iets doet dat in strijd is met die opdracht, ben je niet waard dat uniform te dragen.'

'Ja, vader.'

'Ga maar, jongen,' zei Darius. 'En doe zachtjes. Ik wil niet dat je je moeder wakker maakt.'

Strange viel in slaap in Dennis' bed, terwijl de geur van zijn broer in de kamer aanwezig was.

24

Donderdag 4 april vergaderde dr. King met zijn staf in een kamer van het Lorraine Hotel in Memphis, en maakte plannen voor de mars van de komende maandag.

Halverwege de ochtend in D.C. liep Alethea naar de voordeur omdat er geklopt werd. In de deuropening stond een donkere man met kortgeknipt grijs haar. Hij was ongeveer even oud als haar echtgenoot. Hij droeg een zak met boodschappen.

'Mijn naam is John Thomas. Woont hier de familie Strange?'

'Ja?'

'Bent u de moeder van Dennis?'

'Ja.'

'Dan wil ik u condoleren met het overlijden van uw zoon.'

Alethea keek hem vragend aan. 'Was u een vriend van Dennis?'

'Dat niet precies. We hebben afgelopen maandag een kort gesprek gevoerd. Vanmorgen las ik in de *Post* over zijn dood. Ik was in de buurt om een paar dingen bij meneer Meyer op de hoek op te halen. Hij en de man voor wie ik werk, Ludvig, zijn beiden eigenaar van een supermarkt. Ze kennen elkaar van de synagoge – '

'Ja?'

'Wanneer de een iets niet in voorraad heeft, helpt de ander hem. Ik heb aangeboden deze artikelen op te halen. Dat was nadat ik in de krant had gelezen... uw zoon vertelde dat u in Princeton woonde, dus vroeg ik meneer Meyer waar u precies woonde.'

'Ik begrijp het niet.' Alethea deed een stap naar achteren en zocht steun bij de voordeur. 'Waarom bent u hierheen gekomen?'

Thomas wist dat hij veel te snel praatte en de vrouw in de war bracht, die duidelijk verzwakt was door haar verdriet. Maar hij was ook zenuwachtig en wist niet precies hoe te beginnen.

'Ik heb uw echtgenoot gekend,' zei Thomas.

'Ik kan me niet herinneren dat hij ooit uw naam genoemd heeft.'

'We waren geen vrienden... ik bedoel dat ik hem van gezicht ken, van de American Legion. Afdeling Vijf. Ik zag hem lang geleden altijd tijdens onze bijeenkomsten in Republic Gardens. We hebben een paar keer met elkaar gesproken, wist u dat?' Thomas schraapte

213

zijn keel. 'Ik vroeg me af of ik hem even kon spreken, als hij het tenminste niet te druk heeft. Ik heb enige informatie over uw zoon.'

'Mijn man werkt nu,' zei Alethea.

Hoewel Mike Georgelakos erop gestaan had dat hij de dag vrij zou nemen, was Darius toch vroeg naar zijn werk gegaan. Darius had het gevoel dat zonder hem alles in het honderd zou lopen. Trouwens, hij vond het veel erger om de hele dag in het appartement te zitten niksen. Alethea had het begrepen. Ze was fysiek nog niet in staat om weer te gaan werken, maar zou over een paar dagen weer beginnen. Eigenlijk was ze van plan om de volgende dag naar haar normale vrijdagdienst te gaan; dat was het huis van de Vaughns.

'Misschien moet ik dan later nog maar eens terugkomen,' zei Thomas. 'Ik wil u helemaal niet lastigvallen.'

'Kom toch naar binnen,' zei Alethea. Ze deed de deur verder open en stapte opzij. 'Mijn jongste zoon Derek is hier.'

'Ik denk toch dat het beter is om later terug te komen,' zei Thomas. Hij wilde wat hij op zijn hart had niet aan een jongen vertellen.

'Als u informatie hebt,' zei Alethea opeens met flinke stem, 'dan moet u met mijn zoon praten. Kom alstublieft verder.'

Thomas deed wat hem gevraagd was en stapte het appartement binnen. Toen hij binnen stond, verscheen Strange uit de gang die naar de slaapkamers leidde.

'Wat is er aan de hand?' vroeg Strange.

'Deze man wil je graag even spreken,' zei Alethea.

'Waarover?' vroeg Strange, die niet in de stemming was voor futiliteiten.

'U kunt vrijuit spreken,' zei Alethea tegen de man met het grijze haar en de vriendelijke ogen. 'Mijn zoon is bij de politie.'

Vaughn zat aan de keukentafel in zijn boxers en een T-shirt. Hij bestreed zijn kater met twee Anacin, koffie, eieren met bacon en een paar L&M's. Maar veel had het nog niet geholpen. Hij las het sportkatern en zei op de automatische piloot 'ja' en 'zozo' en 'ja, Olga', terwijl zijn vrouw een paar pumps met open hiel en dubbele gespen beschreef, die ze in het filiaal van Franklin Simon in het nieuwe Montgomery-winkelcentrum had gezien. Ze stond met haar rug tegen de aanrecht geleund, haar gele schort contrasteerde fel met haar ravenzwarte haren.

'Ze kosten maar zestien dollar,' zei Olga. 'Dat kan ons de kop toch niet kosten.'

'Het is maar geld,' zei Vaughn. Zijn halfopen ogen keken strak naar de krant die voor hem opengeslagen op de tafel lag. 'Zo gewonnen, zo geronnen.'

Vaughn las dat de Baltimore Bullets, die vorig seizoen als laatste waren geëindigd, van plan waren om Wes Unseld aan te trekken, die grote All-American uit Louisville.

214

'Ik kan ze op onze Central Charge-rekening laten zetten,' zei Olga.

'Dat is een idee,' zei Vaughn. Geen goed idee, maar toch een idee. De Kentucky Colonels uit die nieuwe league waren ook van plan om Unseld in te lijven. Dat zou coach Shue wel lukken. Shue was prima. Vaughn had hem ooit in een bar ontmoet, in het gezelschap van een knap meisje met rood haar. Hij zag dat hij haar sigaret aanstak. Een echte mannenman.

'Frank, luister je wel naar me?'

'Ja, Olga.'

De telefoon, net zo kanariegeel als Olga's schort, ging over in de keuken. Olga liep over het linoleum naar de wandtelefoon en nam op.

'Met Vaughn... een ogenblik.' Ze stak haar hand uit. 'Voor jou. Zaken.'

Vaughn stak zijn hand uit met een energie die hij tot nu toe nog niet gevoeld had. 'Met Frank Vaughn.'

Hij luisterde naar de man aan de andere kant van de lijn. Hij zei hem dat hij een uur nodig had om te 'schijten, schuimen en scheren'. Bovendien moest hij zich ook nog aankleden.

'We zien elkaar daar,' zei Vaughn en hing op.

'Waarom lach je zo?' vroeg Olga, terwijl Vaughn ging staan.

'Ik heb beet,' zei Vaughn.

Toen hij zich naar de eerste verdieping begaf, passeerde hij Ricky die omlaag kwam met boeken onder zijn arm. Die was van plan om naar college te gaan. Vaughn zei niets tegen zijn zoon. Hij was opgewonden geraakt door dat telefoontje, en de betekenis ervan. Hij had dat speciale gevoel weer, als hij op punt stond een zaak op te lossen.

'Wanneer was dat precies?' vroeg Strange.

'Zondagavond,' zei Thomas. 'Ze hadden die Monterey onder een lantaarn geparkeerd. Het was daar licht genoeg om hen te herkennen en ook licht genoeg om hun kenteken op te schrijven.'

'Weet u zeker dat het zo'n auto was?'

'De Monterey is volgens mij de enige auto die een rechthoekige achterruit heeft.'

'Precies,' zei Strange. 'En Dennis bracht u maandag op de hoogte van de overval?'

'Jazeker. 's Morgens vroeg. Hij vertelde dat die andere twee van plan waren de zaak te beroven.'

Ze zaten in Dennis' slaapkamer. Strange stond met zijn rug tegen de wand geleund en John Thomas zat in een stoel. Strange had de deur dichtgedaan, zodat zijn moeder hun gesprek niet kon horen.

'Wat hebt u toen gedaan?'

'Ik heb een inspecteur van MPD opgebeld, met wie ik opgegroeid ben. Hij heet William Davis.' Thomas zag aan de uitdrukking op Stranges gezicht dat hij Davis kende. 'Kent u Bill?'

'Niet persoonlijk. Toen ik nog jong was, heb ik hem wel eens een paar keer gezien. Toen was hij nog wijkagent in het Zesde District.'

'Toen waren er nog niet veel zwarte agenten.'

'Ik vermoed dat hij me daarom opviel,' zei Strange. 'Gaat u verder.'

'Ik heb Bill verteld wat ik wist. Om hem te beschermen heb ik de naam van je broer niet genoemd. Bill vertelde me later dat ze de chauffeur van de Monterey wegens wapenbezit gearresteerd hadden. Wat er met die andere man in de passagiersstoel is gebeurd, weet ik niet. Ik weet alleen dat we niet beroofd zijn. Dus het was goed wat uw broer gedaan heeft.'

'Beschrijf die andere man eens,' zei Strange zonder enige emotie.

'Lichte huid, volgens mij was hij nogal klein, maar dat kwam misschien omdat de ander achter het stuur zat. Díe knul was groot. Die kleine droeg een hoed. Dat was alles wat ik zag.'

Dat is genoeg, dacht Strange. Dat is meer dan genoeg.

'Hebt u inspecteur Davis nog gebeld nadat u de overlijdensadvertentie van mijn broer zag?'

'Nee, dat heb ik niet gedaan.' Thomas keek Strange peinzend aan. 'Wilt u dat ik dat alsnog doe?'

'Nee,' zei Strange. Hij liet zijn armen langs zijn lichaam zakken en sprak op zachtere toon verder. 'Ik zou het op prijs stellen als u niets tegen hem zou zeggen, tenzij ik... tenzij mijn familie het aan u vraagt. Ik wil niet dat er moeilijkheden tussen u en uw vriend ontstaan. Weet u, we willen het op onze manier en op een door ons gekozen tijdstip afhandelen. In ieder geval heeft u al genoeg voor ons gedaan.'

'Dat kan ik niet beoordelen,' zei Thomas. 'Het was vandaag voor mij heel moeilijk om dit te doen. De waarheid is: ik heb het gevoel dat ik iets in beweging heb gezet dat de oorzaak van de dood van uw broer is.'

'Dan voelt u dat verkeerd,' zei Strange. 'Ik zou zeggen dat u hem hoop gegeven hebt. De laatste keer dat ik hem sprak, was het alsof hij gebiecht had. U hebt hem recht gedaan. En u doet hem opnieuw recht als u dit onder ons houdt.'

'Dat zal ik doen,' zei Thomas. Hij stond op, liep naar Dennis' nachtkastje, pakte een boek van de stapel en bekeek de omslag. 'Op de dag dat hij me opzocht, hadden we een goed gesprek over dit boek.'

'Praten kon hij wel,' zei Strange. Voor de eerste maal in de afgelopen twee dagen moest hij even glimlachen. 'En discussiëren ook.'

'Toch zat er een kern van waarheid in wat hij zei. Hij had recht om kwaad te zijn. Wij allemaal.'

'Ja.'

'Jonge, zwarte mannen vermoorden elkaar. Op een dag zullen we onze boosheid in de juiste richting dirigeren.'

'Dat is precies hetzelfde wat Dennis tegen mijn vader zou zeggen om hem op de kast te krijgen.'

'Mijn zoon doet hetzelfde met mij. Als ik me de gesprekken met jouw vader tijdens die bijeenkomsten goed herinner, was hij net zo kwaad over het onrecht dat ons wordt aangedaan als uw broer. Als hij het niet met uw broer eens was, vermoed ik dat hij dat deed om hem te kalmeren, om hem voor onheil te behoeden. Zoals ik met mijn zoon doe.'

'Mijn vader kon hem niet beschermen.'

'Jonge mensen uit goede gezinnen komen ook in de problemen. Iedereen kon zien dat uw broer moeilijke tijden had meegemaakt. Maar er is iets dat u uw ouders moet vertellen: toen hij me kwam opzoeken, vertelde hij me dat hij zo trots op zijn familie was. Ik vind het belangrijk dat ze dat weten.'

'Ja, meneer,' zei Strange met haperende stem.

'Nou, goed. Dan ga ik maar weer.'

'Dank u.' Strange draaide zijn hoofd om, zodat de ander de tranen in zijn ogen niet zou zien. 'Als u het niet erg vindt, dan blijf ik hier nog even om alles op een rijtje te zetten.'

John Thomas knikte en verliet de kamer.

Frank Vaughn en Lawrence Houston zaten op de voorbank van Vaughns Polara. Die stond op de parkeerplaats van de Tick Tock-slijterij op de hoek van University Boulevard en Riggs Road. Ze dronken Schlitz uit blikjes die ze in een bruine papieren zak hadden gestopt. Houstons vuurrode Dart GT stond een eindje verder. Het eerste blikje bier had het laatste restje van Vaughns hoofdpijn op de vlucht gejaagd, maar smaakte toch bitter. Maar dit blikje, zijn tweede, smaakte veel beter.

Houston had nog steeds zijn overall uit de garage aan. Hij had zijn baas Pat Millikin verteld dat hij zijn zuster naar de dokter moest brengen en dat hij een uur tot anderhalf uur pauze wilde hebben. Hij had Vaughn voorgesteld elkaar bij de Tick Tock te ontmoeten, aangezien deze niet al te ver van de garage was verwijderd. Bovendien had hij wel trek in een koud biertje.

'Vertel maar,' zei Vaughn. 'We hebben niet veel tijd.'

'Maar eerst wil ik iets zeggen.'

'Oké.'

'Ik ben niet gewend om met de politie te praten.'

'Maar je bent nu toch hier?'

'Dát weet ik wel.'

'Jij hebt *mij* gebeld. Jij zei dat je iets over die Ford wist.'

Houston schoof een beetje ongemakkelijk heen en weer. 'Pat is altijd goed voor me geweest, man. Toen ik uit de gevangenis kwam, kon ik direct bij hem aan de slag. Ik bedoel dat hij *altijd* goed voor me is geweest. En weet u, toen ik uit de gevangenis kwam, waren mensen niet geïnteresseerd om iemand met een strafblad in dienst te nemen. Pat probeerde het met me en behandelde me met respect.'

'Dus Pat is een fijne kerel.'

'Ik bedoel dat ik niet wil dat hij in de problemen komt.'

'Luister, Lawrence. Ik ben er niet op uit om Millikin achter de tralies te krijgen, als je daar tenminste bang voor bent. De politie van Prince George weet alles over de valse keuringscertificaten die door zijn garage worden afgegeven, en ze hebben hem nog steeds niet lastiggevallen. Weet je, ze wachten gewoon. Op een zeker moment pakken ze hem voor iets groots. Hij is belangrijker als informatiebron dan wanneer hij achter de tralies zit.'

'Ik wil alleen dat Pat voor dit geintje niet in de problemen komt.'

'Dat kan ik je niet beloven. Als hij op wat voor manier dan ook bij deze auto betrokken is, hebben we zijn verklaring nodig om de aanklacht te ondersteunen. En hoogstwaarschijnlijk die van jou ook.'

Houston nam een grote slok bier. Vervolgens zette hij de bruine zak in zijn schoot.

Vaughn keek hem aan. 'Waarvoor heb je gezeten.?'

'Doodslag.'

'Dan moet je een opgewonden standje zijn geweest.'

'Dat ben ik nog steeds.' Houston keek even naar Vaughn, de aderen bij zijn slapen waren duidelijk te zien, evenals die op zijn polsen en handen. 'Ik denk dat ik daarom hier zit.'

'Kom op, Lawrence. Vertel me alles.'

Houston stak zijn hand in de borstzak van zijn overall en haalde een sigaret tevoorschijn. Vaughn pakte een L&M uit zijn pakje. Hij flipte zijn Zippo open, stak Houstons sigaret aan, daarna die van hem en sloot met een klap de aansteker. Vaughn liet de sigaret uit een mondhoek bungelen. Intussen sloeg hij zijn notitieboekje open en drukte het topje van zijn ballpoint in.

'Ik had een jongere broer, die het rechte pad bewandelde,' zei Houston. 'Hij bezocht een van die goede negercolleges in het zuiden, werd ambtenaar, kocht een huis, had een vrouw en kinderen... ik bedoel, hij deed het goed. Het had mijn broer kunnen zijn die daar was doodgereden. Doodgereden om zijn huidskleur, begrijpt u?'

'Hoe zit het met die auto?' vroeg Vaughn.

'Twee mannen brachten hem maandag naar de garage. Een rode Galaxie Vijfhonderd. De hele voorkant lag in puin.'

'Een '63 of '64?'

'Een '63 en een half,' zei Houston een beetje trots.

'En wat zeiden die kerels?'

'De chauffeur van die Galaxie is een kleine kerel, een scheelkijkende blanke die Walter Hess heet. Wordt Shorty genoemd. Zei dat hij een aap op straat had aangereden. En lachte er nog bij. Ik vermoed dat hij over de jonge broeder sprak, die u toen beschreef.'

'Walter Hess,' zei Vaughn en schreef de naam op.

'Die blanke die bij hem was? Een grote kerel, heeft meetsal zijn mouwen opgerold om zijn spieren te laten zien. Zijn achternaam is Stewart. Ik weet niet wat zijn voornaam is, maar hij wordt Buzz genoemd.'

'Ze kwamen in twee auto's.'

'Ja. Die Buzz Stewart reed in een rode Belvedere met witte hardtop en een Max Wedge-motorkap.'

Toen Vaughn de gegevens noteerde, voelde hij dat zijn gezicht vuurrood werd. Hij kende die auto. 'Kenteken?'

'Die van de Ford heb ik,' zei Houston. Hij haalde een gekreukeld stukje papier tevoorschijn en las het nummer hardop voor.

'Verder nog iets?'

'Op de zijkant van de Belvedere stond een naam geschilderd, zoals die snelheidsmaniakken altijd doen.'

'Wat was die naam?'

'Bernadette,' zei Houston.

Vaughn deed zijn ogen dicht en probeerde die auto voor de geest te halen. Hij zag de auto naast de garage van het Esso-station staan, op de hoek van Georgia en Piney Branch. Hij zag de grote kerel, de onvriendelijke monteur met zijn opgerolde mouwen, die de moeren van een Oldsmobile losdraaide die op een brug in de garage stond.

'Bernadette,' zei Vaughn en knikte. 'Ik vermoed dat die Buzz een vriendin heeft, hè?'

'Volgens mij is hij een fan van Levi Stubbs.'

'Wat bedoel je?'

'De Four Tops,' zei Houston met een flauwe glimlach. 'Als u de laatste tien jaar naar de radio had geluisterd, had u het geweten.'

Vaughn haalde zijn schouders op.

'Trouwens, u overdreef wel een beetje met dat verhaal, hè?' zei Houston. 'U weet wel, dat ze het woord "nikker" op straat hadden geschreven.'

'Dat geloofde je niet, hè?'

'Dat kwam door de pijl die naar het lichaam wees. Dat was veel te moeilijk voor die twee.'

'Ik heb het een beetje aangedikt.'

'Om eerlijk te zijn, zonder dat had u me al overtuigd.'

'Dank je, Lawrence.' Vaughn stak zijn hand uit en gaf Houston een hand. 'Je hebt juist gehandeld.'

Houston reed weg in zijn Dart GT. Vaughn dronk zijn blikje Schlitz leeg, schoot zijn sigaret uit het raampje en liep naar een telefooncel op de hoek van het parkeerterrein.

25

Strange stond in het trapportaal op de eerste verdieping van Lula Bacons rijtjeshuis en klopte op de deur van haar appartement. Hij droeg een zwartleren autojack over een grijze pantalon en een gitzwart overhemd. Hij droeg zijn dienstrevolver in een holster aan de broekriem. Zijn politiepenning zat in de zak van zijn jack.

'Ja,' zei ze vanachter de deur.

'Lula Bacon?'

'Wie wil dat weten?'

'Ik ben politieagent.'

'Hebt u een legitimatie?'

Strange hield de penning voor het kijkgaatje, dat nu donker was geworden.

'Waar gaat het over?'

'Doe de deur open, mevrouw Bacon.'

'U ziet er helemaal niet uit als agent.'

'U moet die deur nu meteen opendoen.'

'Of wat?'

'Of ik kom terug met iemand van de sociale dienst,' zei Strange. 'Ik denk dat hij heel erg in uw manier van leven geïnteresseerd zal zijn.'

Strange wist niets over haar manier van leven, maar zijn beperkte ervaring zei hem dat dit een effectieve manier was om binnen te komen. Hij hoorde dat een ketting werd losgemaakt en een grendel opzij werd geschoven.

Strange was eerst naar James Hayes' huis in Otis geweest, maar Hayes was niet thuis. Het was inmiddels middag geworden. Zijn avonddienst van vier tot middernacht begon zo. Hij besloot niet langer Dolittle te bellen, maar zelf op onderzoek te gaan. Wat hij deed was niet volgens de voorschriften. Hij ging zijn boekje ver te buiten en was waarschijnlijk onwettig bezig. Maar hij voelde dat hij tijd tekort kwam.

De deur ging open. Een kleine vrouw in een kort, marineblauw jurkje stond in de deuropening. Ze had welgevormde benen en heupen. Ze had grote ogen, dat nog eens benadrukt werd door donkere make-up, grote oorringen en door een kapper verzorgd haar. Een glas met amberkleurige vloeistof en ijsblokjes hield ze losjes in haar hand. Ze rook naar whisky en sigaretten. Bacon zag eruit als een onverzorgde Diana Ross.

Strange maakte geen aanstalten om naar binnen te gaan. 'Ik ben op zoek naar Alvin Jones.'

'Hij is er niet. En ik verwacht hem ook niet terug.'

'Enig idee waar hij naartoe is gegaan?'

'Geen idee,' zei ze langzaam, terwijl ze tegen de deur leunde. Ergens in het appartement huilde een baby.

'Hij heeft een andere vriendin, hè?' zei Strange, die zich totaal niets aantrok van diplomatie of haar gevoelens.

'Dat is geen nieuws.'

'Misschien is hij weer naar haar teruggegaan.'

'Nou, en?'

'Weet je haar naam of het adres waar ze woont?'

Bacon haalde haar schouders op en nam een slok van haar whisky.

'Nou?'

'Ik weet niets.'

'Als je liegt, kom ik terug.'

'Flinke vent,' zei Bacon, terwijl ze hem nauwkeurig opnam, 'ook al vertel ik de waarheid, je mag nog terugkomen als je wilt.'

'Ik ben al bezet,' zei Strange.

'Dan stuur je je broer maar, als je er tenminste eentje hebt. Als hij tenminste op jou lijkt.'

'Je baby huilt,' zei Strange zonder enige emotie. 'Ik zou maar een beetje oppassen en op je kind letten.'

'Als je Alvin ontmoet, zeg hem dat hij niet meer op dit goede leventje hoeft te rekenen.'

Maar ze sprak tegen zijn rug. Strange liep de trap al weer af naar de straat.

Vaughn nam bezit van de telefooncel op het parkeerterrein van de Tick Tock. Hij belde het Esso-benzinestation en kreeg de juiste naam van de werknemer te horen, Carlton 'Buzz' Stewart. Hij kreeg van de chef te horen, die een enigszins gekwelde indruk maakte, dat dit Stewarts vrije dag was. Vervolgens belde Vaughn naar het bureau van het Zesde District en vertelde de brigadier van dienst van de afdeling Moordzaken wat hij nodig had. Het was meer dan een eenvoudige opdracht, en hij wist dat het enige tijd in beslag zou nemen. Vaughn bleef op de parkeerplaats wachten. Hij rookte een sigaret en hield de telefoon in de gaten. Af en toe nam hij een slok Schlitz uit een blikje dat hij in een bruine papieren zak had gestopt. Een agent van de county zag dat hij stond te drinken en kwam op hem af.

Vaughn toonde hem zijn politiepenning en blikkerende boventanden. De agent verdween zo spoedig mogelijk. Het was al laat in de middag toen Vaughn werd teruggebeld. Hij noteerde alle gegevens in zijn boekje en liep terug naar zijn auto.

Hij had zijn collega instructies gegeven om een radiobulletin met de signalementen te verspreiden. Twee mannen: Walter Hess, ook bekend als Shorty Hess, en Carlton Stewart, ook bekend als Buzz Stewart. Ze werden gezocht voor verhoor in verband met de dodelijke aanrijding van ene Vernon Wilson. Het was een zeer afgezwakte versie van een uitgebreid bulletin. Als ze bijvoorbeeld voor een verkeersovertreding werden aangehouden, en de agent in uniform verzocht via de radio om informatie, dan was het bulletin voldoende om hen aan te houden. Beide mannen hadden een strafblad, en Hess had ook in de gevangenis gezeten. Maar Vaughn dacht dat hun misdaad het resultaat van een dronken avond was geweest. Hoewel hij vermoedde dat ze dom en waarschijnlijk wreed waren, beschouwde hij hen niet als gevaarlijk. Bovendien wilde hij hen zelf in de boeien slaan.

Hij reed naar het 700-blok van Silver Spring Avenue, een zijstraat van Georgia, ongeveer een halve kilometer over de grens van het District. De straat bestond voornamelijk uit bungalows die vrij dicht tegen het trottoir stonden. Daarachter lagen diepe glooiende tuinen waarin hier en daar eiken, walnotenbomen en dennen stonden. De meeste bewoners waren de tweede eigenaar, en hadden de in de jaren twintig gebouwde huizen met hulp van de GI Bill gekocht. Het waren voor het grootste deel ambtenaren en fabrieksarbeiders, en velen van hen waren van Duitse afkomst. Hun kinderen waren het huis uitgegaan of stonden op het punt dat te doen. Toen de huiseigenaren aan hun pensioen toe waren en gingen verhuizen, huurden motorrijders en jonge handelaren de huizen. Vaughn wist dat sommige van deze huurders marihuana en speed gebruikten en er in dealden. Een paar keer had hij in de bars aan Georgia naast hen gezeten. Hij had een gesprek met hen aangeknoopt en de invloed van de drugs in hun opgefokte ogen gezien.

Volgens zijn gegevens woonde Hess met zijn ouders in een lichtblauw geverfde bungalow, met wit afgezette randen en een brede veranda aan de voorzijde van het huis. Het stond op de top van een heuvel. Vaughn trof zijn moeder thuis. Hij vertelde haar dat hij en Shorty samen in de machinefabriek aan Brookeville Road hadden gewerkt. Maar voordat hij verder trok, wilde hij nog even zijn oude makker zien. Hij had er gewoon op gegokt dat hij thuis zou zijn.

'Hij is aan het werk,' zei de vrouw. Ze was nog niet oud, maar toch staken er een paar lange haren uit haar kin. Ze bleef in de deuropening staan, maar maakte geen aanstalten om naar buiten te komen of hem binnen te vragen. Het huis rook naar kool en hond. Op haar bewerkte schort waren overal hondenharen te zien. Haar ogen stonden dicht bij elkaar. Ze ademde door haar mond en keek een beetje onnozel uit haar ogen. Ze was niet veel groter dan een kind.

'Ik had het kunnen weten,' zei Vaughn. 'Zijn Galaxie is ook nergens te zien.'

'Die is naar de garage. Nu rijdt hij in een Rambler.'

'O ja, hij vertelde me ooit dat u er eentje had. Dat oude, blauwe wagentje, hè?'

'Groen. Moet ik vertellen dat u langsgekomen bent?'

'Ik denk dat ik naar de fabriek ga om hem te verrassen,' zei Vaughn. 'Vriendelijk bedankt, mevrouw.'

Vaughn reed naar Mississippi Avenue. Hij zocht Buzz Stewarts huis en keek uit naar de Belvedere. Maar hij stond niet langs het trottoir of in de open, vrijstaande garage, die hij vanaf de straat kon zien. Hij wilde niet met Stewarts familieleden praten, ook al waren ze thuis. Hij had al te veel op het spel gezet met Hess' moeder.

Vaughn reed een paar kilometer door naar Brookeville Road, naar een industriegebied in de buurt van Montgomery Hills, niet ver van zijn eigen huis. Hij vond de machinefabriek, maar zag geen groene Rambler in de directe omgeving staan. Hij parkeerde vlak bij de fabriek. Kort daarna kwam een man de fabriek uitlopen. Hij droeg een blauw werkoverhemd met zijn naam op zijn borst gestikt. Hij stak een sigaret aan. Vaughn draaide het portierraampje van zijn Polara omlaag en schreeuwde naar de man.

'Hé, daar, heb jij mijn maat Shorty gezien? We zouden elkaar hier tijdens zijn pauze ontmoeten.' Vaughn probeerde een boerenpummel na te doen, wat hem niet veel moeite kostte.

'Zijn hele leven bestaat uit één grote pauze,' zei de man, die hongerig een trekje van zijn sigaret nam.

'Waar is hij nu dan?' vroeg Vaughn.

'Hij heeft zich ziek gemeld,' zei de man en tikte as van zijn sigaret. 'Waarschijnlijk de Ierse griep.'

Vaughn draaide het raampje weer omhoog, startte de motor van zijn Dodge en reed weg. Dus Hess en Stewart hadden zich beiden ziek gemeld. Misschien hadden ze zo'n kater van de vorige avond dat ze beiden niet in staat waren om te werken. Maar Hess had zijn moeder verteld dat hij naar zijn werk ging. Misschien werd Hess en Stewart de grond te heet onder hun voeten en waren ze de stad uitgegaan. Maar Vaughn dacht niet dat die kleine monteur D.C. zou verlaten zonder zijn Galaxie.

Hij reed naar een telefooncel die voor een plaatwerkerij stond. Hij belde het bureau om te horen of er nog reacties op zijn bulletin waren geweest. De dienstdoende brigadier vertelde hem dat er geen nieuws was. Hij had slechts één boodschap ontvangen; dat was van agent Derek Strange. Strange had gevraagd of Vaughn terug wilde bellen.

'Geef me zijn telefoonnummer maar,' zei Vaughn. Hij haalde zijn boekje en zijn pen tevoorschijn en schreef het nummer op.

Strange zat in de woonkamer van een appartement in Otis Place met James Hayes te praten. Hayes was naar buiten gekomen voor zijn ochtendwandeling. Tijdens die wandeling kocht hij altijd de ochtendeditie van de *Post* en een pakje sigaretten. De krant lag nu op een stapel op de grond naast zijn stoel, terwijl een brandende sigaret in de asbak naast hem lag te smeulen. Hayes droeg een fluwelen jasje. Hij had zijn wandelschoenen verwisseld voor een paar zacht leren slippers. In zijn hand hield hij een zakdoek, waarmee hij regelmatig zijn loopneus afveegde.

'Wanneer is hij hier weggegaan?' vroeg Strange.

'Ik weet het niet zeker,' zei Hayes. 'Misschien rond elf uur. Een vriendin van mij zou hierheen komen. Ze heeft zondag altijd avonddienst.'

'Elf uur kan kloppen,' zei Strange.

'Ik *moest* hem wel wegsturen,' zei Hayes. 'We hadden het prima naar onze zin, we zaten hier gewoon naar oude platen te luisteren, en discussieerden over van alles en nog wat. Maar hij moest weg.'

'Waren jullie allebei high?'

'Jazeker.'

'Was hij bij zijn positieven?'

'Hij had een paar rode pilletjes geslikt. En we hadden wat Margeaux gedronken en een paar joints gerookt. Maar ik kan niets zeggen over de toestand in zijn hoofd. Toen hij wegliep, zag ik dat hij bij zijn positieven was. Als hij niet op zijn voeten kon blijven staan, had ik hem niet weg laten gaan.'

'Hoe was hij er mentaal aan toe?'

'Goed,' zei Hayes. 'In mijn ogen was hij prima.'

'Hij zei niet dat hij in gevaar verkeerde, of iets dergelijks?'

'Nee.'

'Jullie hebben zondagavond zaken gedaan, hè?'

Hayes nam een trekje van zijn sigaret, en blies de rook weer door zijn neus uit. Hij keek met samengeknepen ogen door de rook naar Strange. 'Dat klopt. Hij had iets aan een paar van zijn vrienden geleverd.'

De telefoon op het tafeltje bij de voordeur ging over. Hayes stond op en nam op, vervolgens zei hij: 'Hij is nu hier.' Hij stak de hoorn in de richting van Strange, die door de kamer kwam aanlopen en hem overnam.

'Derek Strange.'

'Je spreekt met Vaughn.'

'Bedankt dat je me terugbelt.'

'Wat kan ik voor je doen?'

'Je hebt gezegd dat je zou helpen.'

'Zeg het maar.'

'Ik ben hier om te zien wat ik boven water kan krijgen.'

'Over de moord op je broer.'

'Ik heb besloten Dolittle links te laten liggen,' zei Strange.

'Dat neem ik je niet kwalijk.'

'Er zijn twee mannen, die ik graag zou willen spreken. Alvin Jones en Kenneth Willis. Ze –'

'Kalm aan. Ik schrijf dit nu op.'

'Alvin Jones... Kenneth Willis.'

'Oké.'

'Willis en Jones waren van plan een supermarkt in LeDroit Park te beroven. Dennis bracht de man van de supermarkt op de hoogte van de overval. Deze man belde de politie. Voordat ze erin slaagden de overval te plegen, arresteerde de politie Willis wegens wapenbezit.'

'Welk district?'

'Negende District,' zei Strange.

'Wie weet wat je broer gedaan heeft?'

'De man aan wie hij het vertelde,' zei Strange en keek Hayes strak aan. 'En dan jij en ik.'

'Zit Willis nog vast?'

'Volgens mij nog wel.'

'Ik ken een paar mensen bij het Negende. En hoe zit het met die andere?'

'Jones is overal en nergens. Ik heb nogal wat moeite hem op te sporen.'

'Blijf je daar nog even?'

'Ja.'

'Ik bel je terug.'

Strange verbrak de verbinding. Hij bleef staan waar hij stond, en keek James Hayes aan.

'Heb je alles gehoord?'

'Misschien wel, misschien niet,' zei Hayes. 'Zeg jij het maar.'

'Komen die namen je bekend voor?'

'Nee.'

'Je zei dat Dennis zondagavond iets voor jou heeft verkocht. Heeft hij dat aan Jones en Willis verkocht?'

'Dat zou kunnen,' zei Hayes. 'Maar geen van beide namen staat op die cheque.'

'Wat bedoel je?'

'Kijk maar in dat mandje recht voor je,' zei Hayes. 'Daar moet een cheque in liggen. Ik ben te beroerd geweest om hem te verzilveren. Het kost me al veel moeite om voor mijn krant en sigaretten naar Meyer's te lopen.'

Strange las de naam boven aan de cheque en keek naar het adres. 'Heeft Dennis dit aan jou gegeven?'

Hayes knikte. 'Op die manier heeft hij voor de marihuana betaald.'

De telefoon ging over en Strange nam op.

'Met Strange.'

'Ik heb met Jim Mahaffie van het Negende gesproken. Slecht nieuws wat Willis betreft.'

'Wat dan?'

'Hij is vrijgelaten. Ze hebben een proces-verbaal opgemaakt voor wapenbezit, maar daar konden ze hem niet voor vasthouden; Willis is al eens eerder veroordeeld voor mindere vergrijpen. De aan hem toegewezen advocaat kreeg hem op borgtocht vrij.'

'Wanneer was dat?'

'Vanmorgen.'

'Verdomme.'

'Je moet het zo bekijken: als je wilt kun je hem nu op jouw manier onder vier ogen spreken.'

'Juist.'

'Weet je waar hij woont?'

'Ergens in H.'

'Ik heb hier zijn vaste woonadres,' zei Vaughn. Hij gaf Strange het adres door.

'Bedankt, rechercheur.'

'Graag gedaan,' antwoordde Vaughn. 'Heb je nog dienst vandaag?'

'Ik begin om vier uur.'

'Dan zien we elkaar.'

'Draai je dan dubbele dienst?'

'Ik ben ergens mee bezig,' zei Vaughn.

Strange verbrak de verbinding, vouwde de cheque dubbel en stak hem in zijn borstzakje. 'Die heb ik nodig.'

'Neem maar mee,' zei Hayes. 'Luister, jongeman…'

'Je hoeft het niet te zeggen. We denken er allemaal hetzelfde over. Er is slechts één man verantwoordelijk voor Dennis' dood.'

'Veel succes,' zei Hayes.

Strange keek op zijn horloge en verliet het appartement.

Nadat Vaughn met Strange gesproken had, belde hij Stewarts woonadres. Hij kreeg een vrouw aan de lijn. De vrouw klonk vermoeid en oud. Vaughn maakte zich niet bekend en gebruikte geen enkele list. Hij vroeg haar gewoon of Buzz thuis was. Toen ze nee zei, vroeg hij haar of ze wist waar hij was.

'Hij is bij vrienden.'

'Welke vrienden? Shorty?'

Vaughn hoorde dat de vrouw een trekje nam en rook uitblies.
'Vermoedelijk wel.'
'Is hij de stad uitgegaan?'
'*Wat?*'
'Heeft u hem een koffier of iets dergelijks in zijn auto zien laden?
Deed hij alsof hij u een hele tijd niet meer zou zien?'
'Met wie spreek ik eigenlijk?'
Vaughn verbrak de verbinding. Hij verliet de telefooncel en liep
naar zijn auto.

26

De vrouw woonde in Fairmont Street, ten westen van 13th, slechts twee blokken verwijderd van Stranges appartement. Strange staarde naar de cheque in zijn hand, las het adres aan de bovenzijde en keek toen naar het hoge rijtjeshuis aan het einde van het betonnen pad, slechts een paar stappen van de plek waar hij stond. Het was een van die oude huizen met torentje, een in D.C. veel toegepaste architectonische techniek. Eens was het huis heel mooi geweest, misschien zelfs wel groots, maar nu was het slecht onderhouden en had het dringend een verfje nodig.

Strange liep het pad op en stond even later in de benedenhal. Hij vergeleek de naam van de vrouw met de naam op een van de postbussen, en liep de trap op naar de eerste verdieping. Hij klopte op haar deur.

Ze opende de deur zonder te vragen wie er was. Ze was jong, enigszins lang, nog geen twintig jaar en had een gezicht dat een mengeling van grote, brede gelaatstrekken was. Haar ogen hadden de vorm van amandelen en ze had een lichte huid. Toen ze nog een tiener was moest haar figuur weelderig zijn geweest, maar nu was ze gewoon dik geworden. Ze hield een baby in een deken gewikkeld. De spartelende baby had zijn oogjes dicht en stak zijn vingertjes uit. Hij probeerde een van haar borsten te grijpen, waaraan het enige ogenblikken daarvoor had liggen drinken. De blouse van de vrouw stond halverwege open en was vochtig van haar eigen melk. Ze droeg feloranje plastic oorringen met het silhouet van een Afrikaanse vrouw met daaronder de woorden 'Black is Beautiful'. Een groot crucifix hing tussen haar borsten.

'Goedemiddag,' zei Strange. Ze had vriendelijke ogen en had haar deur zonder aarzeling voor een vreemde opengedaan. Hij besloot gebruik te maken van haar naïviteit en haar niet te zeggen dat hij van de politie was.

'Derek Strange.'

'Mary,' zei ze.

'Ik ben op zoek naar Alvin Jones.'

'Hij is hier niet,' zei de vrouw met zachte, hoge stem.

'Alvin trok met mijn broer Dennis op. Dennis werd een paar avonden geleden vermoord.'

Ze knikte langzaam en bleef hem aankijken. 'Gecondoleerd met het verlies.'

'Ik wil alleen maar met Alvin praten om te vragen of hij me iets over de laatste uren van mijn broer kan vertellen.'

'Ik zou ook graag met hem willen praten,' zei ze met een diepe, vermoeide zucht. 'Wilt u soms binnenkomen? Ik moet mijn kleine jongen nog voeden.'

Strange liep door de openstaande deur naar binnen.

De huizen aan de noordzijde van Longfellow Street, tussen 13th en Colorado Avenue, waren vrijstaand. Ze hadden kleine achtertuinen met garages die op de steeg uitkwamen. In de keuken van het huis van Martini stond Angela Martini de zondagse vleesschotel te bereiden. Angela was begonnen met halskarbonaden, kalfsvlees en worstjes in de hete olie te braden. Ze was nu net bezig. Het duurde drie uur voordat het vlees helemaal gaar was. De geur van de knoflook en basilicum zou nog dagenlang in het huis blijven hangen.

In de garage stonden Dominic Martini, Buzz Stewart en Walter Hess bij Martini's Nova. In de garage was het vrij benauwd, er stond tuingereedschap, een handgrasmaaimachine, gereedschappen, een jerrycan en een kleine rol prikkeldraad. Angelo Martini's oude fiets, met honkbalplaatjes tussen de spaken, stond tegen de muur. Aan een houten kapstok hingen twee maskers van nylonkousen en twee onopvallende regenjassen, die Stewart bij Montgomery Wards had gekocht.

De deur van de garage was dicht. Stewarts Belvedere stond in de steeg, dicht tegen de achtertuin. Daarachter stond de groene Rambler van mevrouw Hess.

Walter Hess tilde zijn hoofd achterover en dronk het blikje Schlitz leeg, vervolgens kneep hij het blikje in elkaar en smeet het in een doos. Hij stak zijn hand in een bruine papieren zak en trok er een nieuw blikje uit. Hij trok aan de ring, liet die in het ontstane gaatje vallen en nam een slok bier.

'Het is beter dat je wat rustiger aan doet,' zei Stewart.

'Ik heb dorst.'

'Dat komt door de speed die je gebruikt hebt.'

'Vertel eens iets nieuws.'

'Doe rustig aan.'

'Ik kan wel een kratje leegdrinken.'

Stewart twijfelde er niet aan dat hij dat kon. Als hij high van de Beauties was, kon Hess aan een stuk alcohol drinken. Als hij amfetamines gebruikte, was het bier niet in staat hem te laten brabbelen of lam te krijgen. Hij werd er alleen iets rustiger door.

'Dom,' zei Stewart, 'heb je alles nagekeken?'

'De oliedruk is prima,' zei Martini en keek met doffe ogen naar zijn auto. 'Alles is verder in orde.'

De Nova zou geen enkele aandacht trekken. Het was een tweedeurs Chevy II SS, zwart en een onopvallend model. Er zat een vierversnellingsbak van Hurst tussen de kuipstoelen, en een 350-motor met dubbele carburateur van Holly onder de motorkap. Hij was licht, compact en snel. De Cregar-uitlaten waren de enige aanduiding dat de auto snel was.

Hess ging languit op zijn buik op de betonnen vloer liggen en keek onder de auto.

'Geen lekkages,' zei hij, terwijl hij weer ging staan.

'Ik zei toch dat ik alles nagekeken had.'

'Gewoon nog even controleren, Mooie Jongen.'

'Heb je de kentekenplaten?' vroeg Stewart aan Hess.

'Ze liggen in de Rambler. Ik heb ze van een Mustang afgehaald, die in PG Plaza stond.'

'Ik heb je toch gezegd dat je ze verder weg moest halen?'

'Ik heb ze nog geen uur geleden meegenomen. Tegen de tijd dat de diefstal wordt aangegeven en in het systeem terechtkomt, liggen die platen ergens in een afvalput, en zijn jij en ik rijk en allang weg.'

'Prima.' Stewart maakte met zijn hoofd een beweging langs Martini en Hess in de richting van de werkbank. 'Laten we even controleren wat we hebben.'

Op de werkbank stond een open plunjezak. In de plunjezak zaten wapens: de Italiaan, met twee trekkers, afgezaagde loop en kolf; twee met nikkel afgewerkte S&W .38's, met walnoten kolf en tien centimeter lange loop; en een Colt Combat .45. De wapens hadden jarenlang in de onderwereld gecirculeerd. Alle serienummers waren weggevijld. Eveneens in de plunjezak zaten drie paar dunne leren handschoenen, een foedraal voor het geweer, twee schouderholsters, doosjes met kogels voor beide kalibers, een vol magazijn voor de Colt en kogels met koper beklede punt voor het geweer.

Daarnaast had Stewart zijn .38 éénschots derringer in zijn rechterlaars gestoken. Hess had zich met een commandomes met een twaalf centimeter lang, roestvrijstalen lemmet bewapend en het op dezelfde manier in een schede in zijn laars gestoken.

Ze stonden allen bij de plunjezak. Stewart haalde het geweer, het foedraal en de kogels uit de plunjezak en legde die op de werkbank, terwijl Hess de schouderholsters omdeed. Stewart overhandigde hem de .38's.

Hess stak ze beide in de holster, trok ze met gekruiste armen en deed alsof hij in de richting van de muur schoot. Hij had al vele malen voor de spiegel in zijn slaapkamer geoefend. Hij staarde even naar de revolvers en glimlachte. Hij draaide zich om, richtte een van

231

de twee op Martini's gezicht en haalde de trekker over. De hamer viel op een lege kamer, de doffe tik echode door de garage.

Hess lachte kakelend als een heks. 'Shit, jongen, je had die uitdrukking op je gezicht eens moeten zien.'

'Dat is niet leuk, Shorty,' zei Stewart.

'Ach,' zei Hess, 'die oude Dom kan daar wel tegen. Hij en ik zijn doorgewinterde soldatenvrienden. Ik durf te wedden dat ze veel ergere dingen in Nam hebben gezien. Dat is toch zo, *Dominique?*'

Martini zei niets.

'Hier,' zei Stewart. Hij haalde de Colt uit de plunjezak en gaf hem aan Martini. Daarna overhandigde hij hem het magazijn.

Martini drukte het magazijn in de kolf van de automaat. Hij haalde met zijn duim de veiligheidspal over en trok de slede naar achteren. Daarna hief hij het wapen met een bliksemsnelle beweging op en drukte de loop tegen Hess' wang. Hess deed een stap naar achteren, maar Martini volgde hem. Hess kon niet verder dan de werkbank, waarna Martini het pistool harder tegen zijn wang drukte. Hess kon niets anders doen dan zijn hoofd omdraaien. Martini bewoog de loop en drukte hem tegen de rechterzijkant van Hess' varkensoog. Martini haalde de hamer naar achteren en zette hem vast.

'Rustig,' zei Stewart, die geen enkele beweging had gemaakt.

'De mannen met wie ik gediend heb?' zei Martini. 'Ik wil dat je daar nooit meer iets over zegt.'

'Prima,' zei Hess. Zijn raspende stem was nu niet meer dan een fluistering. 'Prima.'

Martini deed een stap terug en liet de zware, stalen Colt zakken. Sinds zijn ontslag uit dienst had hij nooit meer een wapen in zijn handen gehad. Het voelde alsof het een deel van zijn hand was.

'Ik moet nog even met mijn moeder praten.'

'Ga je gang,' zei Stewart.

Hij legde het automatische wapen op de werkbank en liep rustig met kaarsrechte rug de garage uit.

'Ik maakte gewoon een geintje met hem,' zei Hess en wreef over zijn wang.

'Allen voor één,' zei Stewart met een scheve glimlach. 'Nu is die knul er klaar voor.'

Vaughn reed over Sligo Avenue, onder het spoorviaduct van B&O door, in zuidelijke richting naar D.C. Hij had de laatste L&M tevoorschijn gehaald. Wie zouden Hess en Stewart als laatste bezoeken als ze van plan waren om de stad te verlaten? Bezoekjes aan vriendinnen. Bier en sigaretten voor onderweg bij Morris Miller's, dat was zeker. De allerlaatste stop zou het Esso-benzinestation zijn, waar Stewart op krediet of gratis benzine kon tanken.

Vaughn schoot het peukje uit het raampje. Hij passeerde de grens met het District, vervolgens het Shepherd Park Restaurant, Morris Miller's, de A&P, de stomerij, de drogist en de kleine bank aan het einde van het winkelcentrum, de Capitol Savings and Loan. Hij verhoogde de snelheid en reed naar het Esso-benzinestation op de hoek van Georgia en Piney Branch Road.

Het appartement rook naar doorweekte luiers en sigaretten. Het zoontje, Mary zei dat hij twee maanden was, was gevoed en sliep nu in een oude mandwieg naast de bank. Strange zat op de bank en nam slokjes koffie uit een kopje. Het kopje miste een paar stukjes uit de rand en was op een smerige schoteltje neergezet. Mary zat naast hem.

'Ik weet niet waar hij op dit moment is,' zei Mary.

'Hij was hier toch een paar avonden geleden? Met Kenneth en mijn broer?'

'Alvin en zij kwamen me een beetje marihuana brengen en geld van me lenen. Als hij weer iets nodig heeft, komt hij soms langs. Maar niet zoveel meer. Eigenlijk is hij direct na de geboorte van mijn baby weggegaan.'

'Het is voor sommige mannen moeilijk om er mee om te gaan.'

'Ik weet zeker dat het moeilijk voor *hem* was.'

'Is het zijn zoontje?'

'Ja. Maar dat maakte voor Alvin niets uit. Hij zei dat hij er niet tegen kon als hij hem hoorde huilen. Ik zei: "Dat doen baby's altijd. Ze vragen alleen om iets als ze huilen, dat is voor hen de enige manier." Maar hij wilde er niets over horen. Ik werd op een morgen wakker en toen was hij gewoon weg. En sindsdien heb ik niets meer van hem gehoord.'

'Geen enkel idee waar hij naartoe is gegaan?'

'Ik kreeg het idee dat er een andere vrouw was. Want dat was aan zijn houding te merken. Zolang als ik hem ken, heeft hij niet lang bij dezelfde baas gewerkt. Hij was charmant voor de vrouwen en leefde van hun geld, tot hij weer een andere vond. Ik weet dat, want op dezelfde manier heb ik hem leren kennen, een en al beloften en glimlachjes. Maar ik weet niet hoe zijn nieuwe meisje heet.'

Strange tilde het schoteltje op en zag een spriet achter het kopje verschijnen. Een kakkerlak kwam tevoorschijn en kroop over het schoteltje. Strange negeerde het insect en zette kop en schotel op het tafeltje.

'Bij wie logeert hij als hij niet bij een vrouw is ingetrokken?' vroeg Strange. 'Kun je je herinneren of hij wel eens over familieleden heeft gesproken?'

Mary staarde naar de tv in de woonkamer, die zonder geluid aanstond. Strange herkende het programma, *Eye Guess*, met de kreupele gastheer en zijn dikke brillenglazen. Dennis keek 's middags graag naar die programma's en schreeuwde het antwoord dikwijls eerder dan de deelnemers. Zijn vader werd er gek van als Dennis in zijn ondergoed naar dat programma zat te kijken. 'Die jongen doet mee aan spelletjes,' zei hij, 'terwijl andere mannen aan het werk zijn.'

'Nog familieleden?'

Mary schraapte haar keel. 'Kenneth.'

'Verder nog iemand?'

'Alvin had een stiefbroer, maar die zit levenslang in Leavenworth. Zijn moeder is dood. Hij sprak slechts één keer over zijn vader, en dat was vol haat. Verder had hij het nog over een neef. Die woont in een zijstraat van Seventh en werkt in een kledingzaak voor grote maten in die buurt. Ronald, Ronnie, of zoiets heet hij. Misschien kan hij je vertellen waar Alvin is.'

Strange besloot die naam te onthouden.

'Als je Alvin ziet,' zei Mary, 'zeg hem dat hij eens naar zijn zoon moet komen kijken.'

'Dat zal ik doen.'

'Alvin is geen beste. Maar ik geloof dat een kind een man kan veranderen. Een jongen heeft tijdens zijn leven een vader nodig die een man van hem maakt.'

'Dat ben ik met je eens,' zei Strange.

'Je zei dat Alvin en je broer vrienden waren?'

'Ja,' zei Strange, maar die simpele leugen kwam met moeite over zijn lippen.

'Ik hoop dat je broer vrede heeft gevonden bij God.'

'Ik moest maar eens gaan,' zei Strange. Hij stond rustig op om de baby niet wakker te maken. 'Bedankt voor de koffie.'

'Smaakte het wel goed? Je hebt er bijna niets van gedronken.'

'Hij smaakte prima.'

Hij keek naar de klok aan de muur. Voor het begin van zijn dienst had hij nog net tijd voor één bezoekje.

'Mama,' zei Dominic Martini tegen de rug van zijn moeder. Ze stond in haar zwarte jurk, sokjes en zware, zwarte schoenen voor het fornuis. Ze roerde door de inhoud van een pan die op het gas stond.

'Wat is er, Dominic.'

'Ik ga uit.'

'Met wie ga je?'

'Buzz en Walter.'

'Dat zijn een paar nietsnutten,' zei Angela. 'Door die twee zul je nog eens in de problemen komen.'

'Ma.'

'Kom hier en proef de saus even voor je weggaat.'

Martini liep over de linoleumvloer van de keuken naar haar toe. Intussen hing hij de sleutel van het hangslot van de garage aan een spijker die hij in de deurpost had geslagen. Hij ging naast zijn moeder staan. Ze stak een houten lepel in het mengsel van gesneden tomaten, tomatensaus, halskarbonaden, kalfslapjes, worstjes, knoflook, basilicum en peper. Ze blies op de lepel om de saus af te koelen en bracht hem naar de mond van haar zoon.

Martini boog naar voren. Hij rook de sterke geur van de knoflook. Het bezorgde hem een aangenaam gevoel in zijn neusgaten. Hij proefde de saus. 'Het is goed. Maar er moet nog een beetje zout bij.'

'Dat doe ik er later bij!' zei Angela vol emotie.

Martini keek liefdevol op haar neer. 'Prima, Ma.'

Haar door haar brillenglazen vergrote ogen knipperden even. 'Ben je weer thuis voor het eten?'

'Ja,' zei Martini. 'Ik kom naar huis.'

Hij kuste haar koele wang.

27

Vaughn stapte uit zijn auto en bleef ernaast staan toen de Esso-man, een dikke, luidruchtig hijgende man, 35 liter Hi-test in zijn Polara tankte. Er stond een auto achter Vaughn te wachten en aan de andere kant van de pompen nog een. Die bestuurder keek ongeduldig naar de dikke man. De dikke man haalde de slang eruit, sloot de tank af en hing de slang weer op. Vaughn gaf hem een paar bankbiljetten en wachtte tot de man wisselgeld uit de muntenhouder had gepakt, die aan de riem voor zijn buik hing.

'Geen hulp vandaag?' vroeg Vaughn, terwijl hij naar het woord 'manager' op zijn borst keek. Hij zag het zweet op diens slapen en voorhoofd.

'Mijn monteur heeft een dag vrij en mijn pompbediende heeft zich ziek gemeld.'

'Is dat die jonge knul die hier altijd rondloopt?' Vaughn zag hem in gedachten voor zich: donker haar, een knappe knul met een gekwelde blik in zijn ogen.

'Ja, Dominic,' zei de manager en overhandigde Vaughn het wisselgeld. 'Als ik merk dat hij niet ziek is, geef ik hem een schop onder zijn kont.'

'Wat is zijn achternaam?'

'Jezus, kun je niet zien dat ik het druk heb?'

Vaughn haalde zijn politiepenning tevoorschijn en klapte hem open. 'Zijn achternaam.'

De manager gebruikte een vuile poetsdoek om over zijn gezicht te wrijven. 'Zijn achternaam is Martini. Zoals van Dean Martin, voordat hij hem veranderde.'

'Martini is in dienst geweest, hè?'

'Dat klopt.'

'Is hij bevriend met Stewart?'

'Ja. Die klootzakken trekken met elkaar op.'

Vaughn kauwde nadenkend op zijn lip, terwijl hij deze nieuwe informatie verwerkte. Stewart, Hess en Martini hadden alledrie op dezelfde dag vrij genomen.

'In wat voor auto rijdt Martini?'

'Een zwarte Nova,' zei de manager, terwijl hij naar de andere kant van de pompen liep. Over zijn schouder zei hij nog: 'maar ik hoop voor hem dat hij vandaag niet achter het stuur zit. Als hij iets anders doet dan ziek in bed liggen...'

Krijgt hij een schop onder zijn kont, dacht Vaughn, die de zin van de manager afmaakte terwijl hij weer achter het stuur van de Polara kroop.

Vaughn reed naar het bureau van het Zesde District, ongeveer een kleine kilometer verder. Daar probeerde hij het adres van Martini te achterhalen.

Derek Strange liep de hal binnen naast de slijterij in H, nam met twee treden tegelijk de trap naar boven en bereikte de eerste verdieping. Hij zag de deur van Willis' appartement en begon er met zijn vuist op te slaan. Hij hield ermee op toen hij achter de deur zware voetstappen hoorde naderen.

'Wie is daar?' vroeg Willis, zijn gedempte stem klonk boos en opgewonden.

Strange maakte zich niet bekend. Hij wachtte tot hij het kijkgaatje donker zag worden. Toen hij er zeker van was dat Willis met zijn gezicht tegen de houten deur stond, stapte Strange naar achteren en gaf een stevige trap tegen de plek waar het slot was. De deur versplinterde en vloog open.

Strange stapte naar binnen en sloot de deur. Willis lag op zijn rug en drukte zijn handen tegen zijn kaak. Hij rolde kreunend op zijn buik en trok zijn knieën op.

Willis spuugde op de vloer.

'Kom overeind,' zei Strange.

Willis ging langzaam staan en draaide zich om.

'Verdomme, wat wil *jij?*' vroeg hij.

Strange deed een stap naar voren en greep met zijn linkerhand zijn shirt beet. Hij draaide zich halfom, legde zijn hele gewicht erin en gaf Willis een korte rechtse hoek op diens mond. Willis' hoofd sloeg met een ruk achterover. Stranges knokken tintelden. Toen Willis' hoofd weer naar voren klapte, sloeg Strange hem weer. Willis' ogen draaiden in zijn hoofd, en hij zakte door zijn knieën. Strange greep zijn shirt met beide handen beet en gaf hem een forse duw. Willis struikelde naar achteren en landde als een zielig hoopje op de bank.

Strange trok zijn .38 uit de holster. Hij liep op Willis af en drukte eerst de loop tegen zijn slaap, vervolgens in de richting van zijn oog. Hij haalde de hamer over en zette hem vast.

'Wie heeft mijn broer vermoord?' vroeg Strange.

De doodsbange Willis keek glazig uit zijn ogen. Van dichtbij zag Strange de blauwe plekken en zwellingen op zijn kaak. Tussen zijn verwrongen lippen was een open plek met zwart bloed te zien waar een tand had gezeten. Er stroomde vers bloed uit zijn bovenlip, waar Strange hem voor de tweede maal had geraakt.

'Dennis?' vroeg Willis met een hoge, beverige jongensstem. 'Dat weet *ik* niet, Dennis was mijn vriend...'

Strange geloofde hem. Maar hij drukte de revolver nog steviger tegen zijn ooghoek.

'Waar is Jones?'

Onder de druk van de revolver probeerde Willis met zijn hoofd te schudden. Iets van zijn bloed was op Stranges hand gedruppeld.

'*Waar?*' vroeg Strange met opgetrokken lip. Zijn hand was glibberig van het zweet, maar hield de kolf van de .38 stevig beet. 'Ik *vermoord* je, klootzak, dat zweer ik.'

'Hij woont bij onze neef Ronnie. Ronnie Moses.'

'Waar woont hij?'

Willis beschreef de vermoedelijke plek waar Moses' appartement zich bevond. Hij beweerde dat hij het juiste adres niet wist.

'Heb je zijn telefoonnummer?'

Willis wees zwakjes naar de telefoon op een tafeltje. Naast de telefoon lag een boekje met een bewerkte omslag.

'Heb je iets om mee te schrijven?'

'Onder die bladen,' zei Willis en knikte in de aangegeven richting.

Strange deed een stap naar achteren en stak de .38 in de holster. Hij zocht naar pen en papier en vond beide onder een paar pornoblaadjes, onder een asbak. Strange smeet de bladen en de asbak op de grond. Hij pakte het adresboekje, zocht het nummer van Moses en schreef het op. Hij liep naar de voordeur en draaide zich om om nog iets tegen Willis te zeggen. Willis zat in elkaar gedoken op de bank, hij staarde naar zijn schoenen en schaamde zich zo dat hij Strange niet durfde aan te kijken. De voorzijde van zijn witte shirt zat onder de felrode bloedvlekken.

'Ik ben hier niet geweest,' zei Strange.

Willis knikte. Strange verdween door de deur naar buiten.

Op het bureau aan Nicholson vond Vaughn de gegevens die hij wilde hebben: Dominic Martini woonde aan Longfellow, twee blokken hiervandaan. Hij kreeg de kentekens van de Nova door, een zwarte '66, die op Martini's naam stond. Hij noteerde ze in zijn notitieboekje. Martini's strafblad was relatief blanco: een paar kleine misstappen uit zijn jeugd, maar geen veroordelingen als volwassene.

Vaughn verwisselde zijn Polara voor een ongemarkeerde Ford en vroeg aan een paar agenten in uniform, die achter de Harley-garage een sigaret stonden te roken, om hem met een patrouilleauto te volgen. Hij gaf opdracht om via de radio met elkaar in contact te blijven.

Vaughn reed langzaam voorbij het huis aan Longfellow, hij zag dat alle gordijnen dichtgetrokken waren. Halverwege het blok, in westelijke richting naar Colorado, draaide hij de steeg in. De patrouilleauto stond met draaiende motor langs de rand van Martini's tuin. Achter de patrouilleauto, dicht tegen de rand van de tuin, stond een onopvallende, groene Rambler. Daarachter stond een rode Max Wedge Belvedere.

'Bernadette,' zei Vaughn met een wolfachtige grijns om zijn lippen.

Hij zette de versnelling in de parkeerstand en stapte uit de Ford. Hij begaf zich naar de bestuurder van de patrouilleauto.

'Wat is er aan de hand, rechercheur?' vroeg de fris ogende, blonde knul achter het stuur. Vaughn kende hem als Mark White.

'Blijf hier, White,' zei Vaughn. Hij bestudeerde de tuimeldeur van de garage, die met een hangslot was afgesloten. 'Als er iemand voor die Rambler of Plymouth komt, dan moet je hem vasthouden.'

Vaughn liep door de achtertuin, om het huis naar de veranda, waar hij op de voordeur klopte. Een oude, Italiaanse vrouw met dikke brillenglazen deed de deur open. Ze was gekleed in een zwarte jurk.

'Ja?'

'Frank Vaughn, mevrouw,' zei hij glimlachend, terwijl hij zijn politiepenning liet zien.

'Is er iets met mijn zoon?' vroeg de vrouw. Dit was dikwijls de eerste vraag van een moeder als een agent aan haar deur verscheen.

'Dominic?' zei Vaughn. 'Voor zover ik weet niet. Is hij thuis?'

'Nee,' zei ze, terwijl ze vlug haar blik afwendde.

'Ik ben op zoek naar zijn vrienden. Ik wil met hen praten.'

'Buzz en Walter,' zei ze met iets van minachting. 'Ik heb hem gezegd uit de buurt van die twee te blijven.'

'Ze zijn nu bij elkaar, hè?'

Angela Martini knikte. 'Ze zijn weggegaan.'

'U weet niet waar ze naartoe zijn gegaan?'

'Nee,' zei ze met hevig knipperende ogen. 'Dominic zei dat hij voor het eten weer thuis zou zijn.'

'Ik wil even in uw garage kijken.'

Daar zal ik vast wel iets vinden, dacht Vaughn, want daar beramen monteurs zoals zij altijd hun plannen.

'Waarvoor?'

'Misschien ligt er iets in die garage dat ik kan gebruiken in een zaak waar ik mee bezig ben. Het heeft met zijn vrienden te maken.' Vaughn keek haar met de meest oprechte blik aan die hij kon opbrengen. 'Uw zoon zit nog niet in de problemen. Maar Stewart en Hess zouden er wel voor kunnen zorgen.'

Ze keek achterom in het huis, vervolgens keek ze Vaughn weer aan. Ze wreef in haar handen. Hij wist dat ze niets van huiszoekings-bevelen afwist. Hij wist dat ze niet veel met zijn 'vrienden' ophad. Als ze hiermee haar zoon kon helpen, dan hielp ze hem.

'Ik ga nu meteen de sleutel voor u halen,' zei ze.

In de garage vond Vaughn een plunjezak met dozen voor geweer-kogels en munitie voor een .45 en .38. Een half dozijn kogels voor het geweer en de meeste kogels voor de andere wapens zaten er niet meer in. Een paar kentekenplaten van D.C. lag ook op de werkbank. Het bleek het kenteken van de Nova te zijn. Vaughn kwam nu tot de conclusie dat de drie mannen gewapend in een Nova met valse ken-tekenplaten rondreden, en van plan waren een overval te plegen.

Hij liep de garage uit, trok zijn handschoenen uit en bedankte Angela Martini. Hij zei haar dat ze zich geen zorgen moest maken, dat alles goed zou komen en dat haar zoon veilig zou zijn. Hij zei dat hij nog even hier zou blijven, maar dat zij weer naar binnen kon gaan.

Nadat ze naar binnen was gegaan, zond Vaughn een oproep met de hoogste urgentie uit. Het betrof Dominic Martini's Nova, kente-ken onbekend, plus een signalement van Martini, Stewart en Hess, met de aantekening dat ze vuurgevaarlijk waren. Hij hing de micro-foon van zijn ongemarkeerde patrouilleauto weer op en liep naar de patrouilleauto.

'Jullie blijven hier zitten om een oogje op deze voertuigen te hou-den,' zei Vaughn tegen agent Mark White.

'Gaat u weg?' vroeg White.

'Ik ga hier en daar eens kijken,' zei Vaughn. 'Misschien zie ik de eigenaren van deze auto's wel.'

Derek Strange en Troy Peters verlieten in uniform het districtsbu-reau en kozen patrouilleauto 63 voor hun dienst. Ze reden over de hoefijzervormige oprijlaan van het bureau, langs Vaughns Polara die daar in het grind stond.

Peters reed door 13th, langs Fort Stevens. Bij het kruispunt van Piney Branch en Georgia sloeg hij rechtsaf, langs de benzinestations van Esso en American. Ze luisterden naar de opsporingsberichten. Strange had Martini's naam herkend. Hij zei tegen Peters dat ze even bij het Esso-benzinestation moesten kijken.

'Niets te zien,' zei Peters. 'Jij kent een van die jongens, hè?'

'Diezelfde knul over wie ik het gisteren had,' zei Strange. 'We zagen hem bij de pompen met die grote man praten.'

'Volgens het opsporingsbericht worden ze gezocht in verband met een aanrijding met dodelijke afloop. Denk je dat hij daartoe in staat is?'

'Dat weet ik niet. Ik weet niets meer over hem. En toen kende ik hem ook nauwelijks.'

'Ik rij door tot aan de Districtgrens,' zei Peters. 'Dan keren we daar en rijden dan van het noorden naar het zuiden.'

Nadat hij Tuckerman was uitgereden, gaf Peters gas. Ze reden langs de ijssalon van Polar Bears en de Hubbard House. Strange kon bijna de suiker in de chocoladetaart proeven en in gedachten zijn vader zien die 's zaterdags laat in de middag met de witte doos over straat liep, als ze samen naar huis gingen om de taart samen met zijn moeder en Dennis te delen.

'Gaat het een beetje?' vroeg Peters.

'Ik zat aan iets te denken, dat is alles.'

'Nee, ik bedoel je hand.'

Strange keek naar zijn rechterhand, die op zijn dij rustte. Zijn knokkels, die roze afstaken tegen zijn donkerbruine huid, zaten nog steeds onder het bloed. Hij had de wond gereinigd, maar er niets overheen geplakt. Hij wilde de aandacht niet op die verwonding vestigen, want hij wilde niet dat iemand tegen hem zou zeggen dat hij niet mocht werken. Hij wilde per se gaan werken.

'Ik heb tegen een muur geslagen,' zei Strange.

Peters keek hem aandachtig aan. 'Het duurt wel een poosje voordat het genezen is.'

'Ik heb het gevoel dat het nooit genezen zal.'

'Nog nieuws over het onderzoek?'

'Nee.'

Ze reden voorbij Aspen Street, Walter Reed Army Medical Hospital en vervolgens langs een rij woonhuizen en winkelpanden. Peters verhoogde de snelheid toen de patrouilleauto een lange helling moest nemen.

'Tijdens de wake heb ik met je moeder gesproken,' zei Peters met een zijdelingse blik naar Strange. 'Fijne vrouw.'

'Er is geen betere.'

'Ik sprak met haar over haar baan bij de tandarts.'

'O ja?'

'Ze wist niet waar ik het over had. Ze vertelde me dat ze het grootste deel van haar volwassen leven als hulp in de huishouding had gewerkt.'

'Je hebt me betrapt, Troy,' zei Strange zonder enige emotie. 'Je hebt me op een leugen betrapt.'

'De vraag is waarom je het nodig vond mij dat verhaal te vertellen?'

'Ik schaamde me niet voor mijn moeder, als je dat soms denkt. Ik ben trots op haar, begrijp je me?'

'Waarom dan?'

'Het ging om mij. Ik heb alleen een diploma van de middelbare school, en nu heb ik een partner die op Princeton heeft gestudeerd en bij het Vredeskorps heeft gezeten. Door haar op te hemelen, probeerde ik mezelf groter voor te doen. Toen ik dat verhaal eenmaal had verteld, was het te laat om de waarheid te vertellen.'

'Heb ik je ooit het gevoel gegeven dat je niets voorstelde?'

'Dat heb je nooit gedaan.'

'Waar kom ik volgens jou vandaan, Derek?'

'Poen, denk ik.'

'Je bedoelt dat je dat altijd als vanzelfsprekend hebt aangenomen?'

'Dat klopt.'

'Ik ben van heel eenvoudige komaf. En dat is alles wat ik zeg, want jij wilt dat toch niet horen. Maar om een familie als die van jou te hebben... luister, ik was jaloers op jou. Het maakt mij niets uit wat jouw ouders doen om aan de kost te komen. Het punt is, dat ze er altijd voor jou waren. In tegenstelling tot die van mij.'

'Dat wist ik niet.'

'Omdat je me het nooit hebt gevraagd,' zei Peters. 'Je was er niet in geïnteresseerd.'

Strange gaf geen weerwoord, want Troy had gelijk. Als hij naar Peters keek, zag hij eerst een blanke en daarna pas een man. Wat er achter het uiterlijk van zijn partner schuilging en wat er in zijn hart leefde, daar was Strange niet in geïnteresseerd geweest. Want hij had altijd geweten dat veel blanken hem op dezelfde manier bekeken.

'Ik bied mijn verontschuldigingen aan,' zei Strange.

'Denk er verder maar niet meer over,' zei Peters.

Strange en Peters ontspanden zich en zeiden verder niets meer. Maar de stilte was niet ongemakkelijk.

Ongeveer vierhonderd meter verder, links van hen, stond Morris Miller's slijterij. Rechts lag een winkelcentrum, met op de ene hoek een supermarkt van A&P en op de andere hoek de Capitol Savings and Loan.

28

'Wacht tot er een plek voor de bank vrijkomt.'

'Daar,' zei Hess vanaf de achterbank. 'Ik durf te wedden dat die oude dame in die Buick stapt.'

'Heel knap,' zei Stewart. 'Als ze wegrijdt, parkeer je deze racewagen achteruit op haar plek, Dom.'

'Prima,' zei Martini. Zijn doffe ogen staarden naar de oudere vrouw. Ze had zojuist de bank verlaten en liep nu in de richting van haar Skylark die voor de bank stond.

Ze zaten in de Nova, waarvan de motor nog steeds draaide. De auto stond in de verste hoek van de parkeerplaats, bij A&P. Het middelste gedeelte was voor de helft bezet, want op dit uur van de dag zaten de moeders thuis te wachten tot hun kinderen uit school kwamen. Een vrouw en haar kleuter stapten uit een stationcar, ze greep een winkelwagentje dat iemand had achtergelaten en duwde het met één hand in de richting van de supermarkt, terwijl ze met haar linkerhand de sweater van haar kind vasthield. Een man met stekeltjeshaar en een brandende sigaret tussen zijn lippen droeg papieren zakken uit de supermarkt naar zijn Olds.

Buzz Stewart en Walter Hess droegen regenjassen over hun spijkerbroek, Dickie-werkoverhemden en zwarte korte laarzen. De maskers en handschoenen lagen in hun schoot. Beiden hadden hun wapens geladen en in de holsters gestoken. Kogels voor het geweer en de revolvers zaten los in de zakken van hun regenjas. Martini's .45 lag tussen zijn benen op de kuipstoel, de stalen kolf stak omhoog, terwijl de loop tegen zijn genitaliën drukte.

Hess vond een Black Beauty tussen de kogels in zijn zak en haalde hem tevoorschijn. Hij bukte zich, trok een van zijn .38's en wreef met de kolf de pil in zijn handpalm fijn. De pil verpulverde en veranderde in poeder. Hess stopte de revolver weer in de holster, boog voorover, drukte zijn gezicht in zijn handpalm en snoof de amfetamine op in zijn neus.

'*Fuck*, ja,' zei Hess. Hij hield zijn hoofd achterover en voelde het in zijn neusgaten branden. Even later zag hij lichtflitsen achter zijn ogen.

'Ja, Don,' zei Stewart. 'Ga nu maar op die plek staan.'

Toen de Buick Skylark de parkeerplaats verliet, reed Martini langzaam voorbij de plek, zette hem in z'n achteruit en zette de Nova netjes tussen een Satellite en een Bel Air. Toen hij tijdens het parkeren over zijn schouder keek, zag Martini Hess die high was van de speed, terwijl zijn nerveus knipperende varkensoogjes steeds kleiner werden. Achter de Nova lag het trottoir, daarachter de grote spiegelruit van de bank. De onderkant van de ruit bevond zich op een hoogte van ongeveer negentig centimeter op een marmeren muur.

'Ben je er klaar voor, Shorty?' vroeg Stewart, wiens gezicht een vuurrode kleur van opwinding had gekregen.

'Al jaren, daddy. We gaan *alles* ophalen.'

'Kijk me aan, Dom,' zei Stewart. '*Kijk* me aan.'

Martini draaide zijn hoofd om en keek Stewart aan.

'Jij blijft op ons wachten,' zei Stewart. 'Je laat de motor lopen en wacht. We zijn binnen vijf minuten terug. Als we terugkomen, ga je er zo snel mogelijk vandoor. Je rijdt in zuidelijke richting weg, neem alleen de zijstraten, tot we weer in de steeg achter jouw huis staan. Het is een peulenschilletje, dat verzeker ik je.'

'Ik zal hier staan,' zei Martini.

Mijn hele leven is me verteld wat ik moest doen.

Stewart en Hess zetten de kousenmaskers op hun hoofd en trokken ze over hun gezicht omlaag. Ze trokken hun handschoenen aan. De door het masker misvormde Stewart met een mond als van een vis, maakte oogcontact met Hess en knikte. Hij stapte als eerste uit, wachtte tot Hess de voorbank naar voren duwde en na hem uitstapte. Stewart sloot het portier. Martini keek in de zijspiegel en zag hen over het asfalt en het witte beton lopen. Stewart deed de deur van de bank open en liet Hess voorgaan. Stewart trok het geweer met afgezaagde loop uit het foedraal onder zijn regenjas en volgde Hess naar binnen. De deur ging langzaam achter hen dicht. Daarna hoorde hij alleen nog maar het sputterende geluid van de motor onder de motorkap van de Nova.

Martini keek constant in het zijspiegeltje, hij keek geen enkele keer recht voor zich uit, zodat hij patrouilleauto 63 niet zag die langzaam over Georgia Avenue voorbijreed.

Vaughn klapte zijn Zippo open, stak een sigaret aan en klapte de aansteker weer dicht. Hij leunde met zijn elleboog op de rand van het open raampje aan de chauffeurskant, terwijl zijn andere vlezige hand op het stuur rustte. Hij reed door Georgia in de richting van het zakendistrict rond Sheridan, keek naar de trottoirs voor Victor Liquors, Vince's Agnes Flower Shop, John's Lunch, de Chinese wasserij en naar de kroeg op de hoek. Hij reed door en passeerde langzaam rijdend Lou's, waar mannen die op Martini, Stewart en Hess leken, zaten te drinken, te roken en pool speelden. Hij zag geen enkel spoor van een zwarte Nova langs de trottoirs van de Avenue of in het begin van de zijstraten. Hij vervolgde zijn weg door Georgia, maar toen hij de donkere gezichten van de bewoners zag, wist hij diep in zijn hart dat het spoor hier doodliep. Het waren mannen die een man hadden doodgereden die niets had gedaan, en daarom waren het lafaards. Ze zouden nooit het lef hebben om een overval in het gekleurde deel van de stad te plegen.

Hij reed in zijn ongemarkeerde auto door het midden van de straat, toen de mededeling over de radio doorkwam van een ophanden zijnde overval op de Capitol Savings and Loan, vlak bij de grens met het District.

Vaughn greep het draagbare zwaailicht met de magneet van de vloer voor de passagiersstoel. Hij tilde de lamp uit het raam en plaatste hem op het dak, de stroomdraad hing over zijn schoot. Hij haalde de schakelaars op het dashboard voor de sirene en het zwaailicht over. Hij drukte het gaspedaal diep in. De Ford sprong door de vrijgekomen krachten omhoog. Slippend veranderde hij van rijbaan en wist nog net een bus van D.C. Transit te ontwijken.

Strange, die aan de passagierszijde zat, was de eerste die de zwarte Nova voor de Capitol Savings and Loan in de gaten kreeg. Wolkjes uit de uitlaat zweefden langs de achterzijde omhoog.

'Rij eens wat langzamer, Troy,' zei Strange.

'Wat is er?'

'Rij eens wat langzamer.'

Strange had uit de oproep begrepen dat de nummerplaten gestolen waren en dat het kenteken niet bekend was. Maar hij zag heel duidelijk het hoofd met het golvende, zwarte haar van de man achter het stuur van de Nova.

'Stop eens hier,' zei Strange. 'We hebben de auto gevonden, waar iedereen naar zoekt.'

Ze stonden even voorbij de bank in Georgia, maar nu pal voor de A&P.

Troy zette de Ford langs de rand van het trottoir, intussen gaf Strange via de radio door dat de auto was gelokaliseerd. De stem aan de andere kant gaf opdracht te wachten tot er versterking was gearriveerd. Hij bevestigde de opdracht en hing de microfoon weer op.

Peters keek over zijn schouder naar de Nova en de bank. Vervolgens keek hij Strange aan.

'Wat doen we nu?' zei Strange.

'Je hebt de opdracht gehoord,' zei Peters. 'Het duurt maar enkele minuten voor er versterking is.'

Peters trok zijn dienstrevolver uit de holster aan zijn riem, duwde de cilinder opzij, keek of hij geladen was en duwde de cilinder weer met een klik op zijn plaats terug. Strange deed hetzelfde. Hij keek in zijn tas en controleerde of hij nog reservemunitie had. Dat hadden ze al gedaan toen ze het bureau verlieten. Maar hun zenuwen gaven de opdracht het nog eens te doen.

Ze hoorden de sirene van een auto uit zuidelijke richting naderen.

Aan de andere zijde van het winkelcentrum hoorden ze de onmiskenbare plopgeluiden van handvuurwapens en het donderend geluid van een geweer. Voordat het goed en wel tot hen doordrong wat er aan de hand was, hoorden ze het geweer nog een keer. Lichtflitsen waren zichtbaar door het raam van de bank.

Peters duwde de versnellingshandel naar achteren en gaf gas. Intussen zette Strange de sirene en het zwaailicht aan. Hij drukte de knop van de microfoon in en gaf door dat de overval nu inderdaad plaatsvond. Peters reed de parkeerplaats van A&P op, remde, kwam slippend tot stilstand en zette de versnellingshandel in de parkeerstand.

'Nu,' zei Peters.

'Nu *wat*, godverdomme.'

'Blijf bij de auto. Stap uit en zoek dekking aan jouw kant.'

Peters trok zijn revolver, opende het portier en liep in gebukte houding over de parkeerplaats. Hij bereikte de deuren van A&P, trok een van de deuren op, bleef in de deuropening staan en schreeuwde iets naar een medewerker die zich in de zaak bevond. De jongeman kwam naar hem toe, ging naast de ingang staan, maakte met zijn handen een stopgebaar en hield de klanten tegen die naar buiten wilden gaan. Peters ging met zijn rug tegen de buitenmuur van de supermarkt staan en bewoog zich heel voorzichtig in de richting van de bank.

Strange stapte uit, trok zijn .38, liet zijn schietarm op het dak van de auto rusten, strekte zijn arm en richtte het wapen op de bank. Vervolgens richtte hij op de voorruit van de Nova. Hij schreeuwde naar de man achter het stuur, die hij nu positief als Dominic Martini herkende, om uit de auto te stappen en op de grond te gaan liggen. Martini keek hem met nietszeggende ogen aan en maakte geen enkele beweging.

Strange hoorde gillende banden en het jankende geluid van de sirene. Achter hem reed Frank Vaughns ongemarkeerde auto het parkeerterrein op.

Buzz Stewarts plan was dat hij en Shorty direct hun wapens zouden laten zien, dat ze duidelijk zouden maken dat ze de wapens van plan waren te gebruiken en dat ze zoveel mogelijk herrie zouden maken

als ze de bank binnenstormden. Hierdoor zouden de bankemployees en de bewaker doodsbang worden en zich direct overgeven.
Omdat het een eenvoudig plan was, wist hij dat Hess ernaar zou
handelen.

Hess kwam als eerste binnen en trok met gekruiste handen zijn
.38's. Voordat de deur achter hem dichtviel, had Stewart het geweer
uit het foedraal getrokken. Hij haalde beide hamers naar achteren.

'Ja, opgelet allemaal!' schreeuwde Hess.

'Dit is een overval!' schreeuwde Stewart, 'Handen omhoog!'

Stewart greep met de ene hand de afgezaagde loop beet en met
de andere de beugel, terwijl zijn wijsvinger zich om de beide trekkers kromde. Hij richtte het geweer in de richting van de bankemployees; hun hoofden, schouders en bovenlichamen waren tussen de
tralies van het loket zichtbaar. Hun monden stonden open, hun
gezichten waren spierwit geworden; twee klanten, een man van middelbare leeftijd en een jonge vrouw, stonden in de hal.

'Niemand mag een beweging maken of een knop indrukken!'
schreeuwde Hess. Hij richtte de ene .38 op de grijze bewaker en de
andere op de directeur van de bank, een magere, kalende man achter een bureau.

Iedereen deed wat hem of haar opgedragen werd. Iedereen stak
zijn handen in de lucht en niemand zei iets of maakte een beweging.

'Hou ze omhoog, opa,' zei Hess, terwijl hij naar de oude man in
zijn donkerblauwe uniform liep. Hij stak de ene .38 in de holster en
richtte de andere op zijn gezicht. De gevlekte handen van de oude
man schoten de lucht in, hij beefde en zijn mond probeerde tevergeefs enige woorden te vormen. Hess maakte de holster van de oude
man los en trok zijn .45 eruit. Hess stopte hem met de kolf schuin
naar rechts tussen zijn broekriem. Hij trok de tweede .38 weer. 'Ga
nu op je buik liggen en druk je gezicht tegen de grond.'

De oude bewaker deed wat hem werd opgedragen. Kreunend
zakte hij door zijn knieën en ging op zijn buik liggen.

De bank was klein, er lag een marmeren vloer en er waren drie
loketten achter een marmeren balie met koperen tralies. Achter die
marmeren muur met koper was de kluis, waarvan de deur gesloten
was. Aan de ene kant van de hal bevond zich het zakelijk gedeelte
en de receptiebalie met groen tapijt. Daar zat de directeur met zijn
handen omhoog achter een kersenhouten bureau. In het midden
van de hal stond een marmeren tafel met blad, met daarop zwarte
pennen aan kettinkjes en een houten rek met stortingsformulieren,
opnameformulieren en enveloppen.

Bij die tafel stond een klant met zijn handen omhoog. Zijn naam
was Alex Koutris. Koutris was een Amerikaans staatsburger die op
Naxos was geboren, een eiland voor de Griekse kust. Hij had een
normaal postuur, was zesenveertig jaar jaar, had een donkere snor

en was mede-eigenaar van een klein restaurant in een beruchte buurt in het centrum. Zijn late dienst liep van vijf uur tot sluitings- tijd. Altijd om drie uur 's nachts verliet hij de zaak met de dagomzet bij zich. Dan liep hij door een onverlichte steeg naar zijn auto. Hij was in het bezit van een wapenvergunning. Hij had tijdens de Twee- de Wereldoorlog Guadalcanal overleefd en nog een paar andere campagnes, en voelde zich met het wapen op zijn gemak. Hij was naar de bank gekomen om zijn dagelijkse storting te verrichten. Een envelop met driehonderd dollar lag op de standaard voor hem. Hij had tien uur achter een bar gestaan om dat te verdienen, zodat het geld voor hem veel waard was. Zijn wapen, een .38 met korte loop, zat in een zak van zijn gele Peters-jack.

'Stop het geld in de zakken!' schreeuwde Stewart. Hij liep om de balie en schopte het zwaaideurtje open, dat in een namaakhek hing. Hij ging achter de bankbedienden staan en bewoog het geweer van de een naar de ander. Het waren jonge mensen, één vrouw en twee mannen.

Ze werkten snel, haalden de gevouwen biljetten uit hun geldladen en stopten ze in witte stoffen zakken, die onder de balie lagen.

'Dertig seconden!' schreeuwde Stewart. 'Anders ga ik dit geweer gebruiken.'

De vrouwelijke bankbediende hield op met het werk, ging recht- op staan en zwaaide heen en weer. Ze zakte in elkaar en viel op de marmeren vloer. Haar hoofd maakte een hol geluid toen het de vloer raakte. Een grote urinevlek vormde zich op haar lichtgroene rok, die als een waaier over haar benen lag.

'Wat is er aan de hand?' vroeg Hess, terwijl hij met zijn pistolen afwisselend op de bewaker en op de kalme man bij de tafel richtte. Deze keek hem zonder enige uitdrukking op zijn gezicht onbe- vreesd aan.

'Die griet is flauwgevallen, dat is alles,' zei Stewart. Hij wees met het geweer naar een van de twee overgebleven bedienden en maak- te toen een gebaar in de richting van de flauwgevallen vrouw. 'Maak haar werk af,' zei hij. 'Vlug!'

Een van de jongemannen begaf zich naar haar loket en schoof de bankbiljetten met zijn hand in de geldzak.

Hess zag de dikke envelop op de tafel voor de man met de snor en de kalme ogen. Hij liep naar hem toe, terwijl zijn pistolen van de ene klant naar de andere en vandaar naar de bewaker op de marme- ren vloer zwaaiden. De vrouwelijke klant begon te snikken.

'Wat heb je daar?' vroeg Hess, met een onder het masker ver- wrongen gezicht. Zijn mond was kurkdroog en zijn lippen waren eerder een bevroren grijns dan een glimlach. 'Wat zit er in die enve- lop?'

Koutris gaf geen antwoord.

'Ik vroeg je iets.'

'Die is van mij.'

'Ga bij die tafel vandaan,' zei Hess. Toen de man geen aanstalten maakte om weg te gaan, trok hij de hamer van een van de pistolen naar achteren en richtte het wapen op diens gezicht. Zonder met zijn ogen te knipperen deed Koutris twee stappen naar achteren. Hess graaide met een vlugge beweging de envelop van tafel en stak hem in de zak van zijn regenjas.

'Ik heb het pistool,' zei Hess. 'En daarom is het geld nu van mij.'

'*Koritsi mou*,' zei Koutris. Het betekende 'mijn kleine meisje'.

'Hoe noemde je mij?'

Koutris keek hem minachtend aan.

'Hoe noemde je mij?' zei Hess en deed een stap naar voren.

Koutris zei niets. Hess lachte en draaide een van de pistolen om in zijn hand, zodat hij hem bij de loop vasthield. Met een nijdig gebaar sloeg hij de man met de kolf tegen zijn neus. Zijn neus sloeg opzij en werd ingedrukt. Koutris liet zijn handen zakken en sloeg ze voor zijn gezicht. Het bloed sijpelde tussen zijn vingers door.

'Hé, Buzz,' zei Hess en lachte kakelend als een heks. Hij keek naar zijn vriend achter de tralies. 'Ik heb die spaghettivreter even te grazen genomen.'

Hess draaide zijn hoofd om en keek weer naar de man. De man hield een revolver met korte loop in zijn hand en keek hem met bebloed gelaat glimlachend aan. De man haalde de trekker over. Hess hoorde het schot en voelde dat zijn keel werd opengereten. Hij merkte dat zijn nylonmasker onder het bloed kwam te zitten. Hij viel achterover en voelde de stekende pijn en de schok, toen hij voor de tweede maal werd geraakt, maar nu in zijn onderbuik. Hij zei: 'Buzz', en lag op zijn rug naar het bewerkte plafond te kijken, dat rondtolde en zich leek te splitsen.

Alex Koutris maakte aanstalten om in de richting van de loketten te draaien. Vanuit zijn ooghoek zag hij een beweging. Hij werd letterlijk van zijn voeten getild toen hij door een kogel uit het geweer werd geraakt. De koperen lading scheurde het vlees van zijn gezicht en kwam als peperkorrels in zijn nek terecht. Hij viel en kwam op zijn zij terecht, zijn wang en schouders glommen van het bloed. In zijn oren galmde het gillen van een vrouw, en hij dacht: ik heb de Japanners overleefd om voor een lullige driehonderd dollar op deze manier te sterven. Hij spuugde iets op de vloer dat dik en roze was.

Koutris keek op en zag dat de grote, blanke man het geweer op zijn gezicht richtte. Hij zag dat zijn vinger een van de twee trekkers binnen de beugel overhaalde en deed zijn ogen dicht. Hij zag een lichtflits, zijn moeder en toen niets meer.

Stewart stapte bij het lichaam vandaan, klapte het geweer open, hield het verticaal omhoog en liet de beide hulzen op de vloer vallen. Hij legde de beide lopen over zijn onderarm, vond twee kogels in zijn zak, drukte ze met zijn duim in beide kamers en klapte het geweer weer dicht. Stewart nam de moeite niet om naar de klanten, de bankemployees of de oude bewaker te kijken, die nu hardop lag te bidden. Ook probeerde hij de vrouwelijke klant niet te kalmeren, die nu volkomen van de kaart was en afwisselend gilde en huilde. Niemand van hen zou nu het lef hebben iets te proberen.

Stewart liep door de kruitdampen naar een hijgende Hess die een slakkenspoor van bloed achterliet, terwijl hij als een krab achteruit probeerde te kruipen. Hij hield beide .38's nog steeds in zijn handen. Hij hield op met bewegen en zijn schele oogjes schoten achter zijn masker heen en weer, toen deze probeerden zich op zijn vriend te concentreren. Hij liet zijn ontlasting lopen. Hij kromde zijn rug en hapte naar adem.

'Shorty,' zei Stewart en keek op Hess neer. 'We halen je hier uit, jongen. Alles komt goed.'

Maar toen Stewart deze woorden zei, stierf Hess.

Stewart keek door de spiegelruit naar de Nova, die nog steeds met draaiende motor voor de bank stond. Hij had de sirenes gehoord. Hij kon de patrouilleauto niet zien die voor de supermarkt stond, of de ongemarkeerde auto die daarbij was gaan staan. Hij kon de agent in uniform, Troy Peters, niet zien die dicht langs de winkelpuien op weg naar de bank was.

Stewart stak het geweer in het foedraal onder zijn regenjas. Hij bukte, haalde de .45 van de bewaker tussen Hess' broekriem vandaan, haalde het magazijn eruit, drukte hem met zijn handpalm weer in de kolf terug en haalde de veiligheidspal over.

'Geef me die zakken met geld,' zei Stewart met doffe stem tegen de bankemployees die daar nog steeds stonden.

Stewart stopte een kogel in de kamer van de Colt. Hij knipperde met zijn ogen tegen de stank van cordiet, ontlasting en bloed.

Een van de jongemannen kwam achter de loketten vandaan en overhandigde Stewart drie zware zakken met geld. Stewart pakte ze met zijn linkerhand aan, terwijl zijn rechterhand de .45 stevig vasthield. Moeizaam liep hij naar de deur.

Vaughn en Strange zagen Peters voorzichtig langs de drogist en de stomerij kruipen. Intussen gaf hij de aanwezigen in die winkels te kennen dat ze binnen moesten blijven. Het was zijn taak om burgers te beschermen, hoewel hij ook de bank in de gaten moest houden. Hij hield zijn wapen gereed.

Een andere patrouilleauto was op de parkeerplaats verschenen en had de uitgang geblokkeerd. Vaughn had zijn wapen getrokken. Hij leunde met zijn schietarm op het dak van de Ford en richtte op de bank. Stranges arm lag in dezelfde positie, maar zijn revolver was op de Nova gericht. Ze wachtten op een officier van het Zesde District met megafoon, eventueel meer versterking en een ambulance. De sirene van de ambulance hoorden ze steeds dichterbij komen.

'Wat heb je gehoord?' vroeg Vaughn.

'Pistoolschoten en een geweer,' antwoordde Strange.

'Maar wat *precies?*'

'Twee pistoolschoten, met enige tussenruimte. Direct daarna een geweerschot. Tien, vijftien seconden later gevolgd door weer een geweerschot.'

'Volgens mij zijn er doden gevallen.'

'Moeten we de bank niet bestormen?'

'Verdomme, nee,' zei Vaughn. 'Onze bedoeling is om de levens van de mensen te sparen, die nog steeds in leven zijn. Je wilt toch niet dat ze gijzelaars gaan doodschieten? Wacht maar tot Hess en Stewart naar buiten komen. Maar laat ze niet in die auto stappen.'

'En wat doen we met Martini?' vroeg Strange, die met een oog dicht langs de loop van de .38 naar hem keek.

'Die hoeven we nu nog niet uit te schakelen,' zei Vaughn.

'Oké,' zei Strange.

'Kun je vanaf deze afstand de banden raken?'

'Dat kan ik proberen.'

'Want we moeten die auto onbruikbaar maken. Ik zal het te druk hebben met Stewart en Hess.'

'Ik zal het proberen.'

'Moet je eens naar je partner kijken,' zei Vaughn bewonderend. 'Dat is pas een slimme jongeman.'

'Troy Peters,' zei Strange.

'Jij en je partner hebben goed werk gedaan.'

Strange knipperde met zijn ogen om het zweet weg te werken. Hij richtte nogmaals op de Nova.

Martini keek nog steeds in het zijspiegeltje, hij had het geweld in de bank gezien. Hij had gezien dat Buzz zich over het lichaam van Shorty boog. Hij had gezien dat Buzz de revolver van Shorty's lichaam pakte en de geldzakken meenam. En nu liep Buzz naar de deur. Hoogstwaarschijnlijk had Buzz de sirenes gehoord en wist hij dat de politie was gearriveerd. Hij wist niet dat die grote rechercheur van de afdeling moordzaken, die bij hun benzinestation had getankt, zijn revolver op de voordeur van de bank had gericht. Hij wist niet dat Strange, de zwarte agent die Martini als jongen had gekend, zijn revolver op de Nova had gericht. Hij wist niet dat de blonde agent langzaam langs de andere winkels in de richting van de bank sloop.

Martini had het wapen tussen zijn benen niet aangeraakt. En dat was hij ook niet van plan. Hij had nooit tegen Buzz gezegd dat hij

251

dat wel zou doen. Buzz had hem bevolen te wachten, en dat was wat hij nu deed. Dat was alles wat hij zou doen. Hij was niet van plan om op deze mannen in uniform te schieten. Die deden hun plicht zoals hij dat had gedaan, zoals zijn vrienden dat in de oorlog hadden gedaan.

Dominic Martini drukte de koppeling in en zette de Hurst in de versnelling. Hij dacht aan die mannen in uniform en vond een andere versnelling. Hij gaf een dot gas. De toerenteller kroop naar de rode lijn.

Buzz Stewart duwde de voordeur open, liep vlug over het trottoir achter de Nova langs. Hij hoorde rechts van hem een agent schreeuwen en zonder zich om te draaien, loste hij in het wilde weg een schot.

Strange hoorde Troy Peters een bevel schreeuwen en zag dat hij eventjes aarzelde toen de grote man in het wilde weg een schot loste. Hij zag dat Peters geraakt werd, zijn wapen liet zakken en op de grond viel.

Vaughn schoot op de grote man en trof hem in zijn bovenlichaam. Strange schoot op de banden van de Nova, zoals hem werd bevolen, maar raakte in plaats daarvan de grille en het spatbord. De grote man beantwoordde hun vuur. Het gevolg was dat hij en Vaughn dekking moesten zoeken, want de kogels troffen een zwaailicht en schraapten wat lak van het dak van de patrouilleauto.

'We moeten tegelijk rechtop gaan staan, jongeman,' zei Vaughn tegen Strange. Zijn stem klonk kalm en zelfverzekerd. 'Nu.'

Strange en Vaughn gingen beiden rechtop staan, gereed om te schieten. Ze legden hun schietarm op het dak. Ze zagen de banden van de Nova over het asfalt tollen, terwijl de grote man nog achter de Nova stond.

Stewart stormde uit de bank en zag twee agenten op het dak van een patrouillewagen leunen. Ze wezen met hun wapens in zijn richting. Rechts van hem hoorde hij een man schreeuwen: 'Politie, laat je wapen vallen!' Zonder zijn hoofd om te draaien vuurde Stewart blindelings met het automatische wapen in die richting. Vanuit zijn ooghoeken zag hij de agent in elkaar zakken. Stewart hoorde iemand op de parkeerplaats schreeuwen, hij richtte het wapen in die richting, zag een rookwolkje en voelde dat een kogel hem met een felle klap raakte. Hij struikelde naar achteren, schoot in het wilde weg op de patrouilleauto, zag een zwaailicht verpulveren en kogels het dak schampen. De agenten zochten dekking achter de auto. Hij stond achter de Nova, hij hoorde dat de koppeling werd losgelaten, zag wolkjes onder de achterbanden vandaan komen toen ze houvast zochten. Hij dacht nog: die wielen draaien in de verkeerde richting.

De Nova kreeg grip op de weg en kwam met loeiende motor in zijn richting. De auto sprong het trottoir op, tilde Buzz van zijn voeten en drukte hem door het raam. Met een luide klap vloog het glas om hem heen in stukken.

Ik ben door Dominics auto geraakt. Ik ben door een kogel getroffen.

Zijn benen zaten klem tussen de achterbumper van de Nova en de rand van de marmeren voorgevel van de bank. Een kogel uit een .38 had zijn sleutelbeen verbrijzeld, was dieper doorgedrongen en in zijn deltaspier tot rust gekomen. Hij voelde bijna geen pijn.

Die Dominic was voorbestemd om alles te verknallen. God, wat heb ik het koud.

Stewarts bovenlichaam hing achterover over de rand. Hij had de zakken met geld laten vallen. Hij had de .45 laten vallen. Het geweer zat nog in het foedraal, maar hij had de kracht niet om het los te trekken. Hij hoorde mannen schreeuwen, terwijl hun voetstappen dichterbij kwamen.

Ik heb een man vermoord en een agent misschien, nu gaan ze me doodschieten om wat ik gedaan heb. Nou, in ieder geval neem ik een van hen nog met me mee. Als me dat lukt, zullen ze voortaan altijd over me praten in de bars. Ik heb mijn derringer nog. Die zit hier in mijn laars.

Hij stak zijn hand uit naar zijn rechterlaars, maar voelde alleen maar slijm en stof. Hij keek omlaag. Beneden zijn knie zag hij geen laars meer of iets anders. Een gedeelte van zijn linkerbeen hing er nog, het was volkomen geplet en hing slechts aan een paar zenuwen en spieren en de gescheurde stof van zijn spijkerbroek. Het grootste deel was verdwenen. Wat overbleef, was rood en vochtig.

Stewart gilde.

29

De ambulance bracht Troy Peters naar het Washington Sanitarium, het ziekenhuis van de Zevendedags Adventisten in Takoma Park, Maryland, niet ver van Capitol Savings and Loan. Strange besloot met hem mee te rijden en zei tegen Vaughn dat ze elkaar weer op het bureau van het Zesde District zouden zien, waar hij zijn officiële verklaring over de gebeurtenissen zou afleggen. Een arts die boodschappen deed bij A&P probeerde Buzz Stewart te stabiliseren. Deze raakte namelijk steeds dieper in shock. Intussen arriveerde een tweede ambulance. Stewarts bloed stroomde van het trottoir op straat.

Peters was in de rechterzij geraakt. De kogel was netjes dwars door zijn lichaam gegaan en had bijna een dijslagader geraakt. Voordat ze hem op een draagbaar legden en in de ambulance droegen, slaagde het ambulancepersoneel erin het bloed te stelpen.

Dominic Martini zat in de afgesloten ruimte van de patrouilleauto. Zijn handen zaten geboeid op zijn rug en een blauwe plek op zijn opgezwollen kaak werd steeds donkerder van kleur. Nadat hij met zijn handen omhoog uit de Nova was gestapt, was hij op het asfalt gesmeten. Hij was door een van de agenten getackeld, die de uitgang van de parkeerplaats hadden geblokkeerd. Deze stompte hem regelmatig in het gezicht. De partner van de jonge agent, een dertigjarige veteraan uit het leger, liep de bank binnen en probeerde de overlevenden te kalmeren en hen uit de buurt van het slachtoffer van Stewarts geweer en het lichaam van Walter Hess te houden.

Strange zat naast Peters draagbaar op een bank. Intussen reed de ambulance met hoge snelheid over Eastern Avenue, in de richting van Takoma Park. Tegen de orders van een van de paramedici in verwijderde Peters het zuurstofmasker voor zijn mond.

'Bel Patty,' zei Peters.

'Dat gaat Vaughn doen,' zei Strange.

'Ik wil dat *jij* haar vertelt wat er gebeurd is. Vertel haar dat het niet ernstig is.'

Strange wees naar het zuurstofmasker dat los om Peters' nek hing. 'Misschien is het beter dat je dat ding weer voordoet.'

'Dat ding heb ik niet nodig,' zei Peters. 'Ik voel me prima.'

'Volgens mij zie je er niet zo fris uit. Je hebt geen enkele kleur in je gezicht.'

'Zeg dat nog eens.'

Strange grinnikte en keek op zijn vriend neer. 'Rotzak.'

'Ga door, man.'

'Je moest per se weer de held uithangen.'

'Maar dat was ik niet.'

'Je deed het heel goed.'

Peters schudde zijn hoofd. 'Ik had die klootzak neer moeten schieten op de plek waar hij stond. In plaats daarvan aarzelde ik. Ik had het lef niet.'

'Maar er is geen moed voor nodig om een man dood te schieten. Je hoeft je niet te schamen voor wat je nu zegt.'

'Ik schaam me ook niet,' zei Peters. 'Maar als die kerel jou had neergeschoten omdat ik niet als eerste geschoten had...'

'Vergeet het maar.'

'Ik zit in het verkeerde beroep.'

'Ik zal je eens iets vertellen, Troy. Heel even dacht ik daar bij de bank dat Vaughn mij opdracht zou geven om Martini uit te schakelen. Toen hij opdracht gaf dat ik niet mocht schieten, was ik opgelucht als nooit tevoren.'

'Nou en?'

'Nou, dat houdt in dat je niet de enige bent.'

De ambulance raakte een hobbel en het interieur van de wagen zwaaide heen en weer. Peters trok een pijnlijk gezicht, sloot zijn ogen, deed ze weer open en keek hem emotievol aan.

'Derek?'

'Wat?'

'Hou mijn hand vast.'

'Zo ernstig gewond ben je niet.'

'Hou toch maar vast,' zei Peters. 'In ieder geval tot we bij het ziekenhuis zijn.'

'Ach, *fuck* you, man.'

Strange liet Peters, die nu pijnstillers had gekregen en lag te slapen, om vijf uur 's middags achter op de EHBO-afdeling van het ziekenhuis. Toen hij het terrein wilde verlaten, zag hij zijn patrouilleauto staan met de twee agenten die de uitgang van de parkeerplaats hadden geblokkeerd.

'Hound Dog zei dat je je wagen wel nodig zou hebben,' zei de oudste van de twee.

Strange bedankte hem, kroop achter het stuur van de Ford en reed terug naar D.C.

Toen hij bij het bureau arriveerde, werd Strange door verschillende agenten in uniform en de dienstdoende brigadier gefeliciteerd. Maar waarom wist hij niet. Hij accepteerde de handen en de klopjes op zijn schouders zonder enig commentaar, maar vroeg zich wel af waarom ze allemaal voor hem bestemd waren. Het was zijn partner geweest die meer dan zijn best had gedaan. Hij vond zelf helemaal niet dat hij zich bepaald heldhaftig had gedragen, maar hij had een gevaarlijke situatie gewoon overleefd door op een acceptabele, voorzichtige en professionele manier te handelen.

In de manschappenkamer vond hij een vrij bureau en belde Peters' vrouw op haar werk. Hij verzekerde haar dat Troy het goed maakte. Ze stond net op het punt om naar het ziekenhuis te gaan om bij hem te zijn. Ze bedankte hem voor het telefoontje.

'Troy vindt je zo'n enorme vent,' zei Patty met een flauw zuidelijk accent in haar stem. 'Je moet eens bij ons komen eten, Derek. We hebben het er al zo lang over gehad.'

'Afgesproken,' zei Strange.

Hij nam zich voor daar zijn uiterste best voor te doen. Er waren al zoveel dingen om spijt over te hebben.

Strange legde de telefoon neer en begon de nodige formulieren in drievoud in te vullen die betrekking hadden op het incident. Die formulieren had de officier van justitie nodig om zijn aanklacht te kunnen opstellen. Hij rook de geur van sigaretten en keek op. Vaughn stond voor zijn bureau met een brandende sigaret tussen zijn dikke vingers.

'Rechercheur,' zei Strange. 'Hoe staan de zaken ervoor?'

'We hebben een volledige verklaring van Martini. Hij heeft er ook voor gezorgd dat die dodelijke aanrijding is opgelost. Ik was al een paar dagen met die zaak bezig. Hij zat als passagier in de auto die de jonge kleurling 's avonds in Fourteenth heeft doodgereden.'

'Wie zat er achter het stuur?'

'Walter Hess. Buzz Stewart zat voorin naast hem. Martini vertelde alles onder één voorwaarde. Ik heb hem gezegd dat het geen probleem was.'

'Wat was die voorwaarde?'

'Hij wilde met jou praten.'

'Nu?'

Vaughn knikte. 'Kom maar langs als je klaar bent.'

Strange begaf zich naar het cellenblok aan de rechterkant van het bureau. Een bewaker in uniform liet hem in de cel waar Dominic Martini zat. Martini zat op een veldbed met daarop een dun matras. Zijn hooggekamde, zwarte haar zat in de war en zijn ogen stonden hol. De ene kant van zijn gezicht zag bont en blauw en was gezwollen door de stompen die hij gekregen had.

Strange leunde met zijn rug tegen de tralies. Hij sloeg zijn armen over elkaar.

'Uiteindelijk ben ik er toch in geslaagd,' zei Martini zacht met bittere stem. 'Precies zoals mijn vader.'

Strange zei niets.

'Ik keek altijd naar de agenten die het bureau in- en uitliepen,' zei Martini. 'Ik deed alsof ik een hekel aan hen had, maar eigenlijk bewonderde ik hen. Ik wilde net als zij een uniform dragen, maar ik dacht dat dat voor mij niet weggelegd zou zijn. Toen ik uit dienst terugkwam, zocht ik Buzz en Shorty weer op, dus...'

Martini staarde naar de muur van zijn cel.

'Ik kan je zonder meer vertellen wat er zich buiten afspeelt,' zei Martini met zijn ogen strak op de muur gericht. 'Ik heb geen ramen nodig, want weet je, ik heb alles in mijn geheugen opgeslagen. De oprit, de goudvissenvijver. Het hek. Voorbij het hek de oude eik, waar we ons achter verscholen. En als we in de stemming waren om achternagezeten te worden, gooiden we een paar stenen naar de agenten. Agent Pappas met zijn dunne snor. We noemden hem altijd Jacques, weet je nog?'

Strange schudde zijn hoofd.

'Je was er een keer bij. Jij en die dikke Griekse jongen. Op een dag hield jij me tegen toen ik een steen naar die zwarte agent Davis wilde gooien.'

Strange kon zich niet veel van Martini herinneren. Alleen die winkeldiefstal bij Ida herinnerde hij zich nog, toen trokken ze die dag met elkaar op. Hij herinnerde zich wel dat Martini graag wilde vechten. Hij herinnerde zich dat hij een jongere broer had die veel aardiger was. Dat was alles.

'En mijn jongere broer Angelo?' vroeg Martini. 'Herinner je je die nog?'

'Vaag,' zei Strange.

'Weet je, ik probeerde hem altijd een beetje sterker te laten worden. Ik liet hem altijd met andere jongens knokken, ook al wilde hij dikwijls niet. Ik probeerde hem een keer bij Fort Stevens met jou te laten vechten. Maar jij wilde niet.'

Strange nam een andere houding aan.

'Dat is echt zo,' zei Martini. Hij keek naar Strange en zag de uitdrukking van onbegrip op diens gezicht. 'Jij wilde niet met hem vechten, hoewel je wist dat je hem aankon. Die dag heb jij iets goeds voor mijn broer gedaan. Je was toen niet meer dan een jongen, maar je gedroeg je als een man. Weet je, dat heb ik nooit vergeten.'

Strange zei niets.

'Ik heb nooit tegen hem gezegd dat het goed was als je aardig was. Ik heb hem zijn hele leven flikker genoemd, en homo en ieder verdomd scheldwoord dat ik kon verzinnen. Ik had kunnen weten dat hij net als ik in het leger zou gaan. Om zijn grote broer te bewijzen dat hij sterk genoeg was. Maar hij was niet sterk. Hij was gewoon goed.' Er sprong een traan in Martini's ogen. Hij sloeg zijn ogen neer. 'Ik vraag me af waarom ze ooit zo'n jongen als hij de oorlog in hebben gestuurd. Angie wilde niemand kwaad doen.'

Strange liet zijn armen langs zijn zij vallen en keek naar zijn schoenen.

'Nou ja,' zei Martini. 'Hij is gestorven. Angelo stapte op een mijn. Ze hadden hem nota bene al bij zijn eerste verkenningspatrouille als voorste man opgesteld. Waarom weet ik niet. Hij zou niemand doodschieten.' Martini's ogen verloren iedere uitdrukking. 'Hij stapte op een mijn.'

'Het spijt me,' zei Strange.

'Ik wist dat jij je er waarschijnlijk niets van zou herinneren,' zei Martini. 'Ik wilde je alleen maar bedanken, dat is alles.'

Martini ging op zijn rug op het veldbed liggen en sloeg zijn onderarm voor zijn ogen. Strange riep de bewaker, die de celdeur voor hem opendeed. Toen Strange door de gang van het cellenblok liep, keek hij op zijn polshorloge. Het was kwart over zeven.

Vaughn stond voor de deur van het cellenblok op hem te wachten.

'Waar ging het allemaal over?'

'Hij wilde gewoon het een en ander tussen ons uitpraten,' zei Strange. 'Iets dat tijdens onze jeugd gebeurd was.'

'Kende je hem dan?'

'Niet echt,' zei Strange. 'Maar ik kan niet zeggen dat ik hem helemaal niet ken. Wat gaat er volgens jou met hem gebeuren?'

'Moord. Het maakt niet uit dat Martini de trekker in de bank niet zelf overhaalde. Hij mag van geluk spreken dat hij op dat moment honderd meter binnen de grens van het District was, als je dat tenminste geluk mag noemen. Anders hadden ze hem geroosterd. Nu krijgt hij levenslang.'

'En Stewart?'

'Ze stoppen geamputeerden ook in de gevangenis. Als hij tenminste blijft leven.'

'Kreupelen maken het niet lang achter de tralies.'

'Maar toch worden ze veroordeeld.'

Vaughn schudde een L&M uit zijn pakje en wilde hem aan Strange geven. Strange weigerde. Vaughn pakte hem met zijn mond en stak hem met zijn Zippo aan.

'Je moet je moeder bellen,' zei Vaughn. 'Misschien heeft ze over de radio gehoord dat een agent uit jouw District gewond is geraakt. Ze zal zich doodongerust maken, vooral nu ze de dood van je broer aan het verwerken is.'

'Ik zal haar bellen.'

'Gaat het goed met haar?'

'Ze is sterk.'

'Een flinke vrouw.'

'Ja.'

'Het moet de laatste dagen voor jou ook moeilijk zijn,' zei Vaughn die hem nauwlettend opnam.

'Ik denk dat ik me een stuk beter zal voelen als de moordenaar van mijn broer is gearresteerd.'

'Denk je dat? Denk je echt dat je je dan beter voelt?'

'Wat bedoel je precies?'

'Als dat *alles* is wat je wilt. Dat hij in de gevangenis komt.'

Strange keek Vaughn strak aan. 'Nee.'

'Zoals ik al eerder zei, ik wil je helpen.'

'Dat stel ik zeer op prijs.'

'Verder nog nieuws?'

Strange bracht hem van elk detail van die middag op de hoogte. Hij beschreef zijn laatste bezoek, dat hij in het appartement van Willis was geweest en dat hij Willis onder handen had genomen. Hij vertelde hem dat hij Jones op het spoor was, en over de neef in 7th bij wie hij logeerde.

'Waar woont die Ronnie Moses precies?' vroeg Vaughn.

'Dat weet ik niet. Maar ik kreeg wel een telefoonnummer te pakken. Ik was van plan om via dat nummer het adres te pakken te krijgen.'

'Heb je het nummer bij je?'

'In mijn kast.'

'Dat zoeken we het nu op,' zei Vaughn. 'Je bent er zeker van dat het Jones was, hè?'

'Harde bewijzen heb ik niet. Maar ik ben er vrijwel zeker van.'

'Heb je een niet-geregistreerd wapen?' vroeg Vaughn.

'Nee.'

'Ik wel,' zei Vaughn. 'En jij moet er ook eentje hebben.'

Op dat moment overwoog Strange om Vaughn tegen te houden. Maar hij hield zijn mond.

Ze liepen beiden naar de manschappenkamer. Verscheidene agenten stonden om een draagbare radio en luisterden naar een nieuwsuitzending. Een van de agenten in uniform, een zwarte nieuweling, Morris, maakte zich los uit de groep. Zijn blanke partner Timmons probeerde Morris bij zijn arm te pakken om hem weer bij de groep te halen, maar Morris rukte zich los en verliet de kamer. Toen hij Strange passeerde, zag die de gekwelde uitdrukking op zijn gezicht. Strange en Vaughn gingen bij de radio staan en luisterden naar de nieuwslezer die het bericht herhaalde.

Om vijf over zes 's middags, Central Standard Time, is dominee dr. Martin Luther King jr. door een sluipschutter in zijn nek geschoten. Hij stond op het balkon van het Lorraine Hotel in Memphis, Tennessee.

Het eerstvolgende uur bleven de agenten in de manschappenkamer. Ze beantwoordden telefoontjes, belden hun geliefden op en
spraken zachtjes met elkaar. Vaughn ging buiten het gebouw op de
stenen trap staan om een sigaret te roken. Strange belde zijn moeder, zoals Vaughn hem had opgedragen. Ze spraken over de overval
en de verschrikkelijke gebeurtenis in Memphis. Ze zei tegen hem
dat ze van hem hield, waarna hij hetzelfde tegen haar zei. Terwijl hij
de verbinding verbrak, kwam de nieuwslezer weer in de uitzending.

Om vijf over acht 's avonds, Eastern Standard Time, werd dr. King
door de medici van St. Joseph's Hospital officieel dood verklaard.
Agent Morris, die was teruggekomen om naar het nieuws te luisteren, sloeg met zijn vuist tegen de muur van de manschappenkamer.
Strange ging naar het toilet, waar hij even alleen kon zijn.

In 14th Street in Shaw hoorde een jongen, die een goedkope
transistorradio bij zich had, als eerste het nieuws.

'Ze hebben dr. King vermoord!' schreeuwde hij tegen niemand in
het bijzonder. 'Ze hebben dr. King vermoord!'

Mensen bleven staan en keken hem na toen hij verder door de
straat rende.

30

Terwijl het nieuws van mond tot mond ging en mensen elkaar opbellen, zette iedereen zijn transistorradio en tv aan om de bijzonderheden van de moord op dr. King te horen. Veel bewoners van het centrum kozen 1450, de soulzender WOL. Dj Bob Terry, een bekende, geruststellende stem voor zijn zwarte luisteraars, drong er bij hen op aan het nieuws op een spirituele manier te verwerken.

'Nu is het geen tijd om te haten,' zei Terry. 'En voor jou heb ik ook iets, blanke... jij moet ook ophouden met haten.'

Nadat hij via de telefoon met de leiders in Memphis had gesproken, begaf de zwarte militante leider Stokely Carmichael zich naar het kantoor van de SNCC aan 14th Street, een paar blokken ten noorden van U. Daar overlegde hij met verscheidene voormannen van de afdeling Washington. Hij stelde voor om uit eerbied voor dr. King een staking te beginnen, die het zakelijk centrum lam zou leggen. Hij was van mening dat de bedrijven uit respect zouden moeten sluiten, zoals ze tijdens de moord op JFK ook hadden gedaan. Hoewel de leiders van de SNCC ervoor waren om een vorm van protest te houden, waren ze niet voor zo'n drastische maatregel. Carmichael, met zonnebril en overbekend camouflagejack, negeerde hun wensen en verliet het kantoor om vrijwilligers op te trommelen die hem bij het opzetten van de staking konden helpen.

Niet lang daarna liepen Carmichael en een groep volgelingen de Peoples Drug op de hoek van 14th en U binnen, het toneel van de ongeregeldheden van dinsdagavond, en vroeg de manager om de winkel uit respect voor dr. King te sluiten. De manager gaf gehoor aan dat verzoek en deed de lichten in de zaak uit. Vervolgens leidde Carmichael de groep, die inmiddels dertig tot veertig mensen telde, van winkel naar winkel, van stomerij naar slijterij en vandaar naar een kapper. Overal verzocht hij de eigenaars of verantwoordelijke managers om de zaken te sluiten. Iedereen stemde toe.

Hierna begaf de groep zich in oostelijke richting door U. Het begin te miezeren, niet ongewoon voor een avond in april.

De eigenaar van de Jumbo Nut Shop, een vrouw, werd gevraagd haar deuren te sluiten. Portiers en kaartjesverkopers van het Republic Theater werd verzocht de eerste avondvoorstelling af te breken. Een paar van Carmichaels volgelingen liepen de grote zaal van het Lincoln Theater in en schreeuwden naar het publiek, dat naar *Guess Who's Coming to Dinner?* zat te kijken, dat hun voorstelling was afgelopen. De lichten in de zaal gingen aan en de bezoekers verlieten hun plaatsen.

Om halftien gooide iemand de spiegelruit van de Peoples Drug in. Dominee Walter Fauntroy, de voorzitter van de Washington City Council en een vertrouweling van dr. King, zag het begin van de ongeregeldheden vanuit het kantoor van de Southern Christian Leadership Conference op de eerste verdieping naast de Peoples Drug. Hij ging naar buiten om met Carmichael en zijn groep volgelingen te praten, die in aantal nu veel groter geworden was. De jonge, lange Carmichael rukte zich los uit de greep van de kleine Fauntroy en liep met zijn honderden volgelingen in noordelijke richting door 14th. Fauntroy zou de rest van de avond proberen het evenwicht te herstellen. Hij ging van tv-zender naar radiozender en drong er bij de 'zwarte broeders en zusters' op aan hun verdriet 'in de geest van geweldloosheid' te verwerken. Zijn woorden werden genegeerd en kwamen te laat.

De spontane protestoptocht zorgde ervoor dat, evenals in U, ook hier de restaurants en andere zaken dichtgingen. Achter hen werd de rest van de spiegelruit van de Peoples Drug met een afvalbak eruit gegooid. Vervolgens vloog een fles door de ruit van National Liquor. Nu hoorde men overal in de avond kreten als 'black power', 'dood aan alle blanken' en 'nu maken we een paar van die klootzakken af'. Carmichael sprak de menigte toe en zei dat ze geen geweld moesten gaan gebruiken, want dat zou zich tegen hen keren. Ze waren immers in de minderheid en minder goed bewapend. Daarna liep hij met hen de helling van 14th op, waar veel familiezaken, filialen van warenhuizen en appartementsgebouwen langs de weg tussen U en Park Road stonden.

Om tien uur 's avonds bleek er weinig politie op straat te zijn. Maar bestuurders werden zich bewust dat het probleem in omvang toenam en begonnen eenheden naar de betrokken gebieden te sturen. Patrick Murphy, verantwoordelijk voor de openbare veiligheid, beval de agenten de orde te handhaven, maar 'dreigende confrontaties' te vermijden.

Vijf blokken ten noorden van U, op de top van de heuvel, drukte een vrouw met haar achterwerk een spiegelruit van Belmont TV kapot. Verscheidene mensen probeerden in de etalage te kruipen om een paar tv's mee te nemen. Ze werden door Carmichael en een paar medewerkers van het SNCC tegengehouden. Carmichael haalde een pistool uit de zak van zijn jack, zwaaide er mee heen en weer en zei tegen zijn volgelingen dat dit niet 'de manier' was.

Intussen had zich weer een menigte op de hoek van 14th en U verzameld. Toen hij in zuidelijke richting terugliep en het kruispunt naderde, werd het Carmichael duidelijk dat hij de toestand niet langer onder controle had. De menigte was veel groter geworden en de bewegingen ervan waren grillig en niet langer in bedwang te houden. De stemmen van de deelnemers klonken steeds luider en bozer, maar ook klonk er iets van vreugde in door. Carmichael stapte in een wachtende auto en reed snel weg. De rest van die nacht bleef hij onzichtbaar.

Om halfelf gooide de menigte de ruiten in van Sam's Pawnbrokers en Rhodes Five and Ten, beide aan de zuidelijke kant van U. Men begon juwelen te stelen, tv's, transistorradio's, huishoudelijke apparaten, waardeloze prullen en alles dat niet achter slot en grendel zat of was vastgespijkerd. Vrijwilligers van het SNCC probeerden hen tegen te houden. Ze werden uitgelachen en opzijgeduwd.

Het geluid van brekend glas maakte duidelijk dat veel winkelruiten bij 14th en U werden ingegooid. Uit the London Custom Shop werd alle aanwezige kleding gestolen, maar dat gold ook voor de goederen van de andere winkels in de buurt. Ten noorden van U kwamen mensen uit hun huurappartementen, sommigen waren nieuwsgierig, anderen boos of gingen tekeer met de zinloze mentaliteit van een herrieschopper. Iedereen begon dingen te vernielen en winkels leeg te roven.

Een onofficieel commandocentrum werd opgezet in het bureau van het Dertiende District, vlak bij 16th en V. Daar ontwikkelden burgemeester Walter Washington, politiecommissaris John B. Layton en Patrick Murphy in gezamenlijk overleg een ruw plan. De Special Operations Division (SOD) van de Civil Disturbance Unit (CDU), die intensief getraind was om rellen te bestrijden, werd opgeroepen. Tevens kregen de agenten, die middagdienst hadden, het bevel een dubbele dienst te draaien en van middernacht tot acht uur 's morgens door te blijven werken. Alle beschikbare eenheden werden opgeroepen naar het opstandige gebied in Shaw te gaan.

Agent Lydell Blue van het Dertiende was een van de velen.

Agenten van andere districten, die geen andere taken toegewezen kregen, werden aangemoedigd om mee te werken om de opstand te bedwingen.

Op het bureau van het Zesde District meldden agent Derek Strange, agent Morris en twee andere agenten in uniform zich aan als vrijwilliger. Ze stapten in een patrouilleauto en reden in zuidelijke richting weg.

Rechercheur Frank Vaughn reed naar het huis van Vernon Wilson en vertelde zijn moeder dat de moordenaars van haar zoon waren opgespoord. En dat de mannen, die tijdens een mislukte overval niet waren gedood, de rest van hun leven in de gevangenis zouden doorbrengen. Daarna begaf hij zich naar de bar van Villa Rosa in het centrum van Silver Spring, en dronk daar een paar borrels.

Strange en de anderen verzamelden zich in het centrum bij U en kregen hun orders van een brigadier van het Dertiende District.

'Blijf in formatie, ook al word je geïntimideerd of bedreigd. Gebruik je knuppels en traangas alleen als het nodig is. Trek geen wapens.'

'Traangas?' zei een jonge agent. 'We hebben zelfs geen gasmaskers.'

'We hebben een tekort aan gasmaskers,' zei de brigadier.

'Dus we mogen onze wapens niet trekken,' zei de jonge agent, terwijl hij ondersteuning bij de anderen zocht. 'Ze plunderen dit hele blok leeg. Wat wordt er van ons verwacht, moeten we gewoon toekijken en hen hun gang laten gaan?'

'Orders van hogerhand,' zei de brigadier en herhaalde nogmaals het bevel. 'Intimidaties en dreigementen.'

Strange keek in zuidelijke richting. Agenten van de CDU met witte helmen, gasmaskers, lange, witte gummiknuppels aan hun riem en gewapend met traangasgranaten stonden niet ver achter hen. Ze hadden zich opgesteld op het kruispunt van 14th en Swann. Ze vormden een wigvormige formatie, die de breedte van de straat besloeg, en begonnen in noordelijke richting te marcheren. Met hun knuppels joegen ze de plunderaars in de richting van de MPD-agenten, die ze opvingen en in patrouilleauto's en arrestantenwagens wegvoerden. Tijdens hun opmars passeerden ze Nick's Grill, het eigendom van Nick Stefanos. Tot nu toe waren de spiegelruit en de ruit in de voordeur nog heel.

Strange liep in het gezelschap van twee andere agenten de helling op. Hij passeerde het terrein van een tweedehands autohandel aan Belmont Street, waar een Chevy in brand was gestoken. Het oranjeschijnsel verlichtte zijn uniform en danste aan zijn voeten.

De motregen veranderde in een stevige regenbui. Strange zette zijn pet goed, hij trok hem stevig over zijn voorhoofd, zodat de klep zijn gezicht droog hield. Hij zag agenten in de zijstraten, ze zaten in of stonden naast hun auto's zenuwachtig met elkaar te praten en probeerden vochtige sigaretten aan te steken. Hij liep verder.

Op de top van de heuvel, bij Clifton, gooiden jongeren stenen en flessen naar bussen en de laatste auto's die nog steeds door 14th reden. Een fles ging door het raampje van een patrouilleauto die dwars op straat stond. Strange ging achter een van de stenengooiers aan, maar verloor hem uit het oog toen deze een steeg in rende. Volgens hem was die jongen nauwelijks veertien jaar. Een jonge vrouw, die uit het open raam van een appartement hing, schold Strange uit toen hij terugliep naar 14th. Hij draaide zelfs zijn hoofd niet om.

Strange liep in noordelijke richting verder. Hij zag dat agenten zich bij Fairmont Street hergroepeerden. Hij zag de brede rug van een agent die met zwaaiende armen tot de anderen sprak. Aan de weidse gebaren en zijn houding herkende hij Lydell Blue. Strange ging bij de groep staan en gaf zijn vriend een hand. Hij en Blue verwijderden zich even van de groep.

'Wat is er met jou gebeurd, man?' vroeg Blue. 'Ik hoorde van mijn vriend Morris van het Zesde District dat jij een overval verijdeld hebt.'

'Ik heb geen ene moer verijdeld,' zei Strange. 'Mijn partner is gewond geraakt, terwijl ik achter een auto dekking zocht.'

'Ik vermoed dat je hem behoorlijk kneep, man.'

'Het gaat wel weer.'

'Je draait nu een dubbele dienst, hè? Vind je het niet erg om hier te zijn?'

'Ik *moet* hier zijn, Lydell.'

De aandacht van Strange en Lydell werd getrokken door een menigte die steeds heviger tekeerging. Vanaf de eerstvolgende straat, Girard, tot voorbij Park Road begonnen honderden jongeren de ramen van stomerijen, slijterijen en doe-het-zelfzaken in te gooien en de zaken te plunderen. Agenten in uniform drongen zich zwaaiend met knuppels tussen de menigte.

'We moesten er ook maar eens heen gaan,' zei Strange. Hij pakte zijn knuppel, terwijl andere agenten zich om hen verzamelden. Blue pakte eveneens zijn knuppel.

Met omhoog geheven knuppels mengden zij zich tussen de menigte. Zij en hun collega's arresteerden verdachten en zaten anderen tot in de stegen achterna. Diezelfde mensen, meestal jongens en jongemannen, kwamen minuten later weer uit de stegen tevoorschijn en hervatten hun plunderingen. Strange kreeg een steen tegen zijn rug, voelde een stekende pijn, draaide zich om en zag de man die had gegooid in de menigte staan en hem uitlachen. Hij liep de man achterna in een explosie van energie en adrenaline. Toen hij hem inhaalde, sloeg hij hem met zijn knuppel op de schouder. De man, die even oud was als Strange, struikelde en viel. Strange hield hem vast tot een langzaam rijdende arrestantenwagen arriveerde, waar alle verdachten werden ingeladen.

'Oom Tom nikker,' zei de man.

Zonder te reageren begeleidde Strange hem naar de arrestantenwagen en gaf hem een stevige duw in zijn rug.

Strange volgende vangst was een rennende jongen, die tegen hem aanbotste. Hij keek over zijn schouder, terwijl hij een stereoset op zijn schouder meenam. Toen Strange hem beetpakte, liet de jongen de set op de grond vallen. Hij keek in de ogen van de jongen, zag zichzelf toen hij twaalf was en liet hem gaan.

Ongeveer vijfhonderd agenten van de MPD en de CDU waren nu bij de winkels van 14th Street gearriveerd. Ze waren opgeroepen of draaiden dubbele diensten. Brandweerauto's waren eveneens gekomen. Maar toch was het aantal relschoppers vele malen groter dan het aantal agenten en brandweerlieden, die totaal onvoorbereid waren op de sfeer van waanzin die was ontstaan. Als gevolg van de voor hen beperkende orders moesten ze machteloos toezien.

Om halfeen 's nachts werden de Central Market en de Pleasant Hill Market, die tegenover elkaar stonden op het kruispunt van 14th en Fairmont, in brand gestoken. Het vuur van de Pleasant Hill sloeg over naar Steelman's Liquor en de appartementen die zich daarboven bevonden. Brandweerlieden probeerden het vuur te blussen, terwijl ze door een scheldende menigte werden omringd en met stenen en flessen uit de straat en vanaf de omringende gebouwen werden bekogeld. Agenten smeten traangasgranaten in de menigte. Ze werden gegooid door agenten te voet of uit de open raampjes of achterzijde van rijdende patrouilleauto's en arrestantenwagens. Agenten van de CDU gebruikten granaatwerpers om traangas naar de daken te vuren, waarvandaan oproerkraaiers hen met projectielen bestookten.

Het hield op met regenen. Inbraakalarmsystemen loeiden aan een stuk door. Traangas en rook zweefden in het licht van de zwaailichten van de patrouilleauto's door de straat.

Strange zat op de treeplank van een brandweerwagen, hij hield een vochtige doek tegen zijn brandende, tranende ogen. Zijn keel was rauw en hij hapte naar adem. Een brandweerman had hem de doek gegeven. Het traangas had niet alleen de menigte teruggedreven, maar ook veel agenten in uniform uitgeschakeld die niet over een gasmasker beschikten. Strange zag twee vrouwen lachend over straat lopen, ze drukten hun handen tegen hun middel om tot bedaren te komen. De tranen stroomden over hun wangen. Ze waren van zijn generatie. Ze hadden zijn kleur.

Hij keek om zich heen en zag geen enkele agent die hij kende. Ook Lydell zag hij niet.

Een blanke agent passeerde hem, hij had een smerig gezicht en wreef in zijn ogen. Hij had Strange niet in de gaten die daar zat. De agent zei 'verdomde nikkers' tegen niemand in het bijzonder, daarna zei hij het nog een keer terwijl hij zich hoofdschuddend verwijderde. Strange keek hem na.

Hij dacht aan Carmen. Waar ze was en wat ze vanavond deed. Waarschijnlijk was ze bij vrienden van Howard U. Praten over deze gebeurtenissen en er zich hoogstwaarschijnlijk achter scharen, terwijl hij de rellen hier bestreed. Hij dacht aan zijn broer en wat hij gezegd zou hebben, als hij nog steeds had geleefd. Zijn vader en zijn moeder. De gesprekken die ze nu zouden voeren, het levendige debat, als ze beiden weer in Princeton waren. Wat zou zijn vader tegen hem zeggen als hij nu hier zou zijn?

Strange liet de doek op straat vallen, stond op en liep in zuidelijke richting naar een gebied, waar nog steeds relletjes plaatsvonden.

Nadat de zaak was geplunderd, probeerde een groep jongeren de Empire Market in brand te steken. De politie had hen met behulp van traangas verjaagd, maar ze waren teruggekomen. Een van de jongemannen gooide een traangasgranaat terug naar de agenten die het ding zijn kant uit hadden gegooid. Strange voegde zich bij de agenten die probeerden de aanval af te slaan. De jongens verdwenen in nabijgelegen stegen, keerden vijftien minuten later terug en probeerden het opnieuw. Agenten slaagden erin hen te verjagen, maar werden even later naar het noorden geroepen om andere rellen te onderdrukken. Toen Strange met andere agenten terugkeerde, was de zaak door diezelfde jongeren in brand gestoken.

Strange zag dat brandweerlieden tevergeefs hun stralen op de zaak richtten.

Een vrouw van dezelfde leeftijd als zijn moeder kwam in ochtendjas uit een nabijgelegen appartement tevoorschijn en overhandigde hem een beker water. Strange bedankte haar en dronk hem leeg, slobberend als een hond. Daarna keken Strange en de vrouw naar de brandende winkel, terwijl hun gezichten door de vlammen en omhoogvliegende vonken werden verlicht.

Tegen de ochtend zag Strange Blue weer in de buurt van U Street. De politie had nu bezit genomen van de straat, en de meeste bewoners waren naar hun huizen gegaan. Traangaswolken en de rook van de branden zweefden nog steeds rond en de inbraakalarmsystemen loeiden aan een stuk door. Maar het leek wel alsof de ongeregeldheden nu voorbij waren.

Tweehonderd volwassenen en minderjarigen waren gearresteerd. Van tweehonderd winkels waren de ruiten kapotgegooid en de meeste van die zaken waren geplunderd. Veel gebouwen waren door brand verwoest.

De rellen hadden zich beperkt tot de winkels van 14th Street. Verscheidene ruiten van Hecht's in F Street waren ingegooid, zo ook van D.J. Kaufman's op de hoek van 10th en E, in de buurt van Pennsylvania Avenue. Verder waren er nog mededelingen binnengekomen van ingegooide ruiten in Mount Pleasant Street, 7th en Florida, en in Park View, waar jongeren stenen uit rijdende auto's hadden gegooid. Maar men had nu het gevoel dat de rellen waren bedwongen.

'Ga naar huis,' zei Blue, op zijn smerige gezicht waren sporen van opgedroogde tranen te zien.

'Ik heb tot acht uur dienst.'

'Ik heb met mijn dienstdoende inspecteur gesproken,' zei Blue, 'en die zei dat je naar huis mocht. En neem meteen de jongens mee die samen met jou gekomen zijn.'

Strange knikte. Blue sloeg met zijn vuist op zijn borst. Strange deed hetzelfde.

Strange en zijn collega's van het Zesde District reden in hun patrouilleauto terug naar het bureau. De mannen die niet direct in de auto in slaap vielen, zeiden niets. Bij het bureau stapte Strange in zijn Impala en reed naar het huis van zijn ouders. Toen hij Georgia verliet en Princeton inreed, zag hij dat de ruit in de deur van Meyers supermarkt was ingegooid. Meneer Meyer was bezig een stuk karton voor het gat te plakken.

Toen hij binnenstapte zaten Stranges ouders aan de eettafel in de woonkamer. Hij omhelsde zijn moeder, die opstond om hem te begroeten, en gaf zijn vader een hand. Strange ging aan tafel zitten en wreef met zijn hand over zijn wang. Intussen ging zijn moeder een kop zwarte koffie voor hem halen.

Darius Strange keek naar het vuile gezicht van zijn zoon en naar de plekken op zijn uniform die smerig waren van de as en het zweet.

'Je hebt het nogal voor je kiezen gehad,' zei Darius.

Strange knikte. Door de manier waarop zijn vader dit zei, wist Strange dat zijn vader bedoelde dat hij goed werk had verricht.

'Ik wil dat je goed op jezelf past, heb je me gehoord, jongen?'

'Ja,' zei Strange.

'Je moeder zou een tweede verlies niet overleven.'

'Het gaat goed met me.'

'Kijk me aan, jongen.' Darius leunde naar voren en zei zachtjes: 'Ik ben ziek, Derek.'

'Wat bedoelt u, *ziek?*'

'Ik bedoel te zeggen dat ik niet weet hoe lang ik nog te leven heb.'

'Pa...'

'Het is niet nodig dat jij je daar druk om maakt. Ik zeg het je alleen maar, zodat je iets hebt om over na te denken als je de deur uitstapt.'

'Hoe weet u dat?'

'Ik wéét het gewoon. Nu, voor je moeder moet jij ervoor zorgen dat je gezond blijft. Ze is sterk, maar tot een zekere grens.'

'Hebt u het haar verteld?'

Darius schudde zijn hoofd. Toen Alethea naar de tafel terugkeerde en een kop koffie voor Derek neerzette, keek zijn vader hem strak aan en maakte hem zwijgend duidelijk dat hij erover moest zwijgen.

'Dank u, mama,' zei Strange.

'We zouden even moeten bidden,' zei Alethea.

Darius ging hen voor in gebed. Ze spraken een gebed uit voor dr.

King en waar hij voor stond, en dat er weer vrede in de straten zou heersen. Ze smeekten ook om gerechtigheid. Ze baden voor de ziel van dr. King en voor de ziel van hun zoon en broer, Dennis Strange.

'Amen,' zeiden Alethea en Strange toen Darius klaar was.

Darius schraapte zijn keel. 'Door de ongeregeldheden zullen de plannen voor de begrafenis ook veranderen.'

'Ik zal de begrafenisondernemer vandaag bellen,' zei Strange. 'Gewoon om te horen wat ze te zeggen hebben.'

'Maar eerst moet je wat rusten,' zei Alethea.

'Dat zal ik doen.' Strange zag nu pas de werkjurk van zijn moeder en het gestreken, witte overhemd van zijn vader. 'Gaan jullie gewoon aan het werk?'

'Iedereen gaat,' zei Darius. 'Business as usual zeggen ze op radio en tv.'

'Alles zal dicht moeten blijven,' zei Strange. 'Uit respect voor de Dominee. Dat verwachten de meeste mensen.'

'Daar ben ik het mee eens,' zei Darius. 'Maar de beslissing is gevallen. Zelfs de overheidsinstellingen zijn open.'

'Maar u werkt niet voor de overheid.'

'Dat is waar. Maar ik laat Mike niet alleen werken. En je moeder heeft ook haar verplichtingen.' Darius keek op zijn horloge. 'Het wordt tijd dat ik ga. Ik moet die grill nog aansteken.'

Darius stond op, begaf zich naar Alethea en kuste haar op de lippen. Hij pakte zijn jack van de kapstok en trok hem aan. Strange volgde hem naar de deur.

'Onthoud wat ik je verteld heb,' zei Darius. 'Pas goed op jezelf daar.'

'Ik zal mijn best doen.'

Darius keek aandachtig naar Derek. 'Je hebt de vuurproef doorstaan, hè?'

'U wéét dat dat gebeurd is. Mijn eigen mensen hebben me voor alles en nog wat uitgemaakt. Ze hebben me met ogen vol haat aangekeken. Mensen, op wie hun hele leven is neergekeken, precies zoals bij mij. Ik zeg u, er waren vannacht momenten dat ik zin had om me bij die mensen te voegen.'

'Wil je de waarheid weten?' zei Darius. 'Ik had ook zin om me bij hen te voegen.'

'Waarom hebt u het dan niet gedaan?'

'Omdat het mijn stijl niet is. Maar dat betekent niet dat ik niet zie dat wat gisteravond gebeurde noodzakelijk was. Nu gaan de mensen pas luisteren. Dat *moeten* ze wel.'

'En wat moet *ik* nu doen?'

'Jij hebt je verplichtingen,' zei Darius. 'Daar zullen de mensen je altijd voor respecteren, ook al beweren ze anders.'

'Wat probeert u me nu te vertellen?'

'Dat je je job moet doen.'

Darius omhelsde Strange en klopte hem op de rug. Voordat hij wegging, knikte hij nog een keer naar Alethea.

Strange ging weer zitten en nam een slokje koffie. 'Heeft er nog iemand gebeld?'

'Je bedoelt Carmen?'

'Wie dan ook.'

'Carmen heeft niet gebeld.' Alethea stak haar hand uit en raakte Stranges hand aan. 'Ga lekker douchen, dan maak ik intussen je ontbijt klaar.'

Strange trok zijn uniform uit in de slaapkamer van zijn broer, vouwde het netjes op en legde het op een stoel. Hij douchte en trok een andere broek en overhemd aan. Die waren van Dennis geweest en roken nog naar Dennis. Terwijl hij zich aankleedde, nam zijn moeder een beetje vet uit een oude koffiebus om bacon en eieren in een koekenpan te bakken. Toen hij weer aan tafel ging zitten, diende ze die op met toast, een hete saus en nog een kop koffie. Ze ging zitten en keek toe terwijl hij at.

'Hebt u nog een lift nodig?' vroeg Strange, terwijl hij een driehoekig stuk toast in het eigeel stak.

'Ik ga met de bus die uit de stad komt,' zei ze. 'Eet jij nu maar alles op en ga dan maar lekker naar bed. Ik wil dat je gaat slapen.'

Strange deed wat hem gezegd werd. Hij viel direct in slaap in het bed van zijn broer en hoorde niet dat zijn moeder het huis verliet.

31

Die vrijdagochtend lag Strange nog in diepe slaap. Terwijl hij sliep, begaven forenzen uit de voorsteden zich met auto of bus naar hun werk in het centrum. Honderdvijftigduizend leerlingen en onderwijzers meldden zich bij hun scholen. Dat gebeurde in opdracht van burgemeester Washington, na overleg met de School Superintendent William R. Manning. Er werd besloten dat de activiteiten voor het Cherry Blossom Festival gewoon volgens plan door zouden gaan. Ondanks de rellen van de vorige avond dachten de verantwoordelijke bestuurders en politieautoriteiten dat het een rustige dag zou worden.

Vanaf het begin waren er indicaties dat dit niet het geval zou zijn.

Tot ver in de ochtend deden verhalen de ronde over de wapenfeiten van de relschoppers en plunderaars in Shaw. Het werd doorverteld via de telefoon, de gettotelegraaf en in gesprekken bij bushaltes, in huiskamers, in supermarkten en bij opstapplaatsen voor arbeiders die heel vroeg moesten beginnen. De verhalen werden steeds mooier en romantischer, en begonnen als voedsel voor de woede, verbeelding, zucht naar avontuur en ambities van de jongeren te dienen.

Veel zwarte arbeiders, mannen én vrouwen, maar ook de zwarte ambtenaren, managers en kantoorpersoneel bleven thuis van hun werk. Zwarte en verscheidene blanke onderwijzers meldden zich uit protest ziek bij hun school of vroegen openlijk vandaag vrij, zodat ze de herdenkingsdiensten voor dr. King konden bijwonen.

Kort nadat de lessen waren begonnen kwamen rapporten van schooldirecteuren binnen waarin de afwezigheid van enorme aantallen leerlingen werd gemeld. Bovendien waren de leerlingen die wél naar school waren gekomen onhandelbaar en brutaal. Een medewerker van SNCC probeerde Superintendent Manning over te halen de scholen te sluiten, maar dat weigerde hij. Het werd later in de ochtend en de schooldirecteuren raakten steeds gefrustreerder. Sommigen verklaarden met paniek in hun stem dat de toestand steeds slechter werd en beweerden dat de leerlingen niet langer in toom te houden waren.

Aan de hand van ervaringen dachten functionarissen dat rellen voor het grootste deel 's avonds plaatsvonden, ook al omdat het overdag lange tijd rustig was geweest. Daarom werden leden van de Nationale Garde van D.C., die zich net aan het verzamelen waren in hun kazernes, gewaarschuwd dat ze eventueel vrijdagavond in actie moesten komen. De ME van de CDU werden pas om vijf uur 's middags terugverwacht. Omdat het die ochtend relatief rustig was, waren de agenten die een dubbele dienst hadden gedraaid naar huis gestuurd. Als gevolg daarvan was er die vrijdagochtend nauwelijks meer politie op straat dan op een willekeurige andere dag.

Jongeren begonnen zich te verzamelen en zwierven in groepen door 14th en 7th Street, langs H Street in het noordoostelijk deel en Anacostia, dat op de oostelijke oever van de rivier lag. Ze stonden in deuropeningen van winkels en treiterden blanke eigenaren en medewerkers die aan het werk waren gegaan. Ze schudden auto's met blanke chauffeurs op en neer, die voor het rode licht moesten stoppen. Een jonge blanke man werd in 14th Street uit zijn auto gesleept en gruwelijk mishandeld. Zijn leven werd door een katholieke priester gered.

Vlak bij het appartement van Derek Strange, op de hoek van 13th en Clifton, liepen de leerlingen van Cardozo High School de school uit. Rond het middaguur had de helft van hen het schoolterrein verlaten. Samen met leerlingen van nabijgelegen middelbare scholen voegden velen zich bij hun vrienden in 14th en 7th Street. Sommigen begaven zich naar het terrein van Howard University, waar Stokely Carmichael een toespraak zou houden.

's Ochtends had Carmichael op een persconferentie gezegd: 'Toen blank Amerika gisteravond dr. King vermoordde, heeft ze ons de oorlog verklaard. Er zal niemand huilen en er zal geen begrafenis zijn.' En: 'Het is niet langer nodig een intellectuele discussie te voeren. Zwarten weten dat ze naar de wapens moeten grijpen. Blank Amerika zal nog lang treuren omdat ze dr. King gisteravond vermoord heeft.'

In Howard U werd er diezelfde ochtend een vroege dienst in het Crampton Auditorium gehouden voor leden van de faculteit en studenten. Na de rede van de rector magnificus James Nabrit zong een koor Brahms' 'Requiem', gevolgd door 'Precious Lord', het lied dat men op verzoek van dr. King de avond daarvoor tijdens een ontmoeting had gezongen, enige ogenblikken voordat hij neergeschoten werd. 'We Shall Overcome' dat tot slot werd gezongen, werd volgens getuigen minder goed ontvangen. Veel jongeren in het Crampton Auditorium weigerden mee te zingen.

Hierna begon op de trappen van Frederick Douglass Hall een agressievere bijeenkomst. Sprekers begonnen voor een gehoor van honderden luisteraars blank racisme te veroordelen. De menigte bestond voor het grootste deel uit jongeren met serieuze gezichten, zwarte coltruien, ringbaardjes, puntbaardjes, Afrokapsels en zonnebrillen. De Amerikaanse vlag, die halfstok hing, werd neergelaten. In plaats daarvan werd de vlag gehesen van Ujamma, een Zwarte Nationalistische studentenbeweging die voorstander van een afgescheiden zwarte staat was. Een spreekster sprak zich uit tegen geweldloze oppositie. 'Misschien zal ik door geweld om het leven komen,' zei ze, 'maar dan neem ik wel een bleekscheet mee.' Stokely Carmichael met zonnebril en camouflagejack liep als volgende naar de microfoon.

Onder de aanwezigen bevond zich Carmen Hill. Ze was de halve nacht opgebleven om met haar vriendinnen over de gebeurtenissen te discussiëren en naar de tv te kijken hoe alles zich verder ontwikkelde. De meesten van hen waren vóór het geweld dat donderdagavond begonnen was. Maar niemand had eraan deelgenomen. Die nacht had ze Dereks appartement tweemaal gebeld om er zeker van te zijn dat het goed met hem ging. Er had niemand opgenomen.

Carmen wist gevoelsmatig dat wat er nu gebeurde en wat er op het punt stond te gebeuren al lange tijd speelde. Ze was een zwarte vrouw en diep in haar hart was ze één met haar volk. Evenals veel jonge zwarten voelde ze zich gestimuleerd en gesterkt door de reactie op Kings moord. Maar ze was ook bang.

Carmen luisterde naar Carmichaels rede. Ze zag dat hij een pistool uit zijn jack tevoorschijn haalde en er mee boven zijn hoofd zwaaide, zoals hij de avond ervoor in 14th Street ook had gedaan.

'Blijf thuis, tenzij je een wapen heb,' zei Carmichael, 'want er zal geschoten worden.'

Carmen dacht aan Derek en smeekte God dat Hij hem zou beschermen.

Even na de middag brak er brand uit in een filiaal van Safeway in 14th Street, net ten zuiden van U. Vier minuten later, elf blokken ten noorden van Safeway, werd een kledingzaak op de hoek van Harvard Street door een menigte jongeren in brand gestoken.

Brandweerlieden en beschikbare agenten werden naar 14th teruggeroepen.

Bijna onmiddellijk hierna begonnen tieners en jongemannen, die zich daar gedurende de gehele ochtend hadden opgehouden, actiever te worden. Er werd brand gesticht bij Belmont TV en de London Custom Shop. Judd's Pharmacy, dat de vorige avond al was vernield en geplunderd, werd eveneens in brand gestoken. Toen brandweerlieden probeerden hun slangen aan de brandkranen te koppelen, werden ze met stenen bekogeld, aangevallen en uitgescholden. Ze werden slechts beschermd door groepjes met knuppels zwaaiende agenten die juist waren aangekomen. Het vuur breidde zich uit naar de appartementen erboven en de gebouwen achter de winkels. De Worthmore Clothing-winkel aan Park Road werd eveneens in brand gestoken.

Traangasgranaten werden gegooid en gasgranaten werden op de menigte afgevuurd. Die rende van de ene plek naar de andere. Winkels tussen Columbia en Park Road werden opengebroken, een gedeelte waarin veel filialen van winkelketens en zaken van blanke eigenaars stonden. Ze gebruikten kleine voorwerpen en vuilnisbakken of schopten gewoon de ruiten in. Ze trokken verkeersborden om en gebruikten die als stormram. Relschoppers overvielen Lerner's en Grayson's kledingzaken, Irving's Men Shop, Carousel, Kay Juweliers, Beyda's, Cannon Schoenen, Howard Kleding, Mary Jane Schoenen, Woolworth's en de snuisterijenwinkel van G.C. Murphy.

Veel zwarte eigenaars hadden vroeg in de ochtend schuim en zeep gebruikt om de woorden 'Soul Brother' op hun winkelramen of deuren te spuiten of te schrijven. Veel van die zaken bleven gespaard.

Vrouwen en mannen van middelbare leeftijd begonnen te plunderen. Gezinnen begonnen gezamenlijk te plunderen. Ouders en kinderen namen complete eetkamer-, slaapkamer- en woonkamersets mee naar huis uit de meubelwinkel van Hamilton en Jordan aan Euclid.

'Beesten,' zei een machteloze agent op een straathoek. Hij keek naar een vader en zijn zoons die kleding met hanger en al op hun rug meenamen. Lachend liepen ze door 14th, zonder bang te zijn dat ze gegrepen werden.

De agent kon slechts toezien. Er werden maar weinig arrestaties verricht. De politie was met te weinig mensen en bovendien totaal onvoorbereid.

Molotovcocktails werden in stegen klaargemaakt en vanaf het trottoir naar de winkels gesmeten. Nadat Hahn's schoenenwinkel compleet was leeggeroofd, werd de zaak in brand gestoken. Beyda's brandde totaal uit. Brandslangen lagen als serpentines in de straat, terwijl brandweerlieden hun uiterste best deden om onder luid gejoel en algemene verwarring waterputten te vinden.

G.C. Murphy's vatte vlam en groeide uit tot een enorme, allesverwoestende brand. Twee tieners werden door de vlammen ingesloten en vonden de dood. Een van hen was onherkenbaar verbrand en werd niet geïdentificeerd.

Drie uur na de eerste brandstichting, die rond het middaguur plaatsvond, stond een groot gedeelte van 14th Street voorbij U in brand. Nu kregen andere delen van de stad met dezelfde vernielingen te maken als Shaw.

Politiefunctionarissen riepen alle beschikbare agenten op en gaven agenten die late dienst hadden eveneens bevel zich onmiddellijk te melden. Lydell Blue arriveerde in 14th Street met een volgepakte auto met vijf man. Hij stapte met verbaasde ogen uit de auto en hield zijn knuppel gereed.

Derek Strange hoorde de telefoon overgaan in de woonkamer van zijn ouders. Hij viel weer in slaap. Maar de telefoon ging opnieuw over en bleef overgaan tot hij met een duf hoofd uit bed stapte en opnam.

Het was de dienstdoende brigadier die hem vertelde dat men hem nodig had. Hij had geprobeerd Strange te bereiken in diens appartement, en had nu het alternatieve nummer geprobeerd dat in Stranges dossier vermeld stond. De brigadier bracht hem op de hoogte van de plaatsen waar ongeregeldheden voorkwamen. De rellen, plunderingen en brandstichtingen hadden zich uitgebreid naar 7th Street en langs H Street in het noordoostelijk deel.

'Je hoeft niet te komen,' zei de brigadier. 'Ik weet wat je de laatste dagen hebt meegemaakt. Ik vond het vreselijk om je te bellen, maar ik bel iedereen, begrijp je?'

'Het is goed,' zei Strange. Hij dacht aan Alvin Jones, waar hij volgens Kenneth Willis zou moeten zijn. 'Ik ga nu direct naar Georgia Avenue, slechts een paar kilometer ten noorden van Seventh. Ik ga er nu meteen heen.'

'Succes.'

Strange liep naar het gasfornuis in de keuken, gebruikte een lucifer om een van de pitten aan te steken, waarop zijn moeder een halfvolle pot koffie had achtergelaten. Hij liep naar de woonkamer terug en zette de tv aan voor het nieuws.

14th Street stond in brand. Volgens rapporten liepen honderden jongeren in zuidelijke richting door 7th Street, terwijl ze alle zaken leegplunderden en in brand staken. De meubelwinkel van Charles Macklin aan O was leeggeplunderd en stond nu ook in brand. Benden begonnen zich te vormen in H Street, waar een slijterij in brand was gestoken. Ten oosten van de Anacostia-rivier begon men hier en daar brand te stichten en te plunderen. In de winkelwijk in het centrum werden de hoofdvestigingen van Hecht's en Woodward en Lothrop's gesloten. Timmerlieden begonnen planken voor de ruiten te slaan, nadat jongeren door de gangpaden waren gerend, terwijl ze kleine artikelen stalen en obsceniteiten en dreigementen naar de klanten en medewerkers schreeuwden.

Strange schonk een kop hete, zwarte koffie in, liep naar de telefoon en zocht het nummer van het Washington Sanitarium op. De receptioniste verbond hem door naar de kamer van Troy Peters. Hij vertelde Troy alles over de afgelopen nacht en bracht hem op de hoogte van de huidige situatie.

'Ik zie alles op tv,' zei Peters. 'De verslaggever zei dat LBJ het leger en de garde er bijhaalt.'

'Nu zul je al de actie moeten missen.'

'Het lijkt erop dat ik een gelukstreffer heb geïncasseerd.'

'Dat denk ik ook. Uitgerekend jij, die erbij had willen zijn als de revolutie uitbrak.'

'Maar het had nooit op deze manier mogen gaan.'

'Er bestond maar één manier waarop dit moest gebeuren. Iedereen heeft de brandende lont gezien, maar iedereen draaide zijn hoofd om.'

'Luister...'

'Heel veel mensen hebben nu spijt,' zei Strange. 'Maar ik moet nu aan het werk.'

'Pas goed op jezelf, Derek.'

'Jij ook.'

Strange maakte een sandwich klaar, want hij wist niet wanneer hij weer iets zou eten. Hij spoelde hem weg met twee glazen water. Hij dronk nog een kop koffie, terwijl hij in de kamer van zijn broer zijn uniform aantrok. Het uniform stonk nog naar het vuil en het zweet van gisteravond. Hij maakte zijn riem vast en klopte op de handboeien die op zijn rug hingen. Hij controleerde zijn draagtas of hij genoeg reservemunitie bij zich had. Hij keek of zijn .38 geladen was en stak hem in de holster. Hij zag het onopgemaakte bed van zijn broer, liep terug naar de woonkamer en pakte de telefoon.

Strange belde zijn vader in het restaurant. Hij vertelde hem dat hij weer aan het werk ging. Hij zei tegen zijn vader dat hij weer naar huis moest gaan.

'Ik ga nu weg,' zei Darius. 'Mike staat op het punt de zaak te sluiten.'

'En mama?'

'Ik heb haar gebeld bij de familie Vaughn. Ze zegt dat Frank Vaughn naar de stad gaat. Hij brengt haar naar huis.'

'Vaughn is een goeie vent,' zei Strange. 'Hij zal ervoor zorgen dat ze veilig thuiskomt.'

'Prima.'

'Ik zal wel een poosje wegblijven, pa. Ik wil niet dat jullie je zorgen maken om mij.'

'Ik zie je zondag bij het avondeten,' zei Darius. Hij probeerde zijn stem vast te laten klinken.

'Ik zal er zijn,' zei Strange.

Hij verliet het appartement, liep door Princeton en sloeg linksaf Georgia Avenue in. Hij liep in zuidelijke richting en hoorde uit alle richtingen sirenes van politieauto's en brandweerwagens dichterbij komen. Vanuit een passerende auto schold een jonge man hem uit, maar Strange reageerde niet. Boven aan een lange helling, die langs

Howard University omlaag liep, bleef hij even staan en keek omlaag naar het kruispunt met Florida Avenue, waar Georgia 7th Street wordt. Onder een lucht vol donkere rookwolken zag hij een enorme mensenmassa in de door de hoge gebouwen gevormde kloof.

32

Voor de Three Star Diner in Kennedy Street, stond een groep jongemannen op het trottoir. Lachend keken ze af en toe door de spiegelruit naar binnen, terwijl ze dreigende blikken wierpen in de richting van Mike Georgelakos en zijn zoon Billy, die achter de bar stonden. Mike kende hen allemaal van gezicht en velen bij naam; hij kende hun ouders en had van sommigen de grootvaders nog als klant gehad.

Darius Strange had een steen gebruikt om de grill schoon te maken. Hij legde zijn koksmuts op de plank en stond op het punt zijn jack aan te trekken. Ella Lockheart was klaar met het vullen van de flessen ketchup en de peper- en zoutvaatjes. Ze zat nu op een van de rode krukken en maakte zich op met lippenstift, die ze uit haar tasje had gepakt. Halftime, de vaatwasser en het manusje-van-alles, had zich ziek gemeld.

'*Mavri*,' zei Mike, terwijl hij minachtend naar de jongens keek.

'Pa,' zei Billy.

'Of wat dan ook, verdomme,' zei Mike.

Darius had in de loop van de jaren alle mogelijke, vreemde scheldwoorden uit Mikes mond gehoord. Hij wist dat 'mavri' in alle gevallen zwarten betekende. Normaal gesproken zette Mike er iets voor of achter, of hij trok er een vies gezicht bij. Dan had het altijd een negatieve betekenis en was het iets smerigs.

Darius en Ella keken elkaar heel even aan. Ze liet de lippenstift in haar tasje vallen.

'Ik ga nu maar,' zei Ella.

'Heb je een lift nodig?' vroeg Darius.

'Nee, dank je,' zei Ella. 'Ik ga lopen.'

'Ik bel jullie wel om te laten weten wat we morgen doen,' zei Mike. 'Ik hoop dat het gauw voorbij is en wij weer kunnen opengaan.'

Ella liep zonder iets te zeggen de deur uit. Darius zag haar over het trottoir weglopen, dwars door de groep jongeren die opzij stapten om haar te laten passeren.

'Je kunt maar beter ook gaan,' zei Mike.

'Jij ook,' zei Darius.

'Och,' zei Mike met een handgebaar. 'Ik maak me nergens zorgen over.'

'Waar is Derek?' vroeg Billy.

'Op dit moment in Seventh Street,' zei Darius en zette de kraag van zijn jack omhoog. 'Hij heeft dienst.'

'God zegene de MPD,' zei Billy. 'Zeg hem dat ik aan hem denk, oké?'

'Dat zal ik doen,' zei Darius.

'Hé,' zei Mike. Darius bleef bij de deur staan toen hij het geluid van diens stem hoorde. Het zweet stond op Mikes voorhoofd en zijn enorme borstkas ging bij iedere moeizame ademhaling op en neer. Een brandende sigaret bungelde tussen zijn vingers.

'Wat is er?'

'Bedankt dat je vandaag gekomen bent, Darius,' zei Mike.

Darius knikte. Hij keek met uitdrukkingsloze ogen naar Mike. Geen van beiden kon weten dat ze allebei binnen het jaar zouden sterven.

Darius verliet de zaak en liep naar zijn auto die in de straat stond.

'Laten we gaan,' zei Billy tegen zijn vader. *'Pame.'*

'Ik ga nergens heen, verdomme,' zei Mike. 'Die jongens gooien mijn ruit in of iets dergelijks.'

'Een raam kunnen we altijd repareren,' zei Billy. Hij legde een hand op Mikes schouder. 'Kom, *Ba-ba.* Het is tijd om te gaan.'

Mike liet de lade van de kassa openstaan, zodat iedereen op straat kon zien dat er niets in zat. Hij haalde de sleutels van de winkel uit zijn zak en deed de voordeur op slot.

Ondanks Derek Stranges waarschuwing had Kenneth Willis donderdagmiddag toch Alvin Jones gebeld, die in het appartement van Ronnie Moses verbleef. Hij vertelde hem dat Strange achter hem aanzat. Strange had Willis doodsangsten bezorgd en hem ook nog eens pijn gedaan, maar dat weerhield Willis er niet van te bellen. Dat kon hij tegenover Alvin niet maken. Alvin was familie.

Over de telefoon ontkende Jones ook maar iets met de moord op Dennis Strange te maken te hebben. Hij besloot niets te zeggen, want Dennis was vroeger met Willis bevriend geweest. Bovendien wilde hij Willis niet van streek maken. Ook wilde hij niets aan Kenneth vertellen dat later tegen hem gebruikt kon worden, als hij voor het een of ander gearresteerd zou worden. Kenneth was flink. Maar zelfs een flinke vent kon doorslaan.

'Prima, Ken,' zei Jones. 'Bedankt voor de tip.'

'Wat ga je nu doen?' vroeg Willis.

'Wat denk je?' zei Jones op een manier alsof hij tegen een kind sprak. 'Ik hou me een poosje gedeisd. Begrijp me goed, ik heb geen flikker met de moord op je vriend te maken, maar ik kan verdomme beter uit de handen van de politie te blijven.'

'Heb je een plan?'

'Een man als ik heeft altijd een plan,' zei Jones, voordat hij de verbinding verbrak.

De rellen van donderdagavond hadden hem een plan verschaft. Jones was omstreeks middernacht naar buiten gegaan en in Rhode Island Avenue in een bus van D.C. Transit gestapt die in oostelijke richting reed. Hij had een kous over zijn gezicht getrokken en hield zijn revolver in zijn hand. Hij beroofde de chauffeur van tachtig dollar cash. Het was de makkelijkste beroving die hij ooit gepleegd had. Het scheen dat alle agenten nu in Shaw waren. Hij wist dat ze totaal niet geïnteresseerd waren in een doorsnee-overval, als 14th Street in vlammen opging.

En nu zat hij hier in Ronnies appartement, vlak bij 7th Street. Hij stond voor de spiegel en bewonderde zijn nieuwe kleding, die hij en Ronnie onlangs uit de Cavalier Men's Shop tussen L en K hadden gestolen. Hij keek naar zijn nieuwe Zanzibar-pantalon, zijn gebreide Damon-trui en zijn schoenen met gevlochten bovenleer. Vooral de trui paste precies en had een prachtige goudgele kleur. Hiermee kwam de goudkleurige band om zijn hoed goed uit. Hij zette de hoed goed recht op zijn hoofd.

Ronnie was weggegaan om nog meer mooie kleren te stelen. Hij zei dat hij naar de zaak van zijn baas ging, de kledingzaak voor grote maten. Daar kon hij halen wat hij wilde, want die kleren waren de enige in de stad die om zijn enorme lichaam pasten. Hij zei dat hij wist waar zijn maat hing en precies wist welke spullen hij wilde hebben, want daar had hij al een poosje op gelet. Jones vertelde hem dat hij niet goed nadacht en zijn eigen nest aan het bevuilen was, maar Ronnie had zijn opmerkingen genegeerd.

'Ik weet wat ik doe,' zei Ronnie Moses, terwijl hij naar de voordeur liep. 'Ga je nog mee, neef?'

'Ga je gang maar,' zei Jones. 'Ik ga even rusten.'

'Als je weggaat, man, doe dan de deur op slot.'

'Ja, dat zal ik doen.'

Jones dacht: en nu ga ik een grote slag slaan. Iemand van een grote hoeveelheid geld beroven. Want de politie is nu veel te druk bezig. Ze hebben het te druk om die duizenden zwarte klootzakken op straat in bedwang te houden en hebben dan geen tijd om naar één zo'n zwarte klootzak als ik om te kijken. Een grote buit, echt geld, en niet meer van dat tachtig-dollargedoe. Daarna zou hij de stad verlaten. Dan zou hij weer naar South Carolina gaan, waar de familie van zijn moeder woonde. Dan zou hij daar een poosje blijven en zien wat dat opleverde.

Dank u, dr. King. Hartelijk dank voor deze gelegenheid.

Jones liep naar de plunjezak met al zijn kleren en andere spullen, die naast de bank stond waarop hij sliep. Hij haalde zijn oude .38 tevoorschijn waarvan het blauwsel van de loop verwijderd was. Jones had zwart elektriciteitsdraad om de kolf gewikkeld; zijn handen wilden nog wel eens gauw gaan zweten als hij aan het werk was, en hij wilde de revolver goed beet kunnen houden. Hij schoof de cilinder opzij, keek of er vijf patronen in zaten en klapte hem weer dicht. Hij stak de revolver in de rechterzak van zijn Zanzibar-pantalon. Hij vond een verfrommelde kous in een lade in de slaapkamer. Die was waarschijnlijk van Ronnies laatste meisje. Hij stopte die in de linkerzak van zijn pantalon. Hij bekeek zich nogmaals in de spiegel, zette zijn hoed goed, verliet het appartement en deed de deur achter hem op slot, wat hij beloofd had.

Hij begaf zich naar 7th Street en liep in zuidelijke richting verder.

Er liepen honderden jongemannen op straat, ze plunderden winkels, lachten en schreeuwden en hadden de grootste lol. Maar er waren ook jongens en meisjes bij en ook diverse oudere mensen. Agenten probeerden met weinig succes de plunderaars tegen te houden. Brandweerlieden probeerden brandende gebouwen te blussen, terwijl ze af en toe weg moesten duiken voor een naar hen gegooide steen of fles.

Van Leventhal's Meubels aan Q stonden alleen de muren nog overeind. De zaak was leeggeroofd en stond in brand. De appartementen die er vlakbij stonden, waren eveneens in vlammen opgegaan.

Leventhal's, dacht Jones, terwijl hij om een brandend matras stapte. Dat was toch een joodse naam, hè? De meeste zaken hier in de buurt waren eigendom van joden. Hoewel ze lang geleden zelf naar een andere wijk waren verhuisd, deden ze nog steeds zaken in 7th. Ze verkochten nog steeds juwelen en meubelen, en stereo's en huishoudelijke artikelen aan zwarten. Alleen op krediet en dan altijd tegen de hoogste rente. Jones zag de opwinding op de gezichten van de plunderaars toen ze een andere zaak leegroofden. Dit had weinig meer met dr. King te maken. Nu ging het erom dat je alles voor niets kreeg, dat je iedere klootzak, jood of blanke, te grazen nam. Zij hadden je al die tijd laten bloeden en hun hele, verdomde leven lang op je nek gestaan. In ieder geval, zo zag Jones het. Zijn mensen kregen er nu iets voor terug.

Zijn mensen. De waarheid was dat Jones geen ene moer om hen gaf. Als alles achter de rug was, gingen ze toch weer met hun oude, trieste manier van leven verder. Intussen was hij, Jones, op weg naar het zuiden met geld in de zakken van zijn nieuwe kleren, misschien wel achter het stuur van die witte El D, die hij aan de andere kant van de stad had gezien. Met alles erop en eraan, inclusief elektrisch bedienbare raampjes.

Hij passeerde een broeder in de straat met zonnebril en camouflagejack. Hij beval een paar jongere broeders hun gestolen spullen daar achter te laten en naar huis te gaan.

'Dr. King zou dit niet gewild hebben!' schreeuwde de man.

Jones lachte. Nu had hij alles meegemaakt.

Hij passeerde een zwarte man, die voor zijn delicatessenwinkel stond. Hij hield een pistool gereed en keek naar de brandende buurt. Zijn winkel was niet beschadigd. Hij passeerde andere winkels en hoorde honden achter de deuren blaffen en gevaarlijk grommen. Ook hun winkels waren niet beschadigd.

Mensen renden om hem heen, botsten tegen hem aan, maar niemand zei iets tegen hem. Hij hoestte en wreef in zijn ogen. De politie begon traangas te gebruiken. Hij begon ook een beetje te transpireren. De brandende gebouwen gaven behoorlijk wat warmte af.

Bij de kledingzaak voor grote maten zag hij Ronnie met zijn gezicht omlaag op straat liggen. Een bezwete, blanke agent stond over hem gebogen en deed Ronnie de handboeien om op zijn rug. Andere agenten deden hetzelfde met een paar andere jonge broeders. Een arrestantenwagen stond vlakbij.

Je bent de lul, neef, dacht Jones. En nu ben je ook je baan kwijt. Maar ik kan je toch niet helpen, hè? Als je geluk hebt, ben je over een paar dagen vrij en dan kun je weer opnieuw beginnen. Intussen heb ik nog werk te doen.

Verderop in L, voorbij de Cavalier Men's Shop die totaal leeggeroofd was, kon Jones een rij politie- en patrouilleauto's zien staan die Mt. Vernon Square afgrendelde. De rij vormde een scheidslijn tussen de zwarte bewoners en het zakencentrum, het blanke D.C. Dat was geen verrassing, dacht Jones. Zoals altijd beschermden ze het kasteel van hun meester.

Jones sloeg rechtsaf, vervolgens nog een keer en liep toen verder in noordelijke richting over Massachusetts Avenue. Daar had hij de vorige avond zijn auto geparkeerd. Hij had op straat geruchten gehoord dat de volgende dag 7th Street in brand zou staan. Grappig dat iedereen het wist, terwijl de politie van toeten noch blazen wist.

In het huis aan Wheaton was het in de loop van de ochtend en het begin van de middag rustiger geworden. Olga zat aan de keukentafel, ze rookte haar Larks en keek naar de nieuwsuitzendingen op de kleine, zwart-witte Philco, die op een metalen, verrijdbare standaard stond. Olga vertelde Alethea dat ze medelijden met haar 'volk' had. Maar toen ze deze woorden zei, keek ze Alethea geen enkele keer aan. Frank deed wat hij iedere andere dag deed, hij slenterde in zijn ochtendjas door het huis, las het sportkatern, dronk koffie en rookte sigaretten. Alleen hun zoon Ricky had met haar gesproken, niet als negerin, maar als vrouw. Hij had haar ook gevraagd of hij haar soms naar huis moest brengen.

'Dank je, maar je vader brengt me naar huis,' zei ze.

Buiten de keuken omhelsde hij haar ongedwongen, zoals hij al sinds zijn kinderjaren deed. Ze had altijd een zwak voor hem gehad. Misschien was er toch nog hoop in de jeugd. Misschien moesten zij, de Vaughns en iedereen zoals zij eerst sterven, voordat deze ziekte voorbij was. Het was om je dood te schamen dat het zo moest lopen. Maar zo dacht zij er nu eenmaal over.

Alethea stond in de hal bij de voordeur en wachtte tot Frank Vaughn naar beneden kwam om haar naar huis te rijden. Ze hoorde zijn gedempte stem uit de ouderslaapkamer en de muziek achter de gesloten deur van Ricky's kamer.

Boven in de slaapkamer stak Vaughn zijn .38 Special in de schouderholster en liep naar het nachtkastje aan zijn kant van het bed. Hij trok de lade open en gebruikte een sleutel om een groen kluisje te openen. Daar lag een ander pistool in: een goedkope .32 automaat in een klemholster. Hij trok het wapen uit de holster, controleerde het magazijn en duwde het magazijn met de zes kogels terug in de geribbelde, houten kolf. Hij klemde de holster met de .32, die hij zes maanden geleden in Shaw van een pooier had afgepakt, achter zijn rug aan zijn broekriem. Hij vouwde een zakdoek op tot een klein vierkant en stak hem in een broekzak. Hij trok zijn Robert Hall-jasje aan, grijs met lichtblauwe strepen, en bekeek zichzelf in de spiegel.

'Waarom moet je weer weg?' vroeg Olga. Ze stond aan de andere kant van de slaapkamer. Ze leunde tegen de deurpost en keek hem aan.

'Ik ben met een zaak bezig.'

'Vandaag?'

'De afdeling Moordzaken heeft nooit een vrije dag.'

'Heb je niet naar het nieuws gekeken?'

Vaughn vormde de letter O met zijn lippen en keek Olga met een theatraal verbaasd gezicht aan. 'Hoezo, is er iets aan de hand?'

'Doe niet zo dom.'

'Olga, ik ga niet naar de plaatsen waar iets aan de hand is. Maak je geen zorgen.'

'Beloof me dat, Frank.'

'Oké, dat beloof ik.'

Het was een leugen.

'Kom hier,' zei Vaughn.

Ze liep door de kamer naar hem toe en sloeg haar armen om zijn middel. Hij bukte en kuste haar op de lippen. Hij duwde naar voren om haar te laten voelen dat er nog steeds leven in hem zat. Hij dacht aan Linda Allen en haar warme schoot.

'Misschien ben ik vanavond pas laat thuis, schat.'

'Bel me. Laat me weten dat het goed gaat met je.'

Vaughn verliet de kamer en stapte in het trapportaal. Hij keek heel even naar de gesloten deur van Ricky's kamer, voordat hij naar beneden ging. Alethea Strange stond in de hal op hem te wachten; ze knoopte haar jas over haar werkkleding dicht.

'Laten we gaan,' zei Vaughn

'Moet u uw zoon niet gedag zeggen?'

'Wat, hou je me soms voor de gek?'

'Zeg tegen hem dat u van hem houdt. *Omhels* hem, meneer Vaughn.' Alethea maakte een beweging met haar hoofd naar de eerste verdieping. 'Ga maar. Ik wacht wel.'

Iets in haar vochtige, bruine ogen maakte hem duidelijk dat hij niet moest protesteren. Hij ging weer naar boven en klopte op Ricky's deur.

In het centrum begonnen steeds meer ambtenaren en mensen uit de vrije sector hun werk in de steek te laten. Ze hadden via de radio voortdurend berichten over de zich steeds verder uitbreidende rellen gehoord, kregen paniekerige telefoontjes van hun echtgenotes en zagen de rook die vanaf het oostelijk deel van de stad in hun richting dreef. Winkelbedienden in F Street en de rest van de binnenstad deden hetzelfde. In de stad ontstonden enorme files in de richting van de buitenwijken. Sommige burgers gingen midden op de weg staan en probeerden auto's door verstopte kruispunten te loodsen. Anderen lieten hun voertuigen in de steek en gingen lopend verder, om zo het angstige gevoel om opgesloten te zitten kwijt te raken.

In Georgia Avenue kon het verkeer in noordelijke richting bijna niet meer verder. Vaughn reed in zijn Polara relatief gemakkelijk in zuidelijke richting. Alethea Strange zat naast hem op de brede voorbank. Ze reden door Shepherd Park en Sheridan, waar hier en daar ruiten waren ingegooid en winkels zoals Ida's warenhuis geplunderd, maar dat was niets vergeleken met wat er verderop in 7th Street was gebeurd. De lucht was donker geworden en hoe dichter ze bij de stad kwamen, hoe sterker de stank van de rook werd.

Vaughn stak een sigaret aan en hield hem in zijn linkerhand vast. Hij hield hem buiten het raampje om Alethea niet te hinderen. Hij zette de radio aan en koos een zender die populaire muziek uitzond, precies op het moment dat de dj een song aankondigde: 'En nu een song die u leuk zult vinden, Frank en Nancy Sinatra zingen "Something Stupid". Mijn naam is Fred Fiske en u luistert naar Twaalf-Zes-Nul, WWDC.'

Vaughn zong zachtjes het gedeelte dat Frank zong mee en liet Nancy zonder zijn hulp haar deel zingen. Alethea zou wel opkijken van Vaughns nonchalante houding, terwijl er zich nu veel ergere dingen afspeelden. Maar ja, zo was Frank Vaughn nu eenmaal. Doelbewust, onveranderlijk en gevangen in een tijd die nooit was geweest of had bestaan, maar misschien alleen in zijn eigen gedachten bestond.

'Hebt u met Ricky gesproken?' vroeg Alethea toen het liedje was afgelopen.

'Eventjes,' zei Vaughn en keek strak naar de weg.

'Het is een goeie jongen.'

'Ja, het is een prima knul.'

'Het is belangrijk dat je tegen hen zegt dat je van hen houdt,' zei ze. 'Iedere keer dat ze weggaan, of dat jij weggaat... je weet nooit of je ooit de kans nog krijgt. Alleen God weet het.'

'Amen,' zei Vaughn onhandig.

Hij transpireerde een beetje onder zijn kraag. Hij wist dat ze aan de dood van haar oudste zoon dacht, en aan haar eigen spijt. Hij voelde zich nooit op zijn gemak tijdens dit soort gesprekken.

Toen hij Ricky's kamer was binnengelopen, was hun korte gesprek in een stroeve en gedwongen sfeer verlopen. Ricky had zelfs de muziek niet zachter gezet. Het was een of andere vent die over zijn 'witte kamer' zong, hoogstwaarschijnlijk ging het over drugs. Voordat hij wegging, had hij op aanraden van Alethea zijn zoon omhelsd. Dit was voor het eerst in jaren. Het was oké, zoals een omhelzing tussen twee mannen voelde. Maar hij had niet tegen Ricky gezegd dat hij van hem hield. Hij begreep niet waarom je tegen je zoon moest zeggen dat je van hem hield, of dat je hem bij wijze van spreken moest omhelzen om dat te bewijzen. Verdomme, hij had hem zijn hele leven gevoed, gekleed en dingen voor hem gekocht. Was dat niet genoeg, verdorie?

'Dank u,' zei Alethea.

'Waarvoor?'

'Dat u tijdens die overval op Derek hebt gelet. Hij heeft me het hele verhaal verteld.'

'Hij...' Vaughn zocht naar de juiste woorden. '... Hij heeft zich voorbeeldig gedragen. Het is een fijne jongeman. En hij wordt een goede agent.'

Ze reden Park View in en waren bijna bij de straat waar ze woonde.

'Ik maak me zorgen over hem,' zei Alethea. 'Nu hij daar bij die rellen is.'

Vaughn voelde dat ze naar hem keek.

'Ik zal op hem passen,' zei Vaughn zo nonchalant mogelijk. 'Ik ga er nu heen.'

Ik ga erheen om naar de moordenaar van je oudste zoon te zoeken, dacht Vaughn. Ik heb een heleboel dingen in mijn leven verkloot, maar er is één ding dat ik nog steeds goed kan.

'Dank je, Frank,' zei ze.

Hij voelde dat hij begon te blozen, toen hij haar zijn naam hoorde zeggen. Hij sloeg linksaf Princeton in en reed langzaam verder de straat in. Hij stopte bij haar rijtjeshuis, waar haar echtgenoot Darin of hoe hij ook mocht heten, voor het huis stond te wachten. Hij draaide zijn hoofd om om haar aan te kijken. Ze knikte naar hem en keek hem met een glimlach in haar ogen aan. Vaughn dacht: Julie London is ze niet, verdomme, maar dit is pas een echte vrouw.

Voordat Vaughn de auto keerde, zag hij dat man en vrouw elkaar omhelsden op de treden voor hun huis. Hij voelde zich vreemd jaloers, toen hij naar Georgia Avenue reed en daar linksaf sloeg. Hij onderdrukte dat gevoel en gaf gas. Bij Irving stond een groep jongeren op het trottoir naar de auto's te schreeuwen die in zuidelijke richting voorbijreden. Toen Vaughn passeerde, schreeuwde een jongen 'blanke klootzak' naar hem.

Vaughn schoot zijn sigaret uit het open raampje en lachte.

33

De ongeregeldheden in H Street, in het noordoostelijk deel, begonnen later dan de rellen in 7th en 14th, maar ze braken wel in alle hevigheid en tegelijk uit. Even na één uur 's middags renden meer dan duizend mensen door de straat, terwijl ze twaalf blokken met winkels plunderden en in brand staken. Het was de langste, aaneengesloten winkelstraat in zwart D.C. Toen de rellen begonnen, waren daar ongeveer vijfentwintig agenten aanwezig.

De politie besloot de belangrijkste winkels te beschermen. Intussen werden alle beschikbare manschappen van het Negende District met spoed naar H gestuurd. Agenten met geweren liepen voor de plaatselijke Safeway heen en weer. Patrouilleauto's blokkeerden de voorzijde van Sears. Maar ze konden de door de brand aangerichte vernielingen, die plaatsvonden tussen 3rd en 15th tot bij het kruispunt van H Street met Florida Avenue en Bladensburg Road, niet verhinderen.

In de stegen verzamelden de plunderaars hun buit en beraamden ze verdere aanvalsplannen. Molotovcocktails werden gevuld en van lappen voorzien, ze werden gegooid door mannen die niet langer geïnteresseerd waren in het stelen van sterkedrank of goederen. Deze brandstichters gingen doelbewust van de ene zaak naar de andere om hun bommen te gooien. Op die manier werd Morton's kledingzaak op de hoek van 7th en H, een van de grootste werkgevers van zwarten, compleet verwoest. Een jongen, een tiener nog, werd later tussen de ruïnes gevonden. Hij was onherkenbaar verbrand en kon niet meer geïdentificeerd worden. Bij de I-C Furniture Company in 5th werd een dertigjarige man onder een brandende muur verpletterd. Agenten, die inmiddels in H waren aangekomen, aarzelden niet om traangasgranaten op de menigte af te vuren. Het hield de plunderaars maar even tegen. Maar toen scheen de hele winkelstraat al in brand te staan.

Kenneth Willis liep doelbewust door H. Hij had zijn appartement verlaten en liep nu door de winkelstraat, terwijl hij de jongeren aanmoedigde die met de laatste drank uit de slijterij onder zijn appartement aan de haal gingen. Anderen, die zich op het trottoir verzameld hadden, groette hij uitbundig. Maar Willis was totaal niet in alcohol of ander klein spul geïnteresseerd. Hij had in de etalage van de juwelierszaak een paar blokken verder een mooi horloge gezien, volgens hem was de wijzerplaat met diamantjes afgezet. Het was mogelijk dat er goedkope diamantjes voor waren gebruikt, maar dat wist hij niet zeker. Maar in een donkere bar zou een vrouw het verschil nooit merken. Een vrouw ging altijd met een man mee die zo'n horloge om zijn pols droeg.

Willis liep verder en hoopte dat die lui daar de juwelierszaak nog niet hadden beroofd, voordat hij er was geweest.

Ten oosten van de Anacostia-rivier breidden de plunderingen zich steeds verder uit. Agenten van het Elfde en Veertiende District hielden zich niet zo in als hun collega's in andere delen van de stad. Bang voor hun eigen leven begonnen ze over de hoofden van de plunderaars te schieten om hen af te schrikken. Aan het einde van de dag had de politie in Anacostia twee jongemannen doodgeschoten.

Politiefunctionarissen en burgemeester Washington vergaderden met LBJ. De scholen gingen nu officieel dicht, evenals de kantoren van de overheidsdiensten. Vierenzestig brandweerkorpsen van het District waren ingezet of stonden klaar om uit te rukken. Een even groot aantal brandweerkorpsen uit Maryland, Virginia en Pennsylvania waren op weg naar D.C. Eenheden van de Zesde Gepantserde Cavaleriedivisie uit Fort Meade, Maryland, werden te hulp geroepen, evenals de D-Compagnie van het Derde Infanteriebataljon uit Fort Meyer, Virginia. Men besloot dat het Derde de federale overheidsgebouwen zou beschermen en de politie 7th Street; het Zesde zou zich bij het Old Soldier's Home aan North Capitol opstellen en in de richting van H en 14th optrekken. Het 91ste Geniebataljon uit Fort Belvoir, Virginia, kreeg bevel om zich naar het uiterste zuidoostelijke deel in Anacostia te begeven. De Nationale Garde van D.C. stond nu in de Armory gereed en kreeg bevel om naar het uiterste noordoostelijke deel te gaan.

Alvin Jones parkeerde zijn Special in 15th Street langs Meridian Hill, en liep door het park naar 16th. Hij begaf zich in de richting van het gedeelte van de straat waar stenen huizen, appartementen en enige kleine hotels stonden. Het was hier heel mooi in de Avenue of the Presidents. Een brede, schone straat, veel bomen... en meestal heel veel blanke mensen op straat. Maar vandaag niet. Nu zaten ze allemaal vast in hun voertuigen. Ze zagen er bleker uit dan anders en ze keken met angstige ogen door de raampjes naar buiten.

Het had Jones een paar uur gekost voordat hij de andere kant van de stad had bereikt. Hij besefte dat hij zijn auto moest achterlaten op de plek waar hij hem geparkeerd had en naar Ronnies huis terug moest lopen. Hij hoopte dat alle moeite en tijd niet tevergeefs was geweest voor de uitvoering van zijn plan.

Jones liep een pad op dat naar het hotel leidde. Het leek op een gewoon huis, maar dat was het niet. Hij was er een paar weken geleden geweest. Hij was regelrecht naar de receptie gelopen en had gevraagd wat de tarieven waren. Een jonge blanke achter de balie met weke lippen, volgens hem een homo, zei: 'Wat voor kamer had u in gedachten?' Hij had er zelfs niet aan gedacht hem 'meneer' te noemen. Nu zou hij hem wel met meer respect behandelen.

Vlak voordat hij naar binnen stapte, trok Jones de kous over zijn hoofd. Nadat hij twee stappen binnen stond, trok hij zijn pistool. Een vrouw zat in een stoel in de lobby, ze keek hem aan en zei met luide stem: 'O!'

'Hou je kop dicht, slet,' zei Jones. Ze maakte verder geen geluid meer.

Er was verder niemand in de lobby. Jones liep regelrecht naar de receptie waar de jongen met de weke mond stond. Hij had zijn handen omhooggestoken. Voordat Jones één woord gezegd had, begonnen ze al te trillen. Die knul droeg een van die overhemden met flappen en koperen knopen op de schouders, alsof hij een admiraal bij de marine was of zo. Waarschijnlijk droeg hij altijd een matrozenuniform.

'Weet je wat dit is, klootzak,' zei Jones, terwijl hij met zijn .38 op de borst van de blanke jongen wees. 'Kom op.'

Jones keek door de ramen van de lobby naar buiten. Intussen pakte de receptionist enkele bankbiljetten uit de lade van de kassa en legde ze op de balie. Er was niemand te zien, behalve de mensen die in hun auto zaten opgesloten. De gasten van het hotel hielden zich waarschijnlijk allemaal boven in hun kamer schuil.

'Hebben jullie hier nog een brandkast?' vroeg Jones.

'Ja, maar – '

'Maak maar open, jongen.'

'Dat duurt wel een paar minuten.'

'Dat duurt wel een paar minuten, *meneer.*'

'Meneer,' zei de jongen met trillende lippen.

Jones glimlachte onder het masker. 'Ik heb de tijd.'

Vijftien minuten later liep hij in oostelijke richting verder met zijn pistool in de ene zak en achthonderd dollar in de andere. Af en glimlachte hij zomaar en dacht dat het een goede dag voor hem was geweest. Hij droomde van een witte El Dorado met rode bekleding en raampjes die elektrisch open- en dichtgingen, en elektrisch verstelbare stoelen.

Nu ga ik ervandoor, dacht Jones. Geen politie die me nog achter mijn kont aan zit, of vrouwen met baby's die me kaal willen plukken. Vanavond ben ik uit die klotestad verdwenen. En ik ben rijk.

Frank Vaughn parkeerde zijn Polara op de parkeerplaats van Howard University en liep kaarsrecht in de richting van de gevechten in 7th. Hij had zijn politiepenning uit het etui gehaald en aan zijn revers gehangen.

Alles om hem stond in brand. Brandweerwagens, die met planken en kooien van gaas waren verstevigd, probeerden zich een weg door de menigte te banen. ME met witte helmen klemden zich aan de zijkanten vast. Vaughn had nog nooit zoiets in zijn eigen land gezien. Het herinnerde hem heel duidelijk aan de laatste dagen van de oorlog.

Hij sloeg linksaf P in. Ratten, op de vlucht voor de vlammen, rook en hitte, staken haastig de straat over. Een paar blokken verder passeerde hij een buurtwinkel. Alle ramen waren ingegooid, de winkel was leeggeroofd en een deel van de voorraad lag op straat. Hij bereikte het appartementsgebouw dat eigenlijk een gewoon rijtjeshuis was, waar Alvin Jones' neef Ronnie Moses woonde. Vaughn liep een kleine hal en nam de trap naar boven.

Hij klopte verscheidene malen op de deur. Hij klopte nogmaals. Hij zei voor de vorm: 'Politie', waarna hij zijn dienstrevolver trok en de deur intrapte. Hij liep Moses' appartement in en deed de deur achter zich dicht.

Vaughn liep van kamer naar kamer. Hij vond pornoblaadjes en vrouwenkleren in de slaapkamer. Hij vond een polaroidcamera, een fotoalbum en een open plunjezak met kleren en scheergerei, die naast een versleten bank in de woonkamer stond. Al deze spullen maakten hem duidelijk dat Ronnie Moses een rokkenjager was en dat hij momenteel een mannelijke logé had.

Vaughn ging weer naar beneden naar de straat.

Militairen van de Zesde Gepantserde Cavaleriedivisie arriveerden in jeeps en trucks in H Street en blokkeerden beide einden van de winkelstraat. De soldaten droegen gele doeken om hun hals en zwarte gasmaskers voor hun gezicht. Ze marcheerden in slagorde door het midden van de straat. Ze droegen M-14's met omhulde bajonet. Ze maakten stekende bewegingen met de bajonetten naar de plunderaars en smeten met gulle hand traangasgranaten. Arrestantenwagens en politieagenten volgden hen op de voet en verrichtten arrestaties.

Op weg naar huis duwde Kenneth Willis een dronken kerel het trottoir op. Hij passeerde de grote zaak van Western Auto in 9th, die volledig in brand stond. Er liepen genoeg dronken kerels waggelend en lachend door de straat. Ze waren duidelijk onder invloed van de gestolen alcohol die ze gedronken hadden.

Willis had geluk gehad. Hij had het horloge in de juwelierszaak gevonden, hoewel het niet in de etalage lag zoals hij gedacht had. Er was helemaal geen etalage meer en er lag niets meer uitgestald. Het horloge was op de grond gevallen en door iemand tot achter in de winkel geschopt. De wijzerplaat was iets beschadigd, maar Willis wist dat een beetje tandpasta voldoende was om de krassen te verwijderen. Vanaf nu droeg Willis het horloge om zijn pols.

Hij naderde het gebouw waarin hij woonde. Brandweerlieden spoten water naar de slijterij en de woningen erboven. Het vuur had bezit van de appartementen genomen. Het gebouw stond helemaal in brand.

Willis stond er als versteend naar te kijken. Het was zeker dat hij zijn baan als conciërge kwijt was. Er liep een aanklacht tegen hem wegens wapenbezit. De laatste paar dagen had hij van verschillende agenten een pak slaag gekregen. En nu ging zijn hele bezit in rook en vlammen op.

Hij keek naar het horloge om zijn pols. Hij zag dat een van de diamantjes van de wijzerplaat los was geraakt. Hij haalde hem eruit en kneep er met zijn vinger en duim op. Het verpulverde helemaal.

Bergkristallen, dacht Willis. Hij vond dit wel grappig en begon te lachen.

Strange maakte gebruik van zijn knuppel en lichaamskracht om een paar mensen te arresteren. Hij joeg een paar kinderen de winkelstraat uit, eerst de stegen in en vervolgens de zijstraten. Hij hoopte dat ze uit de buurt van de winkelstraat zouden blijven. Hij deed wat in zijn vermogen lag.

Hij liep door 7th in de richting van Q. Een appartement boven een kledingzaak stond in brand. Een man schreeuwde naar brandweerlieden, hij vertelde dat zijn moeder door de vlammen was ingesloten omdat ze niet snel genoeg naar beneden kon komen. De kranten berichtten later dat de in de rook gestikte vrouw meer dan honderdtachtig kilo had gewogen. Haar zoon had de brandstichters gesmeekt het gebouw niet in brand te steken, maar ze hadden zijn smeekbeden genegeerd.

Strange passeerde een kleine meubelzaak met spiegelruit die niet geplunderd of in brand gestoken was. Een blanke man zat in een schommelstoel in de etalage met een dubbelloops jachtgeweer in zijn armen en een sigaar tussen zijn lippen. De man knipoogde naar Strange.

Strange liep voorbij een zwarte man in camouflagekleding en met zonnebril, die een groep jongeren smeekte om de straten te verlaten en daarbij de doelstellingen van dr. King aanhaalde. Strange wist dat het een undercoveragent was, een man getraind in het neutraliseren van rellen. Maar vandaag had hij niet veel succes.

Strange veegde de tranen van zijn gezicht. Zijn keel was rauw geworden en zijn ogen staken meedogenloos van het traangas. De plekken waar zijn huid niet bedekt was, gloeiden van de hitte. Om hem heen stond 7th Street in brand.

Soldaten van de Derde Infanteriedivisie waren in 7th Street aangekomen en begonnen traangasgranaten af te vuren en plunderaars te achtervolgen en arresteren. Ze beschermden brandweerlieden die met doorgesneden brandslangen moesten werken en van alle kanten met stenen en bierflessen werden bekogeld. De soldaten begonnen met het massaal arresteren van plunderaars. Het ergste leek nu voorbij te zijn. Maar van de straat was weinig overgebleven.

'Jongeman,' zei een stem achter Strange.

Hij draaide zich om. Het was Vaughn. Zijn gezicht was smerig geworden en zijn kortgeknipte haren waren donker geworden van het vuil dat door de lucht zweefde.

'Rechercheur,' zei Strange.

'Ik ben naar het huis van Ronnie Moses gegaan om Alvin Jones op te sporen,' zei Vaughn.

'En?'

'Volgens mij logeert Jones daar,' zei Vaughn. 'Hij is niet thuis... nog niet tenminste.'

'En?'

'Je *wilt* hem toch te pakken krijgen, of niet?'

Strange knikte met opeengeklemde kaken.

'Ik heb hier zojuist met een inspecteur gesproken,' zei Vaughn. 'De verantwoordelijke autoriteiten zijn van plan om een avondklok in te stellen. Uiteindelijk zullen ze het allemaal weer onder controle krijgen. En al de mannen die nu op straat rondlopen, moeten toch weer naar hun huizen terug.'

'Wat bedoelt u precies?' zei Strange. Hij begon harder te praten om boven het lawaai van de inbraakalarmsystemen en geschreeuw uit te komen.

'Laten we even hier vandaan gaan,' zei Vaughn. 'Al die rotzooi hier, ik kan zelfs mezelf niet horen denken.'

Vaughn en Strange begaven zich naar P en liepen om een stalen, roodgloeiende draagbalk midden op straat.

Burgemeester Washington besloot, na overleg met commissaris John Leyton, de directeur van de Openbare Veiligheid Patrick Murphy en President Johnson, om een strikte avondklok in D.C. in te stellen, vanaf halfzes vrijdagmiddag tot halfzeven de volgende ochtend. Politie, brandweer, artsen, verplegend personeel en mensen van de reinigingsdienst waren ervan uitgezonderd. Bier, wijn en sterkedrank mochten niet meer worden verkocht. Benzine werd alleen aan automobilisten verkocht die het direct voor hun auto gebruikten.

Toen het avond werd, begon men de orde in het uiterste noordoosten, het uiterste zuidoosten, in H en 7th te herstellen.

Manschappen van de Zesde Cavaleriedivisie waren laat in de middag in 14th Street aangekomen. Ze verzamelden zich bij S en marcheerden in colonnes in noordelijke richting, terwijl ze op de maat van hun tempo 'mars, mars, mars' zongen. Ze smeten kwistig met traangasgranaten en verrichtten in samenwerking met de politie veel arrestaties. Ze sloten het begin en het einde van de winkelstraat hermetisch af met twee bataljons van 700 man.

Maar net zoals dat in 7th en H Street het geval was, viel er weinig meer te beschermen.

Lydell Blue zat achter in een viertonner van het leger. Hij at een boterham met pindakaas en dronk water uit een veldfles. Een buurtbewoner bracht boterhammen voor de politie en soldaten, die dringend behoefte aan een pauze hadden.

Blues uniform was gitzwart geworden. Zijn rug deed zeer en hij was in staat om ter plekke in slaap te vallen. Enige ogenblikken geleden had hij bloed opgehoest.

Ondanks dat voelde hij zich goed.

Tijdens het hoogtepunt van de rellen, toen hij zijn stad en haar inwoners beschermde, drong het tot hem door wie hij was en wat hij altijd zou zijn. Hij was een zwarte man, door en door. En hij was agent. Het een sloot het ander niet uit. Hij kon allebei zijn en in beide gevallen met trots.

Een broeder op straat waarschuwde Jones voor de avondklok. Nu wist Jones dat hij extra voorzichtig moest zijn bij zijn tocht door de stad. Zijn plan was om in de buurt van Massachusetts Avenue te blijven, dicht in de buurt van de gebouwen in het centrum, in de schaduwen, uit het zicht van de soldaten en agenten. Vervolgens zou hij in oostelijke richting tot 6th Street lopen en dan naar het huis van zijn neef. Daar zou hij zijn plunjezak met zijn spulletjes pakken en dezelfde weg terugnemen. Het was mogelijk, ook al omdat het steeds donkerder werd. Hij hoefde alleen maar zijn Buick in 15th Street te bereiken, waarna hij zo vrij als een vogeltje naar het zuiden kon vertrekken.

Het kostte wel enige tijd, maar hij slaagde erin om zonder enige problemen 6th te bereiken. Hij liep in noordoostelijke richting verder tot hij het blok bereikte waar zijn neef Ronnie woonde. Hij passeerde de vernielde supermarkt op de hoek en stak in gebukte houding de straat over. Hij ging het rijtjeshuis binnen, waar zijn neef op de eerste verdieping woonde.

Achter in de donkere supermarkt keek Frank Vaughn door het gat waar de spiegelruit had gezeten. Hij haalde zijn duim over het wieltje van de Zippo en stak een sigaret aan. Hij klapte de aansteker weer dicht.

Een kleine, zwarte man met een bijna gele huidskleur. Strange zei dat hij een zwarte hoed met gouden band zou dragen. Die droeg hij, precies zoals Strange gezegd had. Nu hoefde Vaughn alleen nog maar het raam van Ronnie Moses' appartement in de gaten te houden. Hij hoefde alleen nog maar op Stranges teken te wachten.

Vaughn nam een trek van zijn L&M. Het topje lichtte op en verlichtte heel zwak de supermarkt. Het enige licht hier was afkomstig van de donkerder wordende avond. De supermarkt was geplunderd en delen van de voorraad waren op straat gesmeten. Er was nog weinig over van de voorraad op de planken. Pocketboeken, dozen met bakmeel en bloem lagen overal op de grond. Water druppelde uit een gebroken pijp. Een stapel halfverbrande kranten lag in het midden van de winkel op een hoop. Iemand had de kranten in brand gestoken, maar het vuur had zich niet verspreid. De stank van rook hing nadrukkelijk in de winkel.

Vaughn deed een paar stappen naar voren en ging dicht bij de ingang staan. Vanaf dit punt kon hij Ronnie Moses' appartement op de eerste verdieping zien.

'Probeer hem aan het praten te krijgen en laat hem vervolgens gaan,' had Vaughn tegen Strange gezegd. 'Als hij heeft bekend, moet je het licht even aan- en uitdoen. Dan zorg ik voor de rest.'

'Wat ga je doen?' had Strange gevraagd.

Vaughn vond het niet nodig de nieuweling alles uit te leggen. Hij zou de jongeman zelf moeten laten beslissen.

Vaughn nam nogmaals een stevige trek van zijn sigaret.

Zodra Jones in het trapportaal stond, wist hij dat iemand de deur van het appartement van zijn neef had opengebroken. Bovendien hoefde hij er maar even tegen te duwen om hem verder open te doen. Iemand had ingebroken, dat was duidelijk, want hij herinnerde zich heel goed dat hij de deur op slot had gedaan. Maar Jones dacht dat de inbraak gewoon een onderdeel van de ongeregeldheden van die dag was. Kinderen bleven nu eenmaal kinderen.

Maar toch haalde hij zijn pistool uit zijn broekzak. Hij stapte het appartement binnen.

Strange kwam achter de open deur vandaan en drukte zijn dienstrevolver tegen Jones' achterhoofd.

'Geen woord,' zei Strange. 'Laat dat pistool op de grond vallen.'

'Een pistool kan op die manier per ongeluk afgaan,' zei Jones. Hij bleef roerloos staan en draaide zijn hoofd niet om.

'Nu,' zei Strange.

Jones liet het oude pistool op de grond vallen. Het kwam met een behoorlijke klap op de grond terecht.

'Nu loop je verder naar het midden van de kamer,' zei Strange, 'en dan draai je je om.'

Jones gaf gehoor aan het bevel. Strange hielde de revolver op hem gericht en duwde de deur met zijn voet dicht.

Jones glimlachte een beetje toen hij zich omdraaide en Strange aankeek.

'Agent,' zei Jones. 'Ik hoorde dat je me zocht.'

Strange zei niets.

'Het gaat over je broer, hè?'

Strange gaf geen antwoord.

'Ik hoorde dat hij dood is. Mijn neef Kenneth vertelde me dat, man. Verdomd jammer.'

'Ja,' hoorde Strange zichzelf zeggen, terwijl hij naar de vreemde, goudkleurige ogen van Alvin Jones keek.

'Ik weet er niets van,' zei Jones. 'Ik bedoel, als dat de reden is waarom je me achternazit, dan kan ik nu wel zeggen... Ik was op de avond dat hij vermoord werd in het gezelschap van een vrouw.' Jones grinnikte. 'De *hele* nacht. Die griet wilde me niet uit bed laten gaan, begrijp je wat ik bedoel? Als je wilt, dan geef ik je haar telefoonnummer. Ze zal het bevestigen.'

'Ik wil geen enkel telefoonnummer van je,' zei Strange.

'Wat wil je dan? Jij staat daar met een revolver in je hand. Vertel mij maar wat je wilt. Ik zei toch dat ik van niets weet, man. Ik weet niet wat ik verder moet doen.'

Strange keek Jones doordringend aan.

'Als je denkt dat ik hem opengesneden heb,' zei Jones, 'dan heb je het mis. Dat was ik niet.'

Ik heb niet gezegd dat iemand hem opengesneden heeft. Ik heb Willis niet verteld dat hij op die manier gestorven is. En in de kranten heeft het ook niet gestaan... dus hoe kon je dat nu weten?

Strange liet zijn revolver zakken.

'Zie je wel,' zei Jones glimlachend. 'Nu is alles je duidelijk. Even goede vrienden, broeder. Ik begrijp dat je van streek bent.'

'Ga nu maar weg,' zei Strange heel zachtjes.

Jones begaf zich naar de zijkant van de bank, bukte zich, trok de ritssluiting van zijn plunjezak dicht en tilde hem van de vloer.

'Ik ben al weg,' zei Jones.

Hij liep naar de voordeur en keek naar het pistool op de grond. Strange schudde zijn hoofd. Jones lachte heel even als een kind, maar liep direct verder het appartement uit. Strange luisterde naar zijn voetstappen op de trap.

Hij deed de grote lamp in de kamer uit. Hij liep naar het raam dat uitzicht op de straat bood. Daar stond een klein tafeltje met daarop een lamp zonder kap. Strange raakte de schakelaar van de lamp met zijn vinger aan. Hij aarzelde even; Jones had niet openlijk bekend. Maar hij had geweten dat Dennis 'opengesneden' was. Slechts een paar vrienden, familieleden en de politie waren van dat feit op de hoogte. En de moordenaar. De moordenaar wist het.

Strange deed de lamp aan en daarna weer vlug uit.

Vanuit het donkere appartement zag hij Vaughn met een klein automatisch vuurwapen uit de supermarkt op de hoek tevoorschijn komen. Hij zag dat hij een paar dreigende woorden tegen Jones zei, waarna hij hem onder dreiging van het wapen dwong de supermarkt binnen te gaan. Vaughn stapte opzij en liet Jones passeren. Jones ging als eerste naar binnen, gevolgd door Vaughn.

Strange hoorde beneden een plopgeluid, direct gevolgd door nog twee ploppen. Lichtflitsen uit de supermarkt verlichtten heel even de straat.

Strange verliet in het donker het appartement en liep de trap af. Hij verliet het rijtjeshuis en stak de straat over naar een steeg naast de supermarkt. Vaughn kwam uit de supermarkt tevoorschijn, keek even om zich heen en trok zijn jasje goed. Hij kwam bij Strange staan, die in een donker plekje aan de rand van de steeg stond. Hij haalde een stapeltje bankbiljetten tevoorschijn en gaf dat aan Strange.

'Neem mee,' zei Vaughn. 'Ik heb zijn zakken en portemonnee leeggehaald.'

'Dat wil ik niet,' zei Strange.

'Neem mee. Gooi het weg of geef het weg, dat maakt mij niets uit. Het moet op roof lijken, dus hier is het.'

Strange stak het geld in zijn zak.

'Het wordt steeds makkelijker,' zei Vaughn, toen hij Stranges holle blik zag. 'Laten we gaan.'

Ze liepen naar 7th Street. Het geluid van de sirenes en alarmsystemen klonk steeds luider, evenals de luide stemmen van de soldaten, burgers en agenten. Toen ze in de buurt van het lawaai kwamen, zagen ze een afvoerput die een enorme hoeveelheid water verwerkte dat door de goot stroomde. Vaughn trok de goedkope .32 tussen zijn broekriem vandaan, veegde hem met zijn zakdoek schoon en liet het pistool met de portemonnee van Alvin Jones in het water vallen. Vaughn hield nauwelijks zijn pas in.

Op het kruispunt van 7th en P, tussen alle verwarring, zwaailichten, vlammen en lawaai, schudde hij Strange de hand en liep weg.

Vaughn verdween in de rook. Strange liep in noordelijke richting verder.

34

De avondklok en de aanwezigheid van zesduizend gewapende soldaten, leden van de Nationale Garde en agenten kregen de stad uiteindelijk onder controle. Gevangenen die in overvolle cellen in de districtbureaus waren opgesloten, werden naar gevangenissen in het centrum overgebracht. Mensen die niet gearresteerd waren, keerden terug naar hun appartementen, huizen en pensions om hun buit te bekijken, hun wonden te laten behandelen en belevenissen uit te wisselen. Verscheidene gezagsgetrouwe burgers kwamen in strijd met de avondklok uit hun huizen tevoorschijn om voedsel en drinken aan de uitgeputte brandweerlieden en agenten te geven. Velen waren geschokt toen ze de straten en winkels zagen, waar ze bijna iedere dag van hun leven hadden doorgebracht. De verwoestingen in hun buurt waren enorm.

Tegen middernacht was de hoofdstad van de Verenigde Staten door federale troepen bezet. Tijdens het weekend kwamen hier en daar nog rellen en burgerlijke ongehoorzaamheid voor, maar dat werd steeds minder. Uiteindelijk werd het toch nog een relatief vredige paaszondag.

Aan het einde van het weekend telde men achtduizend arrestanten, twaalfhonderd gewonden en bijna dertig miljoen dollar schade. Twaalf mensen hadden als gevolg van de rellen de dood gevonden. Een dertiende dode werd als moord beschouwd. In een totaal vernielde supermarkt in de buurt van 7th Street werd het lichaam van een man gevonden. Hij was van korte afstand in zijn hoofd, keel en borst geschoten.

De man werd nooit geïdentificeerd. Zijn moordenaar werd nooit opgespoord.

Vrijdagavond laat reed een patrouilleauto langs Howard University door Georgia. De inzittenden, twee blanke veteranen van het Dertiende District, zetten de auto langs het trottoir waar een grote blanke man in een goedkoop kostuum in een telefooncel stond te bellen. Om zijn enorme gestalte de ruimte te geven had hij de deur open laten staan. De agent naast de bestuurder herkende de man.

'Rechercheur,' zei de agent, terwijl hij zijn hoofd uit het raampje stak. 'Alles oké?'

Vaughn legde zijn hand op het mondstuk. 'Ik ben hier bezig moorden op te lossen.'

'Als je het soms nog niet weet, je zit wel achter de vijandelijke linies.'

'Ik werk undercover,' zei Vaughn. De agenten begonnen te lachen.

'Je loopt nu al zo lang mee,' zei de agent, en gaf zijn partner een knipoog. 'Heb je nog een speciaal advies voor deze situatie?'

'Je moet pas schieten als je het wit van hun ogen ziet.'

'Dat is niet moeilijk.'

'Pas goed op, hè?'

De agenten in de patrouilleauto reden weg. Vaughn trok zijn hand van het mondstuk.

'Een paar agenten,' zei Vaughn in de telefoon. 'Ze maakten zich zorgen over de Hound Dog.'

'Ik heb me ook zorgen om jou gemaakt,' zei de vrouw aan de andere kant van de lijn.

'Ik zei toch dat ik je zou bellen?'

'Jazeker, maar…'

'Wat?'

'Ik wil je weer *zien*, Frank.'

Vaughn stopte een sigaret tussen zijn lippen. 'Ik kan best een borrel gebruiken.'

'Ik wacht op je,' zei Linda Allen. Ze verbrak de verbinding.

Vaughn stapte uit de telefooncel en stak zijn sigaret aan. Hij ging naar huis, naar Olga en de jongen. Maar nu nog niet.

De patrouilleauto reed in noordelijke richting verder. De veteranen passeerden een jonge, zwarte agent die langzaam de lange helling opliep.

Derek Strange zag de patrouilleauto voorbijrijden. Hij wuifde niet of gaf niet met een gebaar te kennen dat hij hen gezien had. Hij stak Georgia Avenue over en liep in westelijke richting door Barry Place. Hij bleef bij het rijtjeshuis van Carmen Hill staan, keek omhoog naar haar appartement en zag dat het donker was. Hij staarde naar de donkere kamer achter haar raam en liep weer door.

Ondanks de avondklok waren er nog mensen buiten; ze zaten op de trapjes voor hun huis. Jongeren hadden zich in de stegen verzameld. Sommigen stonden op straathoeken, leunden tegen straatlantaarns of zaten op afvalbakken. Anderen keken Strange met een koude blik in hun ogen aan. Enige mannen knikten vriendelijk naar hem. Maar niemand schreeuwde naar hem of zei iets tegen hem.

In gedachten probeerde Strange zijn broer voor de geest te halen.

Hij stond in de huiskamer, terwijl hij zijn familie op de ophanden zijnde revolutie probeerde voor te bereiden.

'Die heb je gemist, D,' zei Strange.

Hij veegde de tranen uit zijn ogen. Een jongen rende een steeg uit met een jurk over zijn schouders. Hij sperde zijn ogen wijdopen toen Strange zijn hand uitstak en hem bij de arm greep.

'Wat ben jij aan het doen?' vroeg Strange.

'Ik maak gewoon een geintje,' ze de jongen. 'Deze jurk is voor mijn moeder.'

'Waar zijn je vader en moeder? Hebben ze je niet gezegd dat er een avondklok is?'

'Ik heb geen vader, meneer. Mijn moeder is met een man uit.'

'Ga naar huis,' zei Strange en liet de arm van de jongen los. 'Ga naar huis!'

De jongen liet de jurk vallen en vluchtte weg. Strange liep verder.

Hij sloeg rechtsaf 13th Street in en liep langs Cardozo High de helling op, maar hij draaide zich niet om om naar de smeulende ruïnes van Shaw te kijken. Boven aan de heuvel bereikte hij het appartementsgebouw waar hij woonde. Hij keek naar de ramen van zijn appartement. Die stonden wijdopen. Hij probeerde zich te herinneren of hij ze de laatste keer open had laten staan.

Strange liep naar de voordeur van het gebouw, zocht naar zijn sleutels en voelde de rol biljetten in de zak van zijn uniformbroek. Hij bleef enige ogenblikken bij de voordeur staan en dacht aan de jongen die hij zojuist onderhanden had genomen. Hij dacht aan al die jongens die hij iedere dag zag. Hij dacht aan de baby, wiens vader hij zojuist had gedood.

Strange keerde terug naar het trottoir van 13th. Hij liep in noordelijke richting verder, voorbij Euclid, tot hij Fairmont bereikte. Hij liep in westelijke richting door Fairmont, tot hij het rijtjeshuis met het torentje en de bladderende verf bereikte. Hij liep naar binnen en nam de trap naar de eerste verdieping. Hij klopte daar op een deur en wachtte.

De deur ging open en de grote, zware vrouw met de brede gelaatstrekken en de amandelvormige ogen verscheen in de deuropening. Ze droeg een oud shirt en de 'Black is Beautiful'-oorringen die hij al eerder had gezien. Ze hield haar baby in haar arm.

'Mary,' zei Strange. 'Het spijt me dat ik je zo laat lastigval.'

'Je ziet er verschrikkelijk uit.'

'Ik ben bijna twee dagen achtereen aan het werk geweest, verdomme. Mag ik binnenkomen? Ik blijf maar heel even.'

Ze stapte opzij en liet hem passeren. Daarna deed ze de deur achter hem dicht. Toen stonden ze enigszins verlegen in haar kleine hal. Het appartement rook naar baby's en sigaretten.

'Wil je soms koffie?'

'Nee, dank je,' zei Strange. Hij dacht aan de koffie die ze de eerste keer had aangeboden, en de kakkerlak die over het schoteltje kroop.

'Gaat het weer over Alvin?' vroeg Mary. 'En, heb je hem gevonden?'

'Volgens mij is hij vertrokken,' zei Strange. 'Ik denk niet dat hij ooit terugkomt.'

'Dat verbaast me niets.'

'Nou ja,' zei Strange. Hij stak zijn hand in zijn zak en haalde het rolletje bankbiljetten tevoorschijn. 'Ik kwam even langs om dit aan je te geven. Het is voor je zoontje.'

Mary keek naar de biljetten in Stranges hand. 'Ik begrijp het niet.'

'Ik heb het vanavond van een verdachte afgepakt,' zei Strange. 'Bij 7th, waar de rellen waren. Volgens mij is het uit de kassa van een winkel gestolen. Ik mag het niet houden. En ik kon het ook niet terugbrengen. Nu, ik wil je niet beledigen, maar... luister, ik *weet* dat je het goed kunt gebruiken. Je kunt het gebruiken om spulletjes voor je zoontje te kopen.'

Ze keek hem achterdochtig aan. 'Hoeveel is het?'

'Tel het maar,' zei hij met uitgestoken hand.

Ze aarzelde even.

'Hou de baby even vast,' zei ze.

Strange ruilde het kind voor het geld. Mary's lippen bewogen zachtjes, terwijl ze het geld telde. Strange keek neer op het jongetje met zijn lichte huid, dat hem met zijn vreemde, goudkleurige ogen aankeek.

'Het is zeshonderd dollar.'

'Die zijn van jou,' zei Strange, die nog steeds naar het jongetje keek. 'Hoe heet hij?'

'Granville,' zei Mary. 'Granville Oliver. Ik heb hem mijn achternaam gegeven.'

'Het wordt een knappe jongen,' zei Strange.

'Ik hoop dat het een fijne knul wordt,' zei Mary Oliver. Ze keek hem voor de eerste keer glimlachend aan. 'Hartelijk bedankt hiervoor.'

Het is niets anders dan bloedgeld, dacht Strange. Alleen maar om mijn geweten te sussen, dat is alles.

'Ik moest maar weer eens gaan,' zei Strange.

Toen hij door Fairmont liep, rook Strange de geur van seringen die tegen een hek groeiden. Hij sloeg rechtsaf 13th Street in en liep de twee blokken in zuidelijke richting naar zijn appartement, zonder over de rand van de grote heuvel te kijken.

Hij passeerde de dubbele glazen deuren en stond in de hal, waar veel jongeren zaten te praten en sigaretten te roken. De gesprekken stokten toen ze hem zagen. Hij vroeg zich af of ze wisten dat dit zijn laatste avond als agent was.

'Je bent nu ergens voor verantwoordelijk, jongen. Als je iets doet dat in strijd is met die opdracht, ben je niet waard dat uniform te dragen.'

Op de verdieping waar hij woonde, liep hij door de gang met de vaste vloerbedekking. Opeens hoorde hij muziek achter de gesloten deur van zijn appartement. Toen hij bij de deur was, drukte hij zijn oor tegen de deur en luisterde naar een bekende stem. Strange glimlachte.

Het was Otis met begeleiding van de bekende sessiemuzikanten. 'That's How Strong My Love Is'. Volt single nummer 124.

Strange gebruikte de sleutel om binnen te komen.

Daar stond ze bij de open ramen. Ze droeg die lichtblauwe jurk en de blauwe band in haar haren. Strange liep door de kamer naar haar toe, sloot haar in zijn armen en rook de parfum. Hij kuste haar vol op de lippen, waarna hij haar naam zei.

Beneden in Shaw glinsterden lichtjes heel flauw tussen de zwarte rookwolken door die daar nog hingen en de nachtelijke hemel verduisterden. Een zachte wind waaide door de open ramen naar binnen. Magnolia's, kornoelje en kersenbomen stonden overal in de stad in bloei. Het aroma van hun bloemen en de geur van verbrande en door brand gereinigde voorwerpen hing in de lucht.

Dankbetuiging

Ik bedank mijn vrienden Logan Deoudes en Jerome Gross, die me uitgebreide en onschatbare steun hebben verleend tijdens de research van *Harde revolutie*. Eveneens bedank ik Dan Fein, Leonard Tempchin, Pete Glekas, Tim Thomas, Bob Fegley, Gary Phillips, Ruby Pelecanos, Bob Boukas, Paulina Garner, Billy Caludis, Frazier O'Leary, Mary Rados, Jim en Ted Pedas, Michael Pietsch, Reagan Arthur, Claire McKinney en Alicia Gordon. Verder heb ik nog veel daadwerkelijke deelnemers aan de rellen van april 1968 gesproken, die anoniem wensten te blijven. Hun openhartigheid en eerlijkheid werden zeer op prijs gesteld.

Zoals eerder in het verleden, verschafte de Washingtoniana-zaal van de MLK-bibliotheek mij de instrumenten en de atmosfeer die ik nodig had om dit boek te schrijven. *Ten Blocks from the White House,* geschreven door Ben Gilbert, en de staf van *The Washington Post* verschaften me de tijdsduur en feitelijke basis voor het deel van het boek, waarin de rellen worden beschreven. Peter Guralnicks *Sweet Soul Music* en Mark Opsasnicks *Capitol Rock* verschaften me de muziekdetails die ik nodig had. De platen van Otis Redding, O.V. Right, The Impressions, James Carr, Wilson Pickett, Johnnie Taylor en anderen gaven me inspiratie.

Dit boek draag ik op aan alle goede burgers – arbeiders, ouders, kinderen, vrijwilligers, onderwijzers, geestelijken en agenten – van Washington, D.C., en aan mijn gezin: Emily, Nick, Pete en Rosa. Ik houd veel van jullie en respecteer jullie allen.